# LE ROMAN
## jusqu'à la Révolution

### Tome II

# COLLECTION U

## LETTRES FRANÇAISES

| | |
|---|---|
| Michel LIOURE | *Le Drame* |
| Jacques MOREL | *La Tragédie* |
| Pierre VOLTZ | *La Comédie* |
| Roger FAYOLLE | *La Critique littéraire* |
| Jean EHRARD et Guy PALMADE | *L'Histoire* |
| J.-C. PAYEN et J.-P. CHAUVEAU | *La Poésie des origines à 1715* |
| Henri LEMAITRE | *La Poésie depuis Baudelaire* |

## IDÉES POLITIQUES

| | |
|---|---|
| Raymond WEIL | *Politique d'Aristote* |
| Claude NICOLET | *Les Idées politiques à Rome sous la République* |
| René TAVENEAUX | *Jansénisme et politique* |
| Jacques TRUCHET | *Politique de Bossuet* |
| Jean EHRARD | *Politique de Montesquieu* |
| René POMEAU | *Politique de Voltaire* |
| Jacques GODECHOT | *La Pensée révolutionnaire (1780-1799)* |
| Jacques DROZ | *Le Romantisme politique en Allemagne* |
| Georges DUPUIS, Jacques GEORGEL et Jacques MOREAU | *Politique de Chateaubriand* |
| Michel ARNAUD | *Politique d'Auguste Comte* |
| Pierre BARRAL | *Les Fondateurs de la IIIe République* |
| Raoul GIRARDET | *Le Nationalisme français* |
| Marcel MERLE | *Pacifisme et internationalisme, XVIIe-XXe siècles* |
| Jean BAECHLER | *Politique de Trotsky* |
| Hélène CARRÈRE D'ENCAUSSE et Stuart SCHRAM | *Le Marxisme et l'Asie (1853-1964)* |
| Stuart SCHRAM | *Mao Tse-toung* |

## HORS SÉRIE

| | |
|---|---|
| Maurice GRAMMONT | *Petit Traité de versification française* |
| Joseph ANGLADE | *Grammaire élémentaire de l'ancien français* |
| Yves LE HIR | *Analyses stylistiques* |
| Jean ROUSSET | *Anthologie de la poésie baroque française* |

# COLLECTION U 2

| | |
|---|---|
| Pierre LE GENTIL | *La Littérature française du Moyen Age* |
| Jean PLATTARD | *La Renaissance des Lettres en France* |
| Daniel MORNET | *La Pensée française au XVIIIe siècle* |
| Pierre MARTINO | *Parnasse et symbolisme* |
| Pierre MARTINO | *Le Naturalisme français* |
| Pierre-Henri SIMON | *Histoire de la littérature française au XXe siècle* |
| Pierre MOREAU | *La Critique littéraire en France* |
| André MARTINET | *Éléments de linguistique* |
| Claude PICHOIS et André-M. ROUSSEAU | *La Littérature comparée* |
| Pierre ALBOUY | *Mythes et Mythologie dans la littérature française* |

Collection **U**

Série « Lettres Françaises » sous la direction de Robert Mauzi

HENRI COULET   Chargé d'enseignement à la Faculté des Lettres
et Sciences humaines d'Aix

# LE ROMAN

## jusqu'à la Révolution

**Tome II : ANTHOLOGIE**

SECONDE ÉDITION

# LIBRAIRIE ARMAND COLIN

103, boulevard Saint-Michel - Paris 5e

# INTRODUCTION

La première partie de cette *Anthologie* comprend des textes théoriques et critiques la seconde des textes romanesques.

Comme il l'a été dit au tome I, les théoriciens et les critiques du roman se sont presque toujours trouvés en porte-à-faux par rapport aux œuvres, soit qu'ils aient accordé à la doctrine une importance à laquelle ne répondait pas la qualité des créations, soit que leur vue du genre romanesque vivant ait été déformée par des préjugés. Les grands romanciers eux-mêmes, sauf Diderot et Rousseau, ne se sont guère expliqués sur le roman : il n'existe aucun texte théorique de d'Urfé, de M^me de Lafayette, de l'auteur des *Lettres portugaises*, très peu de textes de Prévost; Marivaux, dans *Le Mercure*, dans *Le Spectateur françois* ou dans *Le Cabinet du philosophe*, a parlé du style et de l'esprit en général, non du genre romanesque en particulier. Cette partie de notre *Anthologie* risque d'être d'autant plus trompeuse que nous avons éliminé les textes les plus pénétrants, parce qu'ils sont aussi les plus connus, ceux que tout étudiant a lus ou peut lire dans des manuels, des recueils scolaires ou des éditions courantes : sont dans ce cas les *Prologues* de Rabelais, notamment celui du *Tiers Livre*; le *Prologue* de l'*Heptaméron*; *Le Roman bourgeois* de Furetière; le *Dialogue des Héros de Romans* de Boileau; l'*Avis au Lecteur* de *Manon Lescaut*; les *Avertissements* de *La Vie de Marianne*; de Diderot, l'*Éloge de Richardson*, la fin des *Deux Amis de Bourbonne*, le début de *Ceci n'est pas un Conte, Jacques le Fataliste;* l'*Entretien sur les Romans* en tête de *La Nouvelle Héloïse;* l'article de Laclos sur *Coecilia*, etc. Nous considérons donc la première partie de notre *Anthologie* comme le complément des textes que l'étudiant aura pu réunir par lui-même. Si parfois elle ressemble à une *Anthologie* des erreurs

5

et des partis pris, ces erreurs et ces partis pris ne sont pas inutiles à connaître : à travers eux, grâce à eux ou contre eux, les possibilités et les limites du genre romanesque ont été explorées et diverses définitions en ont été essayées; et quelques-uns de ces textes témoignent d'assez de lucidité et de profondeur pour mériter qu'on les tire de l'ombre.

Il n'était pas possible dans la seconde partie de faire le panorama de la production romanesque de huit siècles : un gros volume n'y suffirait pas. Et à quoi bon citer des extraits de *Gargantua*, de *La Princesse de Clèves*, de *Télémaque*, de *Gil Blas* ou de *La Nouvelle Héloïse?* Même les textes du Moyen Age, modernisés, hélas! deviennent plus nombreux dans les recueils scolaires, et la mort d'Artus, celle de Tristan, la matinée printanière par laquelle commence le *Conte du Graal* sont ou pourraient être aussi familiers aux lycéens et aux étudiants que *Mignonne, allons voir si la rose...* ou que *Demain, dès l'aube...* Il existe d'excellentes Anthologies, celle de Chrétien de Troyes par G. Cohen, celle des romans courtois par J. Frappier, celle des conteurs du XVIᵉ siècle par J. Hasselmann; d'excellentes éditions, de Marivaux et des *Lettres portugaises* par F. Deloffre, des *Œuvres romanesques* de Diderot par H. Bénac; d'excellents recueils, celui des romanciers du Moyen Age par A. Pauphilet, R. Pernoud et A.-M. Schmidt, celui des conteurs du XVIᵉ siècle par P. Jourda, celui des romanciers du XVIIᵉ siècle par A. Adam et celui des romanciers du XVIIIᵉ siècle par Etiemble. Les grandes et belles œuvres sont plus accessibles que jamais et, quand la régression des études de français dans nos divers ordres d'enseignement est si alarmante, l'effort des éditeurs est une consolation. Nous avons donc seulement cité soit des textes commentés dans notre premier tome et qui n'existent pas en éditions courantes, soit des textes peu connus, caractéristiques d'une époque et d'un goût, en souhaitant inspirer la curiosité et le désir de lectures plus amples [1].

---

1. Nous citons les textes d'après les éditions établies par les érudits de notre époque; quand ces éditions n'existent pas, nous citons les éditions originales ou, en tout cas, les éditions anciennes qu'ont pu lire les contemporains des auteurs. Nous respectons fidèlement leur orthographe et leur ponctuation, sauf sur les points suivants :
— Nous avons ajouté l'accent grave sur « à » et « où », quand il manquait;
— Nous avons remplacé, devant le discours direct, la virgule ou le point-virgule par les deux-points;
— Nous avons rapproché la ponctuation de l'usage moderne quand la ponctuation ancienne risquait d'entraîner des faux-sens, surtout dans le cas des textes du XVIᵉ siècle et de la première moitié du XVIIᵉ siècle.
Les textes sont rangés selon le plan de l'exposé historique qui constitue le tome I.

# Première Partie

# ANTHOLOGIE

# THÉORIQUE ET CRITIQUE

texte 1  # Erec et Enide (1170)

Conscient de ses devoirs et de sa dignité d'écrivain, Chrétien de Troyes vante la transformation artistique qu'il a fait subir à une matière ordinairement mal traitée par les professionnels avides de gain. Il promet à son œuvre l'immortalité (*cf.* tome I, p. 44).

Le texte cité est celui de l'édition Mario Roques, Paris, 1955 (vers 1 à 26).

| | |
|---|---|
| Li vilains dit an son respit* | * proverbe |
| Que tel chose a l'an* an despit | * l'on |
| qui molt valt mialz que l'an ne cuide; | |
| por ce fet bien qui son estuide* | * sa science |
| atorne* a bien quel que il l'ait; | * emploie |
| car qui son estuide antrelait*, | * néglige |
| tost i puet tel chose teisir* | * taire |
| qui molt vandroit puis a pleisir. | |
| Por ce dist Crestïens de Troies | |
| que reisons est que totevoies* | * de toute manière |
| doit chascuns panser et antandre* | * se soucier de |
| a bien dire et a bien aprandre; | |
| et tret* d'un conte d'avanture | * tire |
| une molt bele conjointure | |
| par qu'an* puet prover et savoir | * par quoi l'on |
| que cil ne fet mie savoir* | * acte de sagesse |

qui s'escïense n'abandone*
tant con Dex la grasce l'an done :
d'Erec, le fil Lac, est li contes,
que devant rois et devant contes
depecier et corronpre suelent*
cil qui de conter vivre vuelent.
Des or comancerai l'estoire
qui toz jorz mes iert* an mimoire
tant con durra* crestïantez;
de ce s'est Crestïens vantez.

* qui ne divulgue pas ses
[connaissances

* ont coutume de

* sera
* durera

# texte 2    Yder (début du XIII<sup>e</sup> siècle)

L'auteur vient de décrire en une vingtaine de vers la tente de la reine Guenloïe, faite de matières premières précieuses, or, soie, ivoire, ébène, et admirablement structurée; description sobre à côté de celle de la tente d'Adraste, dans *Le Roman de Thèbes !* (voir ci-dessous texte I).

L'auteur d'*Yder* condamne, en effet, les hyperboles dans les descriptions.

Le texte cité est celui de l'édition H. Gelzer, Dresde, 1913 (vers 4 444 à 4 458).

| | |
|---|---|
| Plusors troveors* se penerent* | * trouvères  * se sont efforcés |
| Es estoires qu'il mesmenerent* | * ont mal menées |
| De feire unes descripcïons | |
| De vergiez e de paveillons | |
| E de el*, si que tuit s'aparceivent | * Et d'autre chose |
| Qu'il en dïent plus qu'il ne deivent. | |
| Par cel cuident lor traitez peindre*, | * orner leurs ouvrages |
| Mes n.el font, car nuls n'i deit feindre; | |
| O bien estoire o bien mensonge, | |
| Tel dit n'a fors savor* de songe, | * n'a goût que |
| Tant en acressent* les paroles, | * exagèrent |
| Mes jo n'ai cure d'iparboles : | |
| Yparbole est chose non voire*, | * vraie |
| Qui ne fu ne que n'est a croire, | |
| Co en est la difinicion. | |

*Jehan MAILLART*

# texte 3 Le Roman du Comte d'Anjou (1316)

Aux amuseurs de toute sorte, conteurs de romans d'aventures ou chanteurs de chansonnettes, Jehan Maillart oppose ceux qui, comme lui, composent des œuvres où s'unissent la vérité, l'utilité morale et la beauté. Le genre romanesque affirme son sérieux et sa dignité tout en évoluant vers le réalisme (*cf.* tome I, pp. 65-66).

Le texte cité est celui de l'édition Mario Roques, Paris, 1931 (vers 1 à 60).

*Ci commence le Rommans du conte d'Anjou qui volt
defflourer sa fille*

| | |
|---|---|
| Maint ont mis leur temps et leur cures* | * soins |
| En fables dire et aventures; | |
| Li uns dit bourdes, l'autre voir*, | * vérité |
| Si com il sevent concevoir; | |
| Li uns de Gauvain nous raconte, | |
| L'autre de Tristan fet son conte; | |
| Li uns d'Yaumont et d'Agoulant [1], | |
| L'autre d'Olivier, de Rollant, | |
| De Perceval, de Lancelot; | |

---

1. Personnages de chansons de geste.

De Robichon et d'Amelot [1]
Li auquant* chantent pastourelles;    * Les uns
Li autre dïent en vïelles
Chançons royaus et estempies*,    * airs à danser
Dances, noctes* et baleriez*,    * airs de musique [instrumentale    * airs à [danser
En leüst*, en psalterion,    * luth
Chascun selonc s'entencion,
Lais d'amours, descors* et balades,    * poèmes à thèmes antithétiques
Pour esbatre ces genz malades.
En tiex trufles* leur temps despendent*,    * En telles [sornettes    * dépensent
Qu'a nule autre chose n'entendent;
Et non pour quant* sont apeléz,    * néanmoins
Es grans liex, et bien osteléz*,    * logés, hébergés
Comment qu'*a l'ame rienz ne facent    * Bien que
Fors que l'anui des cuers enchacent*    * chassent
Par leurs contes et par leurs fables;
Mez en* doit chosez pourfitables,    * on
Et qui lez cuers des genz esmuevent
A bien fere, quant il lez truevent,
Plus deligemment escouter
Pour soi en bonnes meurs monter*;    * augmenter
Quer*, avec le bon examplaire    * Car
Qu'en i ot*, doit miex aussi plaire    * Qu'on y entend
Chose qui est vraie prouvee
C'unne mençonge controuvee.
Pour ce m'est il volenté prise
Que je vous compte et vous devise,
En lieu de mençonge et de fable,
Une aventure veritable
Molt estrange et molt merveilleuse.
La matire en est molt piteuse,
Et qui velt le fruit resgarder,
Il le fet de mal retarder*    * Ce bénéfice est de l'écarter du mal
Et molt li fet le cuer atraire*    * aspirer
A perseverer en bien faire,
Sanz recroire* et sanz repentir    * se décourager
Pour mal ne pour tourment sentir*.    * Quelque mal et quelque [tourment qu'il éprouve
Ceste aventure, c'est la some*,    * en résumé
Oÿ conpter a un preudomme
Digne de foy et de creance,
Grant sires en la court de France,
Sage, riche et de grant value,
Si en doit miex estre creüe,
Qui me pria que tant feïsse
Pour li qu'en rime le meïsse.

---

1. Personnages de pastourelles.

Et je, pour sa volonté faire
Et que cil qui l'orront retraire*,
Pour la biauté et l'acordance
De la rime, i truissent* plesance,
Me sui je voulu entremetre
De l'aventure en rime metre.

* l'entendront raconter

* trouvent [subjonctif]

# Fabliaux (XIII<sup>e</sup> siècle)

Deux préambules de fabliaux : dans le premier, l'auteur fait l'éloge du genre, affirme l'authenticité de son récit et coupe court aux préliminaires (*cf.* tome I, p. 77); le second blâme les méchants qui, sous prétexte que le récit est imaginaire, refusent avec mauvaise foi d'entendre la leçon morale bien accueillie par les honnêtes gens.

## texte 4    Des III. Chanoinesses de Couloingne[1]

| | |
|---|---|
| Il n'a homme de si à Sens[2] | |
| S'adès* vouloit parler de sens | * Si sans cesse |
| C'on n'en prisast mains* son savoir | * moins |
| Qu'on fait sotie et sens savoir*. | * bêtise |
| Qui set aucunes truffes* dire, | * plaisanteries |
| Ou parlé n'ait de duel* ne d'ire, | * deuil |
| Puis que de mesdit n'i a point, | |
| Maintes foiz vient aussi à point | |
| A l'oïr* que fait uns sarmons. | * Quand on l'entend |

---

1. A. DE MONTAIGLON et G. RAYNAUD, *Recueil général et complet des fabliaux des XIII<sup>e</sup> et XIV<sup>e</sup> siècles*, Paris, 1872-1890; fabliau LXXII (par Watriquet Brassenel, de Couvin), tome III, pp. 137-138.
2. Sur ce genre de rime, opportunément fournie par un nom géographique, voir tome I, p. 77.

15

Il a chanoinesses à Mons,
Au Moustier seur Sambre, à Nivele,
Et à Andaine riante bele
Et trop plus assez à Maubeuge,
Mais ore droit* conter vous veul ge,                        * tout justement
Sans ajouter mot de mençoingne,
De .III. de celes de Couloingne
Et dire .I. poi* de reverie                                 * un peu
Par covent que* chascuns en rie                            * A condition que
S'il y a mot qui bien le vaille.
De longue rime ne me chaille,
Mais briément, sanz prologue faire,
Vous veul dire et conter l'afaire
De ces .III. dames Chanoinesses.

texte 5        # Le Vilain au buffet[1]

Qui bien set dire et rimoier,
Bien doit sa science avoier*                               * acheminer, employer à
A fere chose où l'on aprenge*,                             * apprenne
Et dire que l'en n'i mesprenge.
Et cil ne fet mie folie
Qui d'autrui mesfet se chastie.
Li cortois cuers et li gentiz
Est bien à apenre ententiz;
Mès li mauvais, fel et cuvers*                             * perfide et misérable
Est à mal aprandre aouvers*;                               * disposé
Li faus hons avers et traïtes*                             * méchant et traître
Si est toz jorz embrons* et tristes,                       * sombre
Quant il ot le bien recorder,
Quar il ne s'i puet acorder.
Quant il ot d'aucun conteor,
Si dist : « Oiez quel menteor !
Cist en tuera ja tels vint*,                               * vingt

_____

    1. A. de Montaiglon et G. Raynaud, *Recueil général et complet des fabliaux des XIIIe et XIVe siècles*. Paris, 1872-1890; fabliau LXXX, tome III, pp. 199-200.

Dont ainz mes à estor n'en vint\*,
N'onques ne furent né de mere. »
Mout par\* li est au cuer amere
L'example des biens qu'il ot dire,
Que toz muert et d'anui et d'ire;
Mès l'en devroit bien escouter
Conteor quand il veut trover.
Por coi? por ce c'on i aprent
Aucun bien, qui\* garde s'en prent.

\* Qu'il n'a jamais eu à
[combattre
\* [renforce l'adjectif *amere*]

\* si l'on

## texte 6 — Nouvelle récréation et joyeux devis (avant 1544)

Des Périers prétend seulement conter et faire rire; s'il se dit indifférent à la signification, à l'authenticité, à l'ordre et à la localisation de ses contes, c'est pour peindre plus librement les détails de l'existence réellement vécue par ses contemporains, à laquelle il s'intéresse avec passion.

Voir tome I, pp. 130-132.

### PREMIÈRE NOUVELLE, EN FORME DE PRÉAMBULE

[...] Le plus gentil enseignement pour la vie, c'est *Bene vivere et laetari*. L'un vous baillera pour ung grand notable* qu'il fault reprimer son courroux;     * maxime
l'autre peu parler, l'autre croire conseil, l'autre estre sobre, l'autre faire des amis. Et bien! tout cela est bon; mais vous avez beau estudier, vous n'en trouverez point de tel qu'est : Bien vivre et se resjouir. Une trop grand patience vous consume; ung taire vous tient gehenné*; ung conseil vous trompe; une diéte vous     * au supplice
desseiche; ung amy vous abandonne. Et pour cela

18

vous faut-il desesperer? Ne vault-il pas mieux se resjouir
en attendant mieux que se fascher d'une chose qui
n'est pas en nostre puissance? Voire mais, comment
me resjouiray-je, si les occasions n'y sont? direz-vous.
Mon amy, accoustumez-vous y; prenez le temps comme
il vient; laissez passer les plus chargez; ne vous chagri-
nez point d'une chose irremediable : cela ne fait que
donner mal sur mal. Croyez-moy, et vous vous en trouverez bien : car j'ay bien esprouvé que pour cent francs
de melancolie n'acquitent pas pour cent solz de debtes.
Mais laissons-là ces beaux enseignemens. Ventre d'ung
petit poysson! rions. Et dequoy? De la bouche, du
nez, du menton, de la gorge, et de tous noz cinq sens
de nature. Mais ce n'est rien qui ne rit* du cuer;     * si l'on ne rit
et, pour vous y aider, je vous donne ces plaisans
Comptes; et puis nous vous en songerons bien d'assez
serieux quand il sera temps. Mais sçavez-vous quelz
je les vous baille? Je vous prometz que je n'y songe
ny mal ni malice; il n'y ha point de sens allegorique,
mystique, fantastique. Vous n'aurez point de peine
de demander comment s'entend cecy, comment s'entend cela; il n'y fault ny vocabulaire ne commentaire :
telz les voyez, telz les prenez. Ouvrez le livre : si ung
compte ne vous plait, hay à l'aultre! Il y en ha de
tous boys, de toutes tailles, de tous estocz, à tous
pris et à toutes mesures, fors que* pour plorer. Et ne      * sauf
me venez point demander quelle ordonnance j'ay
tenue, car quel ordre fault-il garder quand il est
question de rire? Qu'on ne me vienne non plus faire
des difficultez : « Oh! ce ne fut pas cestuy-cy qui fit
cela. Oh! cecy ne fut pas faict en ce cartier-là. Je
l'avoys desjà ouy compter! Cela fut faict en nostre
pays. » Riez seulement, et ne vous chaille si ce fut
Gaultier ou si ce fut Garguille. Ne vous souciez point
si ce fut à Tours en Berry, ou à Bourges en Tourayne :
vous vous tourmenteriez pour neant; car, comme les
ans ne sont que pour payer les rentes, aussi les noms
ne sont que pour faire debatre les hommes. Je les
laisse aux faiseurs de contractz et aux intenteurs
de procez. S'ils y prennent l'ung pour l'autre, à leur
dam; quant à moy, je ne suis point si scrupuleux.
Et puis j'ay voulu faindre quelques noms tout exprès
pour vous monstrer qu'il ne faut point plorer de tout
cecy que je vous compte, car peult-estre qu'il n'est
pas vray. Que me chaut-il, pourveu qu'il soit vray que
vous y prenez plaisir? Et puis je ne suis point
allé chercher mes Comptes à Constantinople, à
Florence, ny à Venise, ne si loing que cela :

car, s'ilz sont telz que je les vous veulx donner, c'est-à-dire pour vous recréer, n'ay-je pas mieux faict d'en prendre les instrumens que nous avons à nostre porte, que non pas les aller emprunter si loing? Et, comme disoit le bon compagnon quand la chambriere, qui estoit belle et galante, luy venoit faire les messages de sa maistresse : A quoy faire iray-je à Romme? les pardons sont par deça. Les nouvelles qui viennent de si loingtain pays, avant qu'elles soient rendues sus le lieu, ou elles s'empirent comme le saffran, ou s'encherissent comme les draps de soye, ou il s'en pert la moitié comme d'espiceries, ou se buffetent* comme les vins, ou sont falsifiées comme les pierreries, ou sont adulterées comme tout. Brief, elles sont subgettes à mille inconveniens, sinon que vous me vueillez dire que les nouvelles ne sont pas comme les marchandises, et qu'on les donne pour le prix qu'elles coustent. Et vrayement je le veux bien; et pour cela j'ayme mieulx les prendre près, puis qu'il n'y ha rien à gaigner : Ha! ha! c'est trop argüé! Riez si vous voulez, autrement vous me faites un mauvais tour. [...]

* s'aigrissent

*Étienne JODELLE*

## texte 7  Préface à l'« Histoire Palladienne » de Claude Colet (1555)

L'*Histoire Palladienne* est un de ces romans de chevalerie dont nous avons dit la vogue au xvi<sup>e</sup> siècle ; Claude Colet l'adapta en 1553, mais mourut avant la publication de son œuvre. Jodelle, ayant promis par amitié une préface à Colet, s'acquitte de sa promesse et se justifie de présenter aux lecteurs un roman, lui qui avait toujours manifesté du mépris pour ce genre de littérature.

On trouve dans ce texte déjà tous les arguments que l'époque baroque avancera pour l'apologie du roman : le roman est supérieur à l'histoire, il apprend à bien écrire et à bien s'exprimer, il est une forme du poème épique, il est à la fois instructif et divertissant ; mais Jodelle ne reprend à son compte aucun de ces arguments, et la seule justification qu'il donne de sa préface à l'*Histoire Palladienne*, c'est sa très vive amitié pour Colet.

La préface de Jodelle à l'*Histoire Palladienne* est citée intégralement par Ch. Marty-Laveaux au tome II, pp. 406-410, de *La Langue de la Pléiade*, Paris, 1898. Nous avons, pour plus de clarté, modifié la ponctuation.

[...] La raison doncques pour laquelle j'ay voulu servir de trompette à l'entrée de ce Palladien [1], c'est que j'avois une telle familiarité à Claude Colet, lors

---

1. Palladien est le héros du roman, fils de Milanor d'Angleterre.

qu'il vivoit, que pour une certaine bonté dont la nature avoit doué ce personnage, j'eusse quasi laissé toutes les agreables compagnies pour la sienne. Noz communs amys sçavent assez combien durant ce temps j'ay taché par toutes les raisons que je pouvois, et peult estre à tort, de luy faire retirer son esprit et sa plume de tous ces beaux Romants presque moysis à demy, sans plus embabouïner la France de ces menteries Espagnoles, et avecques nostre deshonneur retracer les faulx pas des estrangers. On sait de quelz beaux motz j'avois de coustume de batizer ces braves discours, entrelassez de mille avantures aussi peu vraysemblables que vrayes : les apelant bien souvent la resverie de noz peres, la corruption de nostre jeunesse, la perte du temps, le jargon des valetz de boutique, le tesmoignage de nostre ignorance, brief leur donnant assez d'autres tiltres suffisans pour en degouster le plus affectionné. Certainement, combien que* je semblasse vouloir trop obstinement espouser ceste partie, si est ce que* plusieurs espritz de la France consentoient* à mon jugement, voyans que pour telles choses inutiles plusieurs de noz doctes François avoient laissé et laissoient tous les jours tant de belles parties, de l'éloquence, de la Philosophie, et d'autres disciplines, que j'ose assez impudemment dire n'avoir esté qu'à demy traitées des anciens. Voire et* se trouvoient quelques-uns entre nous tant ennemys de ceste façon d'historier, qu'ilz disoient n'estre point difficile à un homme bien né, apres avoir un peu fantastiqué, de faire filler* en parlant un Amadis tout entier, ou quelque autre mache-enclume, sans se troubler ny en son discours ni en sa parolle. Nous ne pouvions pourtant tellement fortifier nostre opinion, que Claude Colet (comme il estoit assez ingénieux) ne fust toujours garny de mille raisons, pour resister au mespris qu'on faisoit de la longue trainée de ses discours, nous prouvant l'une apres l'autre toutes ces choses. C'est à sçavoir, la fable quelquesfois enclorre la verité; un discours fait à plaisir aprendre mieux aux hommes l'ornement d'escrire et de parler que ne fait l'histoire, qui nous amuse du tout au sens*; les autheurs antiques avoir suivy ceste façon d'histoire fabuleuse, comme Heliodore, Apulée, et beaucoup d'autres; l'Iliade d'Homere, l'Aeneide de Virgile, le Roland d'Arioste n'estre autre chose que trois Romants; l'orateur Grec quelquesfois en plain tumulte avoir donné entrée à son oraison* par une fable; ceste chose estre agreable et bien receuë

* bien que
* néanmoins
* souscrivaient

* et même

* défiler

* où le sens seul nous
  [occupe

* discours

des Gentilz-hommes et des Damoyselles de nostre siecle, qui fuyent l'histoire pour sa severité, et rejettent toute autre discipline pour* leur ignorance; ce genre d'escrire servir de grand essay, tant à celuy qui escrit qu'à ceux qui se veullent donner* à la lecture des auteurs; le patron preceder toujours l'ouvrage, et l'escrime le combat; toutes viandes* solides n'estre pas plaisantes; le mepris qu'on fait du vulgaire trainer* en la fin un repentir; les jeux, les gayetéz, les amours, les devis, voire quelquesfois un baton d'enfant entre les jambes (si fault user d'allusion) [1] n'estre point moins dignes d'un philosophe que les disputes, les meurs et les estoiles; la fiction de telz discours estre si manifeste, que la posterité n'en peult estre trompée; les faux combatz, les fausses victoires, quand on les descrit bravement, pouvoir aussi bien façonner et encourager la jeunesse, que les plus veritables faitz d'armes. De telles et plus fortes raisons me repondoit tellement ce docte Champenois [2], que je commençay à flechir quelque peu, et cognoistre que le temps employé aux Romants n'estoit pas du tout dependu* en vain.

* à cause de

* adonner

* nourritures
* entraîner

* pas complètement
[dépensé

---

1. L' « allusion » renvoie à un passage d'HORACE, *Satires*, II, 3, 248 : « Construire de petites maisons, atteler des souris à un petit chariot, jouer à pair ou impair, monter à cheval sur un long roseau, si un homme ayant de la barbe trouvait du charme à ces jeux, c'est que la démence le travaillerait » (traduction de Fr. Villeneuve).
2. Claude Colet était né à Rumilly en Champagne.

*Jean CHAPELAIN*

texte 8

# Lettre à Monsieur Favereau
# [...] sur le poème d'« Adonis »
# du Chevalier Marin (1623)

Chapelain se demande quelle est la poésie la plus estimable, celle « qui a le trouble essentiel » (la poésie héroïque) ou « cette nouvelle espèce qui a la tranquillité inséparable » (et dont *L'Adone* de Marino est le type); il conclut en faveur de cette dernière, mais en condamnant au passage les romans, qui exagèrent la diversité et l'agitation de l'épopée et accablent l'esprit au lieu d'exciter l'admiration. Comme à cette date le seul roman baroque important paru en France est *L'Astrée*, on peut dire que le roman sera l'une des grandes conquêtes de la régularité baroque.

Voir tome I, p. 161. Le texte cité est celui qu'a publié A. C. Hunter, *Opuscules Critiques de Chapelain*, Paris, 1936.

[...] L'unité de l'action, entre les règles générales que toute épopée doit observer, est particulièrement la principale, sans laquelle le poème n'est pas poème ains* roman [...]                                    * mais

[...] Si l'utilité de la poésie consiste en la purgation des passions vicieuses, il est clair que cet effet se tire plutôt [des fables] qui ne sont point troublées ni brouillées que de celles qui le sont. Et qu'il* en soit ainsi, chacun m'accordera, que ce qui doit purger le doit par impression et non par relâche, par la continue* et non par l'interruption : or est-il que la simplicité des fables tranquilles leur donne cela par excellence, en tant qu'elles ne sortent jamais de leur sujet, et qu'elles ne s'obligent qu'à la particulière description de la passion entreprise, ce qui n'arrive pas à beaucoup près à celles qui ont le trouble affecté à leur nature, comme celui qui les dissipe en parcelles et qui par le mélange de plusieurs choses différentes émousse et énerve la vigueur que chacune en sa simplicité pourrait avoir. Aussi les anciens ayants égard à cela se sont empêchés, tant qu'ils ont pu, même dans leurs poèmes, de se charger de tant de matières, reconnaissants que bien qu'en leur diversité et capacité de merveille elles pussent faire naître le plaisir, elles nuisaient aussi à la fin de l'utilité, à laquelle tous les bons dressent toutes leurs machines; et c'est en partie pourquoi ces romans se trouvent si méprisables parmi les bien sensés, comme ceux qui sans aucune idée de perfection sur qui se conformer, amoncellent aventures sur aventures, combats, amours, désastres et autres choses, desquelles une seule bien traitée ferait un louable effet, là où toutes ensemble elles s'entre-détruisent, demeurant pour toute gloire l'amusement des idiots et l'horreur des habiles*, qui n'en peuvent supporter le regard* seulement, les sachant dans leur confusion du tout* éloignées de l'intention de la poésie : car pour purger il faut émouvoir; or comme on ne peut émouvoir sans faire impression, laquelle impression se fait par moyens et convenables et continués, et comme d'ailleurs ces romanceries, soit par la qualité, soit par la quantité de leur matière en sont entièrement rendues incapables, on ne peut aussi raisonnablement espérer cette purgation par leur entremise.

* une fois admis qu'il

* par l'impression continue

* savants
* la vue
* complètement

## texte 9 — L'Ombre de la Damoiselle de Gournay (1626)

Dans un recueil de divers écrits qui parut en 1626, *L'Ombre de M^{lle} de Gournay*, figure un roman, *Le Promenoir de Monsieur de Montaigne* (M^{lle} de Gournay l'avait raconté à Montaigne, son père adoptif, en se promenant avec lui), déjà publié en 1623 sous le titre d'*Alinda, histoire tragique*. Il contient des pages d'une grande beauté, notamment la lamentation de l'héroïne principale, l'amoureuse Alinda, quand elle a compris la trahison de Léontin et décidé de mourir. Pour cette nouvelle édition, l'auteur rédigea un *Advis* dans lequel elle fait l'apologie du genre romanesque tel que le concevait l'époque baroque : le roman a pour sujet l'amour, c'est une œuvre érudite qui doit s'orner de citations et s'étoffer de dissertations.

Voir tome I, p. 160.

Le Proumenoir ayant esté mis au jour dés ma jeunesse, je croirois avoir autant de tort de refuser quelques Dames du premier rang, qui me commandent de luy faire revoir la lumiere à présent, que j'en aurois de le composer en l'aage où je suis aujour-dhuy : bien que son histoire soit assaisonnée d'advertissemens exemplaires, et qu'elle represente la peine en suitte de la coulpe. Cela ne m'empesche pas de sçavoir que certains esprits qui cherchent à donner un faux lustre aux actions d'autruy, afin de se canoniser eux-mesmes aux despens de la reputation de leur prochain par hypocrisie ou par vanité, n'ayent voulu discourir de la nouvelle édition de ce Livret, sous ombre qu'il traicte un suject amoureux. Cependant, pourquoy ne nous fierions-nous plustost, apres tout, au jugement de ce grand Plutarque, qu'au leur, pour mesurer l'estime et le credit que les ouvrages de ceste qualité meritent? jugement expliqué par son propre exemple en tant de divers accidens et discours de l'amour, qu'il a traictez jeune et vieil. Je ne puis oublier sur ceste matiere l'authorité de ce tres-excellen Escrivain et Prelat Heliodore, de ce divin Virgile, de cét Angelique Sainct Augustin, qui non seulement estudioit la Didon de ce Poete, ains la pleuroit : et de cét admirable Cardinal du Perron, qui la traduisoit n'aguere en mourant : leüe qu'elle est d'ailleurs en public dans les plus sobres et celebres Escoles de l'Univers. Et l'un des plus austeres Evesques de nostre temps, Monsieur du Belay [1], n'a pas faict difficulté d'escrire plusieurs Livres, dignes de luy, soubs des histoires et narrations d'un amour mondain; ny le Docteur Coeffeteau, Evesque de Marseille, de faire un Abbregé d'Argenis [2], peu de jours avant son trespas; ny les Eglises de leur part ne font pas scrupule de laisser par fois tendre chez elles des tapisseries, où l'histoire d'Helene, d'Oenone et leurs semblables sont representées. Mais quoy en fin, deux tels miracles en nature que Socrates et Platon, ont-ils pas traicté la caballe ou science amoureuse, si tendrement, si delicieusement, et parmy cela, si curieusement?

Une autre querelle, que le nouveau goust de ceste saison dresse à ce petit Livre, ou pour mieux dire à tous mes Escrits, mais à luy plus qu'aux autres, veu ce charactere de Roman qu'il porte, c'est d'inserer en son texte quelque ornement en langue estrangere, et de citer les Autheurs par leurs noms, si par fois il les infond [3] en soy par la version [...]

[Mlle de G. répond qu'il faut parfois citer dans la langue originale ce qui est beau d'expression; que ces citations ne rompent pas le sens du texte; qu'il est honnête de citer un auteur quand on l'utilise; que citer n'est pas pédantisme quand ceux qui citent sont de grands esprits visant eux-mêmes au grand.]

[...] Quant à la raison particuliere que ces critiques presument avoir d'interdire sur tout aux Romans de citer Autheurs ou Livres, bien leur servira de la justifier à gens comme nous, qui feroient autrement si peu d'estat de l'authorité de leur deffence. Or tant moins en faisons-nous, de ce qu'un Roman discourant peut avoir besoin à toute heure du poids et de la caution d'un Escrivain, pour appuyer son opinion : et s'il peut estre justement permis à certaines especes d'Escrits de citer, comme aucuns mesmes de ces ergotteurs recongnoissent qu'il l'est aux discours de mœurs, de Philosophie, d'Estat, ou de pareilles choses, nul ne peut debattre à un Roman la liberté acquise aux pieces de ces diverses especes, sur les lieux où il en employe quelqu'une en passant chemin. Adjoustons qu'un Roman de mérite est aussi glorieux qu'un autre genre d'ouvrage : et partant ne se croid non plus authorisé que luy, tel qu'il soit, de celer le nom d'un Autheur s'il l'employe, hors ce besoin mesme de caution, et par un pur ornement : puis que la confiance de son Genie luy persuade qu'il n'a que faire de se parer de larrecin. Il veut estre ouÿ luy-mesme en personne, et non par la bouche d'un

---

1. J.-P. Camus, évêque de Belley. Voir tome I, pp. 157-160.
2. *Argenis* (1621), roman latin de l'Écossais Barclay, fut une des œuvres les plus célèbres de la littérature romanesque européenne. Presque aussitôt après sa publication il fut traduit en français, en anglais, en italien et en allemand, et des adaptations en parurent jusque vers le milieu du XVIIIe siècle.
3. S'il les répand [dans son texte par la traduction].

Advocat ou protocole, et n'a pris la peine d'escouter les autres qu'afin d'estre escouté mutuellement à son tour.

Mais nous voicy derechef aux mains avec ces correcteurs : ils ne souffrent point un Roman discourant, car sa tablature d'esprit le defend, à leur advis, et luy commande sans respit et sans intermede la suitte de son adventure. Certes ils me font souvenir de ce malade rustaut, qui mesprisant toutes offres de mets ou de plaisirs delicats, et le medecin encores avec eux, crioit impatiemment que si toutes ces choses estoient de lard, seul but de ses desirs, on les luy fist venir. Je puis justement representer par ceste comparaison la brute et lourde humeur de ces gens icy, soient-ils Autheurs ou lecteurs, qui s'en vont si seichement apres leur narration toute cruë, quoy qu'elle ouvre la carriere à tant de beaux et florissans discours, soit en la chose mesme, soit aupres d'elle, tendant une favorable main à la digression : les meilleurs desquels discours cependant, je conseille tousjours de moderer en estenduë et en nombre. Toutesfois, repartent mes correcteurs, Heliodore n'a point de citations, ny de digressions ou discours hors la necessité du suject, et s'abstient aussi de ces vers et de ces passages estrangers que vous sousteniez n'agueres. Ouy, mais Heliodore, par l'exemple et la souverayne loi de sa perfection, nous commande bien de faire ce qu'il faict, mais par celle aussi de sa prudence et circonspection, qui embrassent la multiplicité des formes des esprits humains et celle des imaginations et des inventions qu'ils peuvent sainement concevoir, il nous laisse libres à faire encores ce qu'il ne fait pas. Les Grecs l'ont suivy, ou environ, je l'advouë : neantmoins a-t-il empesché que les Latins, comme on diroit Arbiter et l'Asne doré [1], Livres que je puis estimer espece de Romans, n'ayent fait bande à part ? davantage, luy et eux ont-ils gardé Dom Guychot et Argenis de couper encore leur chemin à travers champs, ou quelqu'un leur peut-il denier le charactere de l'excellence ? Quoy plus, la Diane [2], autre Roman de merite singulier, pourveu qu'on en rabatte un peu de subtilité poinctuë, si j'ay bonne memoire, a-t'elle voulu que les vieux et les nouveaux eussent l'honneur qu'elle suivist leur train, ou leur portast la queuë ? et de mesmes ceste Arcadie [3], qui vaut mieux que trente couronnes des Arcades ? Sans nier pourtant qu'il n'y ayt quelque demy douzaine de traicts ou de jugemens en Dom Guychot qui ne me plaisent pas du tout, et quelque autre chose, bien que plus rare beaucoup, en ceste illustre Infante de Sicile [4], et je ne sçay quoy peut-estre encores en ces autres ouvrages : toutesfois ces deffaux ne sont pas du costé que ces Livres tracent leur voye particuliere. Mais quelle jalousie des destins sur les entreprises magnifiques prevint la derniere main que l'Autheur debvoit à l'Arcadie ? Pour le regard de l'usage assez frequent des metaphores, que ces Momes [5] nouveaux reprennent au Proumenoir, et à tous mes Escrits avec luy, je diray seulement, sur une si plaisante vision, qu'ils me font faveur de m'accuser du trop, veu que j'estois en peine de m'excuser du peu.

[L'*Advis* se termine sur une fière déclaration d'indépendance : les écrits de l'auteur sont peut-être faibles, mais ils sont bien d'elle ; et si ses contemporains, qui se délectent à d' ''infames sottises d'Esprits et d'Escrits'', ne les aiment pas, est-ce sa faute à elle ou la leur?]

---

1. Le *Satiricon* de Pétrone (Petronius Arbiter) et l'*Ane d'or* d'Apulée.
2. La *Diane* de Montemayor.
3. Roman de Sidney. Les Arcades sont une académie romaine.
4. L'héroïne de l'*Argenis* de Barclay est une princesse de Sicile.
5. Ces railleurs (Momus était une divinité satirique).

28

texte 10     # Dilude de Pétronille (1626)

Un religieux, ami de J.-P. Camus, rend visite à une dame du monde, grande liseuse de romans, qui lui montre sa bibliothèque. Cette fiction permet à l'auteur de faire une fois de plus le procès des romans profanes et l'apologie de ses romans édifiants.
Voir tome I, p. 157.

C'estoit un Pantheon tout composé de Romans, dequoi ceste Dame faisoit son principal entretien, et convertissoit cette lecture en une estude si serieuse, qu'elle en faisoit une espece de science. Et bien que ce Pere lui dist que tout cela n'estoit que des fables, elle tiroit de si graves sens, disoit-elle, de toutes ces inventions fantastiques, qu'elle croyoit que toutes les sciences divines et humaines estoient comprises en celle-ci, et enveloppées sous ces enigmes. Elle en avoit de toutes grandeurs, de tous aages, et de tous estages, et les avoit rangez selon l'ordre des temps, et selon les langues Françoise, Espagnole, et Italienne. Elle avoit une si heureuse memoire, et s'estoit tellement distillé le cerveau apres toutes ces bagatelles, que si elle eust entrepris les Mathematiques, ou la vraye Histoire, ou la Philosophie, elle s'y fust renduë consommée. Elle discouroit avec tant d'art et d'apparat des anciens Romans, et des nouveaux, que vous eussiez dit que de ceste conference dependoit l'esclaircissement de l'ancienne et de la nouvelle alliance. Le Pere n'ouït jamais de si doctes fables, ni une si sçavante folie. La curiosité en la recherche avoit esté merveilleuse, la relieure somptueuse, la despense grande, et bien que tout cela fust extremement frivole, il ne falloit pas lui en tesmoigner du mespris, autrement elle s'en indignoit. Le Pere estoit tout estonné de l'entendre parler

de ces niaiseries avec tant de pompe et de magnificence, qu'il regrettoit que cest esprit
ne se fust meublé de quelque plus solide connoissance, et occupé à un meilleur emploi.
Il eut la patience d'ouïr tant de fadaises qu'elle lui conta sur les secrets de ceste lecture,
en laquelle elle logeoit toute la sagesse du Monde, et avec raison certes, puisque c'est
une folie devant Dieu. Elle lui monstra combien elle estoit honneste, delectable et utile,
combien elle aiguisoit et polissoit les esprits, les subtilitez que l'on y apprenoit pour se
bien conduire dans la vie civile, et mille autres particularitez, qui lui servoient comme
de degrez pour eslever ceste belle science jusques aux estoiles. Le Pere attendoit son
temps pour lui repartir, et renverser en un moment toute ceste Babel, en faisant comme
le vent, qui d'un seul souffle rompt tout ce qu'une araignée a filé par un long temps avec
beaucoup de peine. Et parce qu'il n'y a rien qui agree tant à un bastisseur que de lui
parler de l'Architecture, à celui qui aime à jardiner que de l'entretenir de fleurs, de
plantes, d'allées, de parterres, de plan, et autres appartenances de cet exercice, à un
qui cherit la peinture que de lui discourir de tableaux, aussi ce bon Religieux par complaisance faisoit semblant d'admirer, que dis-je? mais admiroit en effect de voir si perti-
nemment traiter de ces impertinences; et pour lui tesmoigner qu'il en faisoit estime
(cela servant au dessein que Dieu lui inspira), il lui demanda le Catalogue de ceste
exquise literature. Aussi tost elle le tira d'une liette[1], où il estoit dans un beau cabinet
d'ebene de ces ouvrages d'Alemagne, et en tesmoignant un extreme contentement, pour
lui monstrer la vivacité de son esprit, elle lui fit sur chacun un jugement en peu de
mots, par lequel elle faisoit voir qu'elle l'avoit leu avec attention. Il en tira une Copie
qu'il me monstra depuis en une des bonnes villes de ce Royaume, où il me rencontra.
Premierement elle lui fit voir ceste horrible pile d'Amadis, que l'on tient aller jusques
à vingt et deux ou vingt et quatre volumes en trois langues, Espagnole, Italienne, et
Françoise, et ce Livre est, à ce qu'on tient, la Mere Source, et comme le cheval de
Troye de tous les Romans, bien que nous sçachions que les Grecs ont autrefois excellé
en ce genre d'escrire, qu'ils appellent amatoire, et que nous en ayons comme les originaux
en la Cariclée d'Heliodore, en la Caride d'Athenagoras, en l'Isméné d'Eustathius, au
Clitophon d'Achilles Tatius, au Daphnis du Sophiste Longus, et entre les Latins en
l'Asne d'or d'Apulée. Après elle lui fit voir une grande liste de ces vieux Romans qui ont
eu tant de vogue du temps de nos Peres, comme celui de la Rose, Lancelot du Lac,
Tristan l'Hermite, les quatre fils Aimon, Oger le Danois, Pierre de Provence, Guerin
Mesquin, Mellusine, Fleuri et Blanchefleur, Palmerin d'Olive, et ceux de ceste volée là.
En suite venoit le Chevalier du Soleil en trois langues, Espagnole, Italienne, Françoise.
Après estoit le Boccace, Bandel, Perceforest, les Histoires Tragicques de Belleforest,
le Printemps d'Hyver, Roland le Furieux, et l'Amoureux, la Hierusalem du Tasse, les
Nuicts de Straparole, les Nouvelles de Gyraldi Ferrarois, celles de Cervante et d'Agreda,
le Pelerin en son païs de Lope de Vega, l'Arcadie du mesme, et dix-huict Volumes de
Comedies Espagnoles du mesme Autheur. Aussi les Comedies de Cervantes, avec les
Travaux de Persilles et Sigismonde, et sa Galathée, la Diane de Montemajor, l'Arcadie
de Sannazare, le Gusman d'Alfarache, le Lazarille de Tormes, Dom Quichot de la Manche,
l'Adon de Marini. Après cela marchoient tous ces nouveaux Romans qui se sont éclos
de nos jours, et dans lesquels il semble que l'on ait enfermé la pureté et la perfection de
nostre langue, comme l'Astrée de Monsieur d'Urfé, l'Argenis de Barclai, de son Latin

---

1. Lien, classeur à rubans.

si bien rendüe en nostre idiome, le Lysandre d'Audiguier [1], sa Flauie, et sa Minerve, la Polixene de Moliere [2], et sa Semaine qui est demeurée au premier jour, la Carité, le Polexandre [3], l'Arcadie de la Comtesse de Pembroc [4], les Nouvelles Françoises [5], l'Endymion de Gombauld, et plusieurs centaines d'autres Histoires, Avantures, Amours, Bergeries, Temples, Palais, Trophées, et autres Romans sous divers tiltres, que l'on peut comparer à la playe des grenouilles, ou à celle des mouscherons dont les Egyptiens furent tourmentez. Car la facilité de l'impression et la passion d'escrire multiplie ces ouvrages à l'infini, le moindre petit Secretaire, sur les memoires des affections du Seigneur de son village, faisant aussi tost un Livre sous tel nom qu'il lui veut donner. A cela estoit joinct un nombre infini de Comedies Italiennes [...]. En suite estoient les Poëtes, ces doux menteurs, et dont les feintes sont des Romans perpetuels [...].

[...] Après qu'elle eut deschargé son esprit de ceste abondance d'imaginations que ces Livres rappelloient en sa memoire, le bon Religieux, voulant aussi parler de ce qui estoit de sa profession, qui l'obligeoit non seulement à graver la Pieté sur son cœur, mais encore à l'imprimer dans l'ame de ses prochains, lui demanda si parmi une si curieuse recherche de tant de Livres de divertissement il n'y avoit point quelque tablette pour ceux qui devoient tenir le principal rang en nostre consideration et servir de conduitte à nostre vie pour l'acheminer à la Vertu, et par la Vertu au salut eternel. Helas! en tout ce grand nombre de Livres frivoles, il ne s'en trouva que trois ou quatre de spirituels et serieux [...]. Le Pere s'estonnant de voir si peu de bien parmi tant de mal, à la façon des grains d'or, qui sont rares parmi beaucoup de gravier qui est aux rives du Tage, elle s'excusa sur sa simplicité en la foi, excuse pire que son ignorance; elle protestoit qu'elle estoit fille de l'Eglise, et qu'elle se rapportoit de sa creance à celle de ceste Mere, appellant curiosité la sainte enqueste de nos mysteres, et disant qu'il ne falloit pas tant de façon pour se sauver que les personnes devotes en mettoient en ce temps ici, qu'il falloit craindre Dieu et garder sa loy, et qu'en cela consistoit le tout de l'homme. Elle adjousta à cela plusieurs petites opinions qui n'estoient pas trop raisonnables, et qui n'estans pas trop à propos de ce qu'elle devoit responde le seroient encore moins au mien. Le Pere lui repartit ce qu'il falloit pour lui lever ceste erreur populaire, qui enfle de presomption beaucoup de petits esprits qui mettent des bornes à leur perfection et attendent avec une fausse paix interieure le salutaire de Dieu. En fin pour venir à ce qui me touche, il apperceut parmi ce Chaos de Romans deux ou trois de nos Histoires Pieuses, desquelles ceste Dame lui fit une estime telle qu'il me l'escrivit, et qu'il me confirma depuis quand il m'abboucha, et que je ne puis redire sans une vanité trop expresse. Là dessus ayant treuvé ce point de l'opportunité que la Prudence conseille de mesnager avec tant d'attention, ou, si vous le voulez ainsi, le point d'Archimede pour enlever de ses mains tant d'amusemens terrestres et lui faire chercher les choses d'enhaut, il adjousta à la recommandation de ces chetives Narrations

---

1. Vital d'Audiguier, fécond romancier qui traduisit aussi des œuvres espagnoles.

2. Molière d'Essertines; sa *Semaine amoureuse* devait être un recueil de nouvelles, mais il n'en écrivit que la première journée.

3. *Carithée* (1621) est de Gomberville, comme *Polexandre*, dont Camus ne peut désigner ici que la première version (1619).

4. *L'Arcadie*, roman pastoral de Philip Sidney, fut publié en 1591 par la comtesse de Pembroke et plusieurs fois traduit en français.

5. Les *Nouvelles françoises* de Sorel.

sorties de nostre main ce que son amitié lui dicta; et parceque je lui avois une fois des-couvert mes intentions, se voyant le plus beau jeu qu'il eust peu souhaitter pour les faire saintement reüssir, il lui fit voir à clair dans mon dessein, qui est d'escarter avec des armes de lumiere et de verité ces œuvres de tenebres et de mensonge; et luy en ayant augmenté le goust qu'elle en avoit desja, il lui donna l'envie de voir les autres. Elle n'avoit que les trois premieres pieces, DARIE, AGATHONPHILE, et PARTHENICE, dont elle avoit la memoire si fraische, qu'entre autres particularitez elle lui dit qu'elle desireroit vivre avec la Constance de Parthenice et mourir avec la Devotion de Darie, n'osant pas se promettre tant de force, sans une assistance spéciale de Dieu, pour vivre parmi tant de hazards et mourir si genereusement qu'Agathon. Elle adjousta beaucoup d'autres eloges, qui estoient plus tolerables en sa bouche qu'en ma plume; et entre les autres, qu'elle avoit eu à ceste lecture autant de plaisir qu'aux autres, mais beaucoup plus de profit, parce que ces Histoires estoient veritables et serieuses, bien que assai-sonnées d'une façon douce et attrayante. Et bien, dit-elle, mon Pere, vous me demandez où sont mes Livres spirituels, les voila : car je vous asseure que pour acquerir la per-fection Chrestienne, il ne faut que pratiquer les enseignemens qui sont dans ces Histoires. A quoi le Pere : Madame, c'est aussi le but de l'Autheur de cacher le precepte sous l'escorce de l'exemple, et de glisser dans ses Narrations tout ce qui est çà et là espars dans les Livres qui traittent de la Devotion, meslant ainsi l'utile avec le plaisir. Ce Prelat, reprit ceste Dame, a treuvé le vrai moyen, s'il continuë, de decrediter les mauvais Livres, et de conduire au bien par la main d'une façon fort industrieuse. Comment, Madame, s'il continuë? reprit le Pere; vraiment il continuë, si bien que s'il avoit autant de loisir pour vacquer à ceste besoigne qu'il a de courage, il vous en feroit bien tost une Biblio-theque pour contre pointer ceste-ci [...].

[...] Il passa pour se rendre au lieu où les Predications l'appelloient, avec promesse que lui fit faire ceste Dame de la revoir à son retour. Il n'y manqua pas, et il la treuva tellement attachée à la lecture de ces pieuses Avantures, qu'elle en perdoit le manger et le dormir, ses Domestiques asseurans qu'ils ne l'avoient jamais veüe si empressée de ses Romans qu'elle l'estoit de ces Histoires. Et elle mesme dit au Religieux : Certes mon Pere, vous m'avez donné la vie, et fourni le vrai collyre pour me faire tomber les escailles des yeux et reprendre une veüe bien saine.

texte 11     Le Tombeau des Romans
où il est discouru I. Contre les Romans.
II. Pour les Romans. (1626)

    Avant Sorel, avant Lenglet-Dufresnoy, Fancan (dont le nom véritable était, paraît-il, Langlois) oppose en un diptyque les raisons qui condamnent le genre romanesque (pages 1-50) et les raisons qui le justifient (pages 51-96). Contre les romans : ils falsifient la vérité et en détournent l'esprit des lecteurs qu'ils entretiennent de billevesées ou de passions condamnables. Pour les romans : la vérité, que les hommes n'aiment jamais pour elle-même, a souvent besoin d'être déguisée pour être acceptée; l'amour que peignent des œuvres comme *L'Astrée* de d'Urfé ou l'*Argenis* de Barclay est l'honnête et pur amour; l'esprit ne peut être sans cesse et uniquement occupé des vérités essentielles de la religion; une fable qui ne blesse pas la religion peut être utile en morale et en politique; Jésus lui-même a parlé par paraboles, la vérité étant plus attrayante quand elle est voilée.

    En combinant des idées d'Aristote et d'Horace (sur l'imitation) et une idée de Scaliger (sur la curiosité infinie de l'esprit humain), Fancan essaie de faire la psychologie de la fabulation chez l'écrivain et du goût pour le romanesque chez le lecteur. Huet retrouvera en 1670 des arguments analogues.

    Les pages citées sont les dernières de l'ouvrage.

    Certes on est plus desireux de voir et de cognoistre le Soleil, quand il est eclipsé, que quand il ne perd point sa clarté ordinaire. On est plus soigneux de contempler la verité quand on nous la cache. Son eclypse nous esveille et sa clarté nous endort. Quel

33

Philosophe ne s'est rendu celebre par l'obscurité et pour ne descouvrir la verité qu'en ombres et en ambages? N'est-il pas vray qu'ils l'ont employée, comme une ruse des joueurs de passe-passe, pour ne decouvrir la vanité de leur art et de laquelle l'humaine bestise se paye aysement?

Ce n'est pas que je vueille ravaler la louange des histoires veritables : j'approuve grandement tout ce qui est dit en leur recommandation. Mais je serois bien ayse qu'on s'aperçeust aussi qu'il y a une infinité d'histoires qu'on pense estre fables, et une infinité de fables qu'on pense estre histoires. Je veux qu'on me loüe tant qu'on voudra entre autres la Cyropedie de Xenophon pour le profit qui est provenu de sa lecture, pourveu qu'on advoüe aussi que cest autheur a couché par escrit non ce qu'estoit Cyrus, mais ce que Cyrus devoit estre.

Sur tout il n'est pas besoin que j'oublie en fin à satisfaire à ceux qui demandent d'où vient aux hommes cet appetit d'escrire des choses fausses et fabuleuses et d'où provient ce plaisir que nous avons presque tous à nous plaire au recit de ce que certainement nous sçavons estre exempt de verité, veu mesmement que [1] la fortune semble nous produire chaque jour assez d'accidens veritables, sans qu'il soit necessaire que nous en forgions et feignions à plaisir. Sur cette demande je n'ay rien de meilleur à respondre que ce que j'ay leu dans une gentile controverse du divin Scaliger en ses Exercitations contre Cardan, qui disoit en ses livres de la Subtilité, que les enfans se delectent plus aux choses fausses que les hommes avancez en aage, à cause qu'ils pensent qu'il y ait plus de verité. Comment plus? dit Scaliger. Car il faudroit que ces enfans fissent des comparaisons et des rapports dont ils sont incapables. Il faut que tu sçaches, adjoute-t'il, que nostre entendement est de sa nature infiny. C'est pourquoy il appete les choses plus esloignees et estranges, et se delecte és choses fausses et en la peinture des monstres, d'autant que tout cela surmonte et franchit les vulgaires limites de la verité. L'intelligence humaine méprise la prescription de certaines fins, tant sa capacité est ample. Ainsi le sage mesme loüe la perfection de la peinture, quoy qu'il sçache qu'elle est fausse, aymant mieux une belle image peinte qu'une reelle et vivante parfois. Car les choses semblent estre mieux contrefaictes par l'art que faictes par la nature. C'est ainsi que les fictions nous plaisent et se font admirer de nous. L'admiration ne doit pas estre plustost appellée fille d'ignorance que mere de science. La Philosophie s'occupe plus à la recherche et à la dispute de ce qui peut estre et de ce qui ne peut estre, que de ce qui est veritablement. Les phantosmes, les espaces imaginaires, les extravagances l'exercent plus que tout ce qui est reel et qui tombe sous nos sens. Nous sommes idolatres et admirateurs de nos resveries. Les Poëtes qui feignent un Pygmalion amoureux de son ouvrage, figurent nos humeurs et nos passions. Aristote mesme le cognoist assez, aussi bien que Platon son maistre, dont nous parlions au commencement de ce discours, car il veut que le Phylosophe soit un amateur et Autheur de fables, un Phylomythe en un mot.

---

1. Vu surtout que.

texte 12 # L'Histoire afriquaine de Cléomede et de Sophonisbe (1627)

Les qualités d'un bon roman selon Gerzan sont l'utilité morale, la vraisemblance de l'invention, le respect de la vérité historique et géographique, l'habileté de l'enchevêtrement des intrigues. La liste n'en changera guère pendant toute l'époque baroque, mais les romanciers suivants seront plus subtils ou plus savants.

### PREFACE AU LECTEUR

Ce n'est point par une certaine demangeaison d'escrire, qui n'est que trop familiere à ceux qui s'en meslent, mais plus tost par un desir de me contenter moymesme, que j'ay mis la main à la plume. Car ayant veu depuis peu le grand nombre de Romans qui s'impriment tous les jours, je me suis advisé d'employer à ce divertissement quelques heures de mon loisir, pour des sujects qui me sont particuliers, et dont j'espere vous esclaircir en la suite de ce volume.

[Gerzan explique qu'il a conçu cinq romans, histoires africaine, asiatique, européenne, américaine et gauloise, où il mêle « les choses utiles et serieuses parmy les honnestes et delectables ».]

En l'Afriquaine, qui est celle-cy, je fay voir les grands advantages de la Morale par dessus les autres sciences. Là mesme je découvre deux admirables chefs-d'œuvre que les grands esprits ont tousjours cachés, dont l'un agit puissamment à la conservation de l'humide radical, et par l'autre les Dames peuvent parvenir au plus haut degré de beauté, soit pour la blancheur, soit pour la delicatesse du teint [1] [...]

Maintenant il ne me reste plus rien qu'à monstrer qu'en ce genre d'escrire je me suis attaché à des particularitez que peu de gens ont observées, principalement à l'exacte Geographie, et à la vraye Histoire. Il n'y a celui qui ne m'advouë que plusieurs choses sont requises à la composition d'un Romant, à sçavoir que l'invention en soit belle, l'œconomie judicieuse, et la narration bien suivie. Avecque cela il faut necessairement qu'il y ait beaucoup d'intrigues, qui soient souvent divisées pour tenir tousjours le lecteur en haleine, et si bien meslées, que l'on ne les puisse retrancher, sans rompre le fil de l'Histoire. Où toutesfois l'on remarquera qu'il est de besoin de les esclaircir de telle sorte, qu'elles n'attirent aucun doute. Par mesme moyen il faut prendre garde que les Amours que l'on traitera soient si chastes et si honnestes, qu'elles ne puissent desplaire aux oreilles les plus delicates, ny aux pensées les plus scrupuleuses. J'adjoute à cecy, que c'est peu de chose d'observer tout ce que je viens de dire, si l'on ne met dans la vray-semblance les inventions des Romans; dequoy j'ay tasché de m'acquiter le mieux que j'ay pû, pour empescher qu'en ce qui touche le temps d'où je les feins estre faicts, l'on n'eust moyen de me convaincre de fausseté. Car avec ce que j'accommode de mes inventions à la vraye Histoire, d'elle mesme j'en tire les plus belles advantures, si fort je m'attache à la Chronologie, et à la Geographie.

---

1. L'utilité du roman ne réside donc pas seulement dans la morale et dans les renseignements historiques et géographiques, mais aussi dans des recettes d'hygiène et de beauté.

# texte 13  Histoire indienne d'Anaxandre et d'Orazie où sont entre-meslées les avantures d'Alcidaris, de Cambaye et les amours de Pyroxene (1629)

Le roman est à la fois invention et vérité : Boisrobert n'essaye pas d'approfondir cette contradiction fondamentale, il se contente d'affirmer les deux termes l'un après l'autre. Il veut faire œuvre de poète et se donne le droit de substituer la fable à la vérité, de corriger le réel en disant ce qui doit être et non ce qui est. Ainsi le roman est supérieur à l'histoire (avec laquelle on ne va cesser de le mettre en parallèle pendant deux cents ans) comme moyen d'instruction morale, bien qu'il ne vise qu'à divertir. Mais Boisrobert veut aussi faire œuvre d'historien et proclame naïvement la valeur documentaire de son récit.

Guez de Balzac retient seulement ce qui est invention dans le genre romanesque et montre son puissant effet sur la sensibilité du lecteur : dès cette époque, pourtant, l'invention des romanciers est rarement originale, et ils ne font que se copier les uns les autres. Quand il se réfère à « la severité de nos regles », Balzac parle en philologue : école de beau langage, le roman s'écarte de l'usage de la cour dans la mesure où il s'apparente à la poésie, et son style ne doit pas être trop exactement imité par les gens du monde.

### Avis au lecteur qui servira de preface

Quoy que je ne vueille passer ici que pour simple traducteur des amours d'Ana-xandre, et des avantures d'Alcidaris, et que pour me rendre plus recommandable aupres de toy, je cherche l'authorité des Arabes et des Indiens; je m'asseure, Lecteur, que tu auras bien de la peine à te persuader que cette histoire soit véritable. Quoy qu'il en soit, puisque mon but n'est que de te plaire, et de te divertir agreablement, il ne n'importe pas beaucoup que tu lises mon livre comme une Histoire, ou comme une fable, pourveu que la lecture te contente, et que tu me sçaches quelque gré de te l'avoir donnée. Si je voulois faire le discoureur, je te prouverois aisément qu'il y a dans les beaux Romans qui tiennent de la nature du Poëme Epyque, aussi bien que dans les Histoires, des instruc-tions propres à toutes sortes d'Etats, pour faire abhorrer le vice et cherir la vertu; et d'autant plus encore dans les Romans que celuy qui les escrit se propose toujours la perfection, et met en un plus eminent degré les vertus dont l'Histoire nous présente les exemples. D'ailleurs on ne void gueres d'Historiens qui ne soient ou flatteurs, ou men-teurs, comme ils oublient les veritez qui nuisent, ils publient des mensonges obligeans, et d'ordinaire découvrent les imperfections d'autruy, pour s'accommoder aux desirs de quelques malicieux, et pour sacrifier à l'envie : Mais ceux qui composent des Poëmes Epyques et des Romans sont exempts de cette malice noire, et de cette lasche complai-sance. Ils descrivent les actions non pas telles qu'elles sont, mais bien telles qu'elles doivent estre; c'est sans interest qu'ils condamnent les laschetez et les trahisons, et qu'ils honorent la sagesse, la justice et la vaillance. Ils contreignent les coupables de rougir en leurs consciences aussi bien que les vrays Historiens, et mieux qu'eux ils sçavent animer les hommes de cœur à maintenir le droit et la raison jusques au dernier souspir de leur vie. Outre qu'ils n'ont autre but que de se rendre agreables, et d'émouvoir diverses passions dedans l'ame des lecteurs, ils ne laissent pas encore de les edifier, et de les instruire, si bien qu'ils s'en retournent toujours apres la lecture plus amis de la vertu qu'ils n'estoient auparavant. Pour moy qui n'ay pas ces dons de persuader et d'émouvoir, je me vante pour le moins de tenir cela de la vraye Histoire que je garde l'ordre des temps, que je décrits exactement la situation des pays et des regions, et que je fais connoistre les mœurs et les ceremonies des peuples, au moins celles qui peuvent donner quelque contentement aux Lecteurs, m'élongnant toujours des choses qui doivent choquer leur esprit, et qui leur peuvent déplaire. Tous ceux qui ont fait voyage en Orient, et qui ont visité la Cour du Mogor, qui est nommé grand Achebar par ses subjets, tesmoignent que ce sont les hommes de toute l'Asie qui sont le mieux à cheval, qu'ils sont grands faiseurs de carrouzels, mais que les images de combat dont ils se servent le plus communément à leurs festes publiques, ce sont les jeux de l'escrime. Ceux qui ont veu le Royaume de Narsingue aussi bien que ceux qui l'ont décrit, sont tous d'accord que c'est le pays du monde où les duels sont les plus frequents : qu'autrefois ils y ont esté condamnez, et les combattans griefvement punis, mais que depuis quelques années on a esté contraint de les permettre pour essayer de les abolir. Ce que j'ay dit des mariages et des sepultures de leurs Princes, est aussi confirmé par plusieurs Historiens, tant anciens que modernes; si bien, Lecteur, qu'il ne reste plus qu'à t'esclaircir du temps, et de la vraye race de Tamerlan, dont je fais venir Anaxandre. [...]

## LETTRE DE MONSIEUR DE BALZAC ESCRITE A UNE DAME DE QUALITÉ

Madame,

Ne pouvant vous aller voir, comme je m'y estois obligé à vôtre départ, je croy ne vous faire point de tort de vous envoyer une meilleure compagnie que celle que je vous avois promise. C'est le livre dont on vous a parlé si favorablement, que je vous envoye [...]. Pour moy, Madame, qui voulez que je croye que je n'ay pas les sentiments tout à fait mauvais, et que mes opinions sont assez saines, il faut que je vous avouë, que mettant à part l'affection que je dois à l'Autheur de cet ouvrage, j'y ai remarqué quantité de choses que je louërois en un ennemy. Il me pardonnera bien si je vous dis que c'est un des agreables menteurs que je vis jamais; et il est certain que je ne me suis plaint de ses fourbes, que lors qu'il a cessé de me piper, parce qu'elles ne duroient pas davantage. Je ne vous veux point cacher ma foiblesse : Je sçavois que je regardois la peinture d'une chose fausse; et neantmoins j'ay ressenty d'aussi violentes esmotions que m'en eust donné la chose mesme, si elle eust esté vraye, et que je l'eusse veüe des mes propres yeux. J'ay esté tantost triste, et tantost joyeux, selon qu'il a pleu à Monsieur de Boisrobert me conter de bonnes ou de mauvaises fortunes; je me suis interessé tout de bon dans les affaires de ses Roys imaginaires; j'ay eu des peurs pour le pauvre Anaxandre, qui ne peuvent s'exprimer; les malheurs de Lisimante ne m'ont gueres moins travaillé l'esprit, et dans les extremitez où je les ay veus tous deux, je faisois des vœux pour leur salut, sur le poinct qu'ils ont esté miraculeusement delivrez. Enfin, Madame, quoy que j'aye le cœur assez dur, et que je n'aye pas les yeux fort humides, il en est pourtant tombé des larmes en dépit de moy, et j'ay eu honte de voir que c'estoient les songes et les visions d'un autre, et non pas mes propres maux, qui me causoient de si sensibles et de si veritables déplaisirs. C'est une puissance tyrannique que les sens usurpent sur la raison, et qui nous monstre clairement que le voisinage de l'imagination est extrémement contagieux à la partie intellectuelle, et qu'il y a bien plus de corps que d'ame en cette superbe creature, qui pense estre née pour commander à toutes les autres. L'Autheur de l'Histoire Etyopique [1] m'a souvent donné de ces allarmes, et je ne le sçaurois encore lire, que je ne me laisse tromper à luy. Pour les autres Romans, vous sçavez que je n'en suis pas affamé : Aussi ne sont-ce la pluspart que des Heliodores déguisez, ou comme disoit feu Monsieur l'Evesque d'Ayre [2], des enfans qui sont venus du mariage de Theagene et de Cariclée, et qui ressemblent si fort à leur pere et à leur mere, qu'il n'y a pas un cheveu de difference. Icy, Madame, je vous promets que vous verrez de la nouveauté, et que vous entendrez parler la vraye langue de la Cour, dont vous avez une si parfaite connoissance. J'avoüe bien qu'en quelques endroits il y a quelque chose qui sent un peu la Poësie, et qui n'est pas entièrement dans la severité de nos regles; mais on m'a asseuré que les Romans ne sont pas ennemis de ces sortes de beautez, et que tout ce genre d'escrire est hors de l'estendüe de nostre jurisdiction. Au reste, avant que je finisse ma lettre, j'ay une plaisante nouvelle à vous dire de, etc [3].

---

1. Héliodore.
2. Sébastien Bouthillier, évêque d'Aire-sur-Adour à partir de 1623, mort en 1625. C'était un ami et un correspondant de Guez de Balzac.
3. C'est sur cet *etc.* que s'arrête la lettre-préface de Balzac.

## texte 14 Rosane, histoire tirée de celles des Romains et des Perses (1639)

Le roman se sert de l'histoire et la corrige dans le sens de la vertu : ce thème, qui deviendra vite banal, Desmarets le traite avec un sentiment très vif de la grandeur et de la beauté de l'idéal romanesque, et avec une conscience très nette des difficultés propres au genre tel qu'il le conçoit; la liberté de l'invention oblige l'auteur de romans à une observation plus exacte, à une mise en œuvre et à une expression plus adroites.

Voir tome I, p. 163.

### Preface

[...] La Fiction ne doit pas estre considerée comme un mensonge, mais comme une belle imagination, et comme le plus grand effort de l'esprit; et bien que la Verité semble luy estre opposée, toutefois elles s'accordent merveilleusement bien ensemble. Ce sont deux lumieres qui au lieu de s'effacer l'une l'autre et de se nuire, brillent par l'esclat l'une de l'autre.

La Verité de l'Histoire toute seule est seiche et sans grace, et se void tousjours traversée par les espines que la fortune insolente jette en son chemin; d'autre costé la Fiction toute seule, telle qu'elle est dans les Romans, est vaine et chimerique et n'a aucun soustien : Il faut que l'une corrige l'autre, et que par les adoucissemens qu'elles s'entre-donnent, elles paroissent ensemble pleines d'utilité et de charmes. Nostre esprit ayme la Verité : mais il n'est pas fasché qu'on la pare et qu'on l'enrichisse [...].

Cette consideration doit obliger ceux qui sont capables d'inventer sur des sujets tirez de l'Histoire, de remplir leurs escrits de sentimens vertueux; et c'est un grand bon-heur quand ils sont portez à la vertu par leur nature mesme, pour ce que leur esprit produit alors à tous momens des pensées fortes et persuasives, pour faire aymer ce qui est honneste et detester ce qui ne l'est pas. Ils sçavent former de si belles idées de personnes sages et accomplies, mesme en diverses sortes d'humeurs et de caracteres d'esprits, et en impriment tellement les belles qualitez dans l'imagination, qu'il semble que l'on n'auroit point de plus haute ambition que de leur ressembler; et par la fin heureuse qu'ils donnent aux desirs honnestes, ils font bien voir que le Ciel est juste et que pour estre heureux il faut estre sage : D'autre costé s'ils representent des personnes vicieuses, ils descrivent la laideur de leurs actions et de leurs pensées avec des couleurs si noires, et donnent de si mauvais succes [1] à toutes leurs entreprises, que rien ne peut davantage causer l'horreur du Vice. C'est une chose asseurée qu'il n'y a rien de si utile que les livres où la verité et l'invention esclattent à l'envy l'une de l'autre; et que quand ils sont escrits par des hommes sages et ingenieux, il n'y a rien qui puisse tant servir pour enseigner les vertus morales; et plus ils sont pleins de feintes parmy la verité, plus ils sont beaux et profitables, pource que la feinte vray-semblable est fondée sur la bienseance et sur la raison, et la verité toute simple n'embrasse qu'un recit d'accidens humains, qui le plus souvent ne sont pleins que d'extravagance. Les feintes sont les ornemens des plus beaux livres; j'excepte les sacrez, qui sont toutefois remplis de belles paraboles; et cela fait bien voir que la feinte et la verité s'accordent bien ensemble. [...]

[Suit un exposé sur l'emploi de la feinte chez les poètes, les philosophes, les historiens, les orateurs.]

Les livres ne se font que pour instruire et pour plaire; et nul ne se porte à escrire, que par un desir de profiter et d'estre agreable au public, ou pour faire voir les divers talens d'esprit que la nature luy a donnez. Mais il n'est point de sorte d'ouvrages plus utiles que ceux où se mesle l'invention, ny plus capables de faire cognoistre ce que l'on a de sçavoir et de genie. Pour le premier [2] qui regarde l'utilité, il est vray que les hommes (principalement en France où les ames sont ordinairement nobles et capables de recevoir de belles impressions) cherissent et admirent les exemples parfaicts qu'on leur propose, et se portent avec ardeur à les imiter; et pour ce que la nature produit rarement des personnes parfaictes, l'art de l'invention supplée à ce deffaut, et forme des idées accomplies d'hommes doüez d'une vraye generosité, pleins de sagesse, instruits aux sciences et aux addresses necessaires à ceux de leur profession, endurcis au travail par un continuel exercice dans l'employ qui leur est honnorable, et avec une telle habitude à bien faire qu'il n'y a ny grandeur ny volupté qui les puissent destourner du chemin de la Vertu. Sur ces modelles un naturel facile qui n'a besoin que de bons exemples s'instruit pour acquerir les perfections qui luy manquent et pour fuir les vices ausquels il

---

1. Résultats.
2. Pour le premier point.

pourroit tomber. Pour le second [1] qui regarde le beau champ que se donne un esprit qui se veut occuper à escrire, est-il sorte d'ouvrages où une si grande diversité soit necessaire? Car pour plaire continuellement au lecteur, il le faut continuellement resveiller; et l'esprit, qui ne se divertit que par la varieté, ne sçauroit souffrir la longueur dans aucune chose, quand mesme toutes les graces auroient esté employées pour la rendre agreable. Ainsi les narrations, les descriptions, les entretiens de pensée, ceux de conversation, les discours de Politique ou de Morale, la vive representation des passions, les lettres, les harangues, doivent addroictement succeder les unes aux autres; et il n'y a point de genre d'escrire qui embrasse tant de matieres differentes. L'Histoire simple a ses bornes bien plus estroittes, et en disant les choses comme elles ont esté n'approche pas de la beauté d'une Histoire meslée de fiction, qui represente les choses comme elles ont deu estre. L'une est assujettie à suivre le fil des revolutions extravagantes que cause la fortune dans les Estats, sans oser employer que fort peu d'ornemens, qui ne sont pas capables de faire perdre aux Lecteurs le desplaisir de voir si souvent la Vertu opprimée et le Vice triomphant : L'autre se promene dans les libres campagnes d'une invention agreable, ayant tousjours la Raison et les Graces à ses costez. Là les plus accomplis des hommes maistrisent la fortune; et si quelquefois ils en sont persecutez, ce n'est que pour faire esclatter davantage leur vertu; là les vicieux sont detestez et punis; mille divertissemens s'y rencontrent à toute heure : tantost on entend le recit d'une avanture merveilleuse; tantost les douces plaintes d'une passion raisonnable, qui a la vertu pour fondement et pour objet; tantost une agreable dispute entre deux personnes aymables; et tantost un entretien serieux et passionné; delà on trouve des descriptions plus belles que la nature mesme, des magnificences qui espuiseroient la richesse de tous les Roys, et des Estats si bien policez que la Felicité mesme n'en auroit pas un plus heureux. Enfin, si l'on veut faire comparaison de l'Histoire simple avec celle qui est ornée d'invention, j'en laisseray juger apres avoir dit qu'en l'une regne la Fortune, en l'autre la Vertu. Aussi faut-il avoüer que ce n'est pas une petite entreprise que de pretendre reüssir en ce genre d'escrire, où la grande liberté que vous avez de dire ce qui vous plaist ne laisse point d'excuse quand vous n'avez pas dit ce que vous avez deu. Si vous ne formez pas un assez beau modelle d'une personne parfaite, on vous accusera de n'en avoir pas sceu concevoir l'idée; si vous ne faites pas voir de differens caracteres d'esprits et d'humeurs, et si les ayant une fois introduits vous ne leur attribuez pas continuellement des actions et des paroles qui marquent ces mesmes caracteres, on dira que vous avez manqué de force de genie pour representer ceste diversité; si vous vous engagez en de longues avantures qui ne soient pas bien démeslées, on dira que vous n'avez imaginé que confusement ce que vous avez representé de mesme; si les histoires que vous recitez n'ont point de liaison les unes avec les autres, et si elles ne font intrigue et ne se meslent avec la principale histoire qui doit regner, pour servir comme de membres à ce corps, on dira que vous n'avez aucun art; si vous ne faites parler chaque personne selon sa condition et son humeur, vous manquez de jugement; si vous descrivez foiblement chaque chose, vous manquez d'imagination; si vous persuadez laschement, vous n'avez point d'eloquence; et si vous ne faites pas bien parler une passion, vous ne l'avez pas bien conceuë. Ce genre d'occupation est un jeu sans hazard, et où les fautes ne se peuvent excuser sur la Fortune. Toutefois la preuve que je donne de l'excellence de ces sortes d'histoires n'est pas pour pretendre la gloire d'estre arrivé à la perfection qu'il faudroit

---

1. Pour le second point.

avoir pour s'en acquitter dignement, mais seulement afin que l'on distingue ceux qui taschent d'en approcher, d'avec ces esprits grotesques, qui entassent une infinité d'avantures mal digérées et sans fondement sur l'Histoire, et les ayant exposées sans jugement, sans art, et sans grace, laissent les Lecteurs dans la seule satisfaction qu'ont ceux qui se resveillent apres une resverie embarrassée et ennuyeuse.

texte 15       # Ibrahim (1641)

Voici l'un des textes théoriques les plus importants sur le roman du XVIIe siècle ; comme Chapelain, comme d'Aubignac, Scudéry croit à l'infaillibilité des règles ; il fonde ces règles sur la nature de chaque genre et sur l'exemple des Anciens. Bien qu'il range encore Homère et Virgile parmi ses maîtres et rapproche la composition du roman de celle du poème épique, il marque mieux que Boisrobert la différence entre roman et poésie. Il réclame le respect de la vraisemblance et affirme ne s'intéresser aux aventures que si elles font mieux connaître les caractères. Il est pourtant encore trop étroitement formaliste, admire plus l'ingéniosité que le génie et confond un peu vérité morale et exactitude matérielle, tout en altérant celle-ci pour se plier à la bienséance, à laquelle il semble particulièrement attentif. Il aime les ornements, sans les croire assez essentiels à son sujet pour ne pas autoriser son lecteur à les sauter, notamment les descriptions, souscrivant ainsi d'avance à la plaisanterie que fera Boileau sur les descriptions d'*Alaric*, poème du même Scudéry :

    « Je saute les feuillets pour en trouver la fin
    Et je me sauve à peine au travers du jardin »

*Art poétique*, I.

### PREFACE

Je ne sçay quelle espece de loüange les Anciens croyoient donner à ce Peintre qui ne pouvant finir son ouvrage l'acheva fortuitement en jettant son esponge contre son Tableau : mais je sçay bien qu'elle ne m'auroit pas obligé, et que je l'aurois plûtost prise pour une Satyre que pour un Eloge. Les operations de l'Esprit sont trop importantes pour en laisser la conduite au hazard : et j'aimerois presque mieux que l'on m'acusât d'avoir failly par connoissance, que d'avoir bien fait sans y songer. Il n'est rien que la temerité n'ose entreprendre, et dont la Fortune ne puisse venir à bout : mais quand on se fie en ces deux guides, si l'on ne s'égare, on peut s'égarer; et de cette sorte, quand mesme les évenemens sont heureux, l'on n'en merite point de gloire. Chaque Art a ses regles certaines, qui par des moyens infaillibles menent à la fin que l'on se propose : et pourveu qu'un Architecte prenne bien ses allignemens, il est asseuré de la beauté de son bâtiment. Ne croyez pas, Lecteur, que je veüille conclure de là que mon ouvrage soit accomply, parce que j'ay suivy les regles qui le pouvoient rendre tel : je sçay qu'il est de ce travail comme des Sciences Mathematiques, où l'operation peut manquer, quoy que l'Art ne manque jamais. Aussi ne fay-je ce discours que pour vous montrer que, si j'ay laissé des fautes en mon Livre, elles sont un effet de ma foiblesse, et non pas de ma negligence. Souffrez donc que je vous découvre tous les efforts de cette machine, et que je vous fasse voir, sinon tout ce que j'ay fait, au moins tout ce que j'ay tâché de faire.

Comme nous ne pouvons estre sçavans que de ce que les autres nous enseignent, et que c'est à celuy qui vient le dernier à suivre ceux qui le devancent, j'ay crû que pour dresser le plan de cet ouvrage il faloit consulter les Grecs qui ont esté nos premiers Maistres, suivre la route qu'ils ont tenuë, et tâcher, en les imitant, d'arriver à la mesme fin que ces grands hommes s'étoient proposée. J'ay donc vû dans ces fameux Romans de l'Antiquité qu'à l'imitation du Poëme Epique il y a une action principale où toutes les autres sont attachées, qui regne par tout l'ouvrage, et qui fait qu'elles n'y sont employées que pour la conduire à sa perfection. Cette action dans l'Iliade d'Homere est la ruïne de Troye; dans son Odyssée, le retour d'Ulisse à Itaque; dans Virgile, la mort de Turne, ou pour mieux dire la conqueste de l'Italie; plus prés de nous dans le Tasse, la prise de Hierusalem; et pour passer du Poëme au Roman, qui est mon principal objet, dans l'Heliodore, le mariage de Chariclée et de Theagenes. Ce n'est pas que les Episodes en l'un, et les diverses histoires en l'autre, n'y soient plûtost des beautez que des deffaux : mais il est toûjours necessaire que l'adresse de celuy qui les employe les face tenir en quelque façon à cette action principale, afin que par cet enchainement ingenieux toutes ces parties ne facent qu'un corps, et que l'on n'y puisse rien voir de détaché ny d'inutile. [...]

[...] Or ces grands Genies de l'Antiquité, dont j'emprunte les lumieres, sçachans que l'ordonnance étoit une des principales parties d'un Tableau, en ont donné une si belle à leurs peintures parlantes, qu'il y auroit autant de stupidité que d'orgueil à ne les vouloir pas imiter. Ils n'ont pas fait comme ces Peintres qui font voir en une mesme toile un Prince dans le berceau, sur le Trône, et dans le cercueil, et qui par cette confusion peu judicieuse embarassent celuy qui considere leur Ouvrage : mais avec une adresse incomparable ils ont commencé leur Histoire par le milieu, afin de donner de la suspension au Lecteur dés l'ouverture du Livre; et pour s'enfermer dans des bornes raisonnables, ils ont fait (et moy aprés eux) que l'Histoire ne dure qu'une année, et que le reste est par narration : ainsi toutes les choses se trouvant ingenieusement placées, et d'une juste grandeur, il en resulte indubitablement du plaisir pour celuy qui les regarde, et de la gloire pour celuy qui les a faites. Mais entre toutes les regles qu'il faut observer en la composition de ces Ouvrages, celle de la vraysemblance est sans doute la plus necessaire.

Elle est comme la pierre fondamentale de ce bastiment, et ce n'est que sur elle qu'il subsiste. Sans elle rien ne peut toucher; sans elle rien ne sçauroit plaire; et si cette charmante trompeuse ne deçoit l'esprit dans les Romans, cette espece de lecture le dégouste, au lieu de le divertir. J'ay donc essayé de ne m'en éloigner jamais : j'ay observé pour cela les mœurs, les coûtumes, les loix, les religions, et les inclinations des peuples : et pour donner plus de vray-semblance aux choses, j'ay voulu que les fondemens de mon Ouvrage fussent historiques, mes principaux personnages marquez dans l'Histoire veritable comme personnes illustres, et les guerres effectives. C'est sans doute par cette voye que l'on peut arriver à sa fin : Car lors que le mensonge et la verité sont confondus par une main adroite, l'esprit a peine à les démesler et ne se porte pas aisément à détruire ce qui luy plaist. Au contraire, quand l'invention ne se sert point de cet artifice et que le mensonge se produit à découvert, cette fausseté grossiere ne fait aucune impression en l'ame, et ne donne aucun plaisir. En effet, comment seray-je touché des infortunes de la Reine de Guindaye, et du Roy d'Astrobacie, puisque je sçay que leurs Royaumes mesmes ne sont point en la Carte universelle, ou pour mieux dire, en l'estre des choses? Mais ce n'est pas le seul défaut qui peut nous éloigner de la vray-semblance. Nous avons autrefois veû des Romans qui nous produisoient des Monstres; en pensant nous faire voir des miracles, leurs Autheurs, pour s'attacher trop au merveilleux, ont fait des Grotesques qui tiennent beaucoup des visions de la fiévre chaude. [...]

[...] Pour moy, je tiens que plus les avantures sont naturelles, plus elles donnent de satisfaction : et le cours ordinaire du Soleil me semble plus merveilleux que les étranges et funestes rayons des Cometes. C'est par cette raison encor que je n'ay point causé tant de naufrages, comme il y en a dans quelques anciens Romans. [...]

[...] Ce n'est pas que je pretende bannir les naufrages des Romans; je les approuve aux Ouvrages des autres, et je m'en sers dans le mien. Je sçay mesme que la Mer est la Scene la plus propre à faire de grands changemens, et que quelques-uns l'ont nommée le Théâtre de l'inconstance. Mais comme tout excés est vicieux, je ne m'en suis servy que moderément pour conserver le vray-semblable. Or le mesme dessein a fait aussi que mon Heros n'est point accablé de cette prodigieuse quantité d'accidens qui arrivent à quelques autres, d'autant que selon mon sens cela s'éloigne de la vray-semblance : la vie d'aucun homme n'ayant jamais esté si traversée, il vaut mieux, à mon avis, séparer les avantures, en former diverses Histoires, et faire agir plusieurs personnes, afin de paroistre fecond et judicieux tout ensemble, et d'estre toûjours dans cette vray-semblance si necessaire. [...]

[...] Il est hors de doute que pour representer la véritable ardeur heroïque il faut luy faire executer quelque chose d'extraordinaire, comme par un transport de Heros : mais il ne faut pas continüer de cette sorte, parce qu'autrement ces actions incroyables dégenerent en contes ridicules, et ne touchent point l'esprit. Cette faute en fait encore commettre une autre : car ceux qui ne font qu'entasser avantures sur avantures, sans ornemens, et sans exciter les passions par les artifices de la Rethorique, sont ennuyeux, en pensant estre plus divertissans. Cette narration seche et sans art est plus d'une vieille Chronique que d'un Roman, qui peut bien s'embellir de ces ornemens, puisque l'Histoire, toute severe et toute scrupuleuse qu'elle est, ne laisse pas de les employer.

Aprés avoir descrit une avanture, un dessein hardy, ou quelque évenement surprenant, capable de donner les plus beaux sentimens du monde, certains Autheurs se sont contentez de nous asseurer qu'un tel Heros pensa de fort belles choses, sans nous les dire, et c'est cela seulement que je desirois sçavoir. Car que sçay-je si dans ces évenemens la Fortune n'a point fait autant que luy? si sa valeur n'est point une valeur brutale? s'il a souffert en honneste homme les malheurs qui luy sont arrivez? Ce n'est point par les choses de dehors, ce n'est point par les caprices du destin que je veux juger de luy; c'est par les mouvemens de son ame, et par les choses qu'il dit. J'honore tous ceux qui escrivent aujourd'huy; je connoy leur personne, leur ouvrage, et leur merite : mais comme l'apotheose n'est que pour les morts, ils ne trouveront pas mauvais que je ne les deïfie pas, puis qu'ils vivent, et qu'en cette occasion je ne propose pour exemple que le grand et l'incomparable Urfé. Certainement il faut avoüer qu'il a merité sa reputation; que l'amour que toute la Terre a pour luy est juste; et que tant de nations differentes, qui ont traduit son Livre en leurs langues, ont eu raison de le faire. Pour moy, je confesse hautement que je suis son adorateur : il y a vingt ans que je le connoy, c'est à dire qu'il y a vingt ans que je l'ayme. En effet, il est admirable par tout : il est fecond en inventions, et en inventions raisonnables; tout y est merveilleux, tout y est beau; et ce qui est le plus important, tout y est naturel et vray-semblable. Mais entre tant de rares choses, celle que j'estime le plus est qu'il sçait toucher si delicatement les passions, qu'on peut l'appeler le Peintre de l'ame. Il va chercher dans le fond des cœurs les plus secrets sentimens; et dans la diversité des naturels qu'il represente, chacun trouve son portrait.

> *Enfin si parmy les mortels*
> *Quelqu'un merite des Autels,*
> *Urfé seul a droit d'y pretendre.*

Certainement il n'est rien de plus important, dans cette espece de composition, que d'imprimer fortement l'Idée, ou pour mieux dire, l'image des Heros en l'esprit du Lecteur, mais en façon qu'ils soient comme de sa connoissance : car c'est ce qui l'interesse en leurs avantures, et de là que vient son plaisir. Or pour les faire connoistre parfaitement, il ne suffit pas de dire combien de fois ils ont fait naufrage, et combien de fois ils ont rencontré des voleurs : mais il faut faire juger par leurs discours quelles sont leurs inclinations; autrement l'on est en droit de dire à ces Heros muets ce beau mot de l'antiquité : PARLE AFIN QUE JE TE VOYE. Que si de la vray-semblance et des inclinations exprimées par les paroles nous voulons passer aux mœurs, aller du plaisant à l'utile, et du divertissement à l'exemple, j'ay à vous dire, Lecteur, qu'icy la vertu paroist toûjours recompensée, et le vice toûjours puny, si, par un juste et sensible repentir, celuy qui a suivy son dereglement n'a obtenu sa grace du Ciel. Aussi ay-je observé pour cela l'égalité des mœurs, en toutes les personnes qui agissent, si ce n'est quand les passions les déreglent ou quand le remors les touche. J'ay mesme eu soin de faire en sorte que les fautes que les Grands ont commises dans mon Histoire fussent causées par l'Amour ou par l'ambition, qui sont les plus nobles des passions, et qu'elles pûssent estre rejettées sur les mauvais conseils des flateurs, afin de conserver toûjours le respect que l'on doit aux Rois. Vous y verrez, Lecteur, (si je ne me trompe) la bien-seance des choses et des conditions assez exactement observée : et je n'ay rien mis en mon Livre que les Dames ne puissent lire sans baisser les yeux et sans rougir. Que si vous ne voyez pas mon Heros persecuté d'amour par des femmes, ce n'est pas qu'il ne fust aimable, et qu'il ne pûst estre aimé : Mais c'est pour ne choquer point la bien-seance en la personne des Dames, et la vray-semblance en celle des hommes, qui rarement font les cruels, et qui n'y ont pas bonne grace. Enfin, soit que les choses doivent estre ainsi, soit que j'aye jugé de mon Heros par ma foiblesse, je n'ay point voulu mettre sa fidelité à cette dangereuse épreuve, et je me suis contenté de n'en faire pas un Hilas, sans en vouloir faire un Hipolite [1]. [...]

[...] Or de peur qu'on ne m'objecte que j'ay raproché quelques incidens que l'Histoire a fait voir plus éloignez, le grand Virgile sera mon garant, luy qui, dans sa divine Eneïde, a fait paroistre Didon quatre Siecles après le sien. Ainsi j'ay crû que je pouvois faire de quelques mois ce qu'il a fait de tant d'années, et que je ne devois pas craindre de m'égarer tant que je suivrois un si bon guide. Je ne sçay encor si quelqu'un ne trouvera point mauvais que mon Heros et mon Heroïne ne soient point Rois : mais outre que les genereux ne mettent gueres de difference entre porter des Couronnes et les meriter, outre que mon Justinian est d'une Race qui a tenu l'Empire d'Orient, l'exemple d'Athenagoras [2] doit, ce me semble, luy fermer la bouche, puisque Theogene et Charide ne sont que de simples Citoyens. [...]

[...] Venant à ce qui regarde les noms Italiens, sçachez que je les ay mis tantost dans leur prononciation naturelle, tantost dans celle de deçà les monts, selon qu'ils ont mieux sonné à l'oreille. Et comme j'ay mieux aimé mettre OCTAVE que non pas OCTAVIO, j'ay jugé plus à propos de mettre LIVIO que LIVE. Que si vousv oyez quelques mots Turquesques, comme ALIASTAMBOL, L'EGIRE, et quelques autres, je l'ay fait de dessein, Lecteur; et je les ay mis comme des marques historiques, qui doivent plûtost passer pour des embellissemens que pour des deffauts. Il est certain que l'imposition des noms est une chose à laquelle chacun doit songer, et à laquelle neantmoins tout le monde n'a pas songé. Nous avons vû souvent donner des noms Grecs à des nations Barbares, avec aussi peu de raison que si je nommois un François Mahomet, et que j'appellasse un Turc Anthoine. Pour moy j'ay crû qu'il falloit avoir plus de soin de son travail, et consulter sur ce sujet et les hommes et les Livres; que si quelqu'un remarque le nom de Satrape dans ce Roman, qu'il ne s'imagine pas que mon ignorance ait confondu l'ancienne et la nouvelle Perse, et que je l'aye fait sans authorité. J'en ay un exemple en Vigenere, qui s'en sert dans ses Illustrations sur Calchondile, et je l'ay apris d'un Persan qui est à Paris, qui dit que par corruption de langage ils appellent encore aujourd'huy les Gouverneurs de Provinces SOLTAN SITRIPIN. Or de peur que quelque autre ne m'accuse encore d'avoir nommé mal à propos la maison d'Ibrahim PALAIS, puis que toutes celles des personnes de qualité s'appellent SERRAILS à Constantinople, je vous conjure de vous souvenir que je l'ay fait par le conseil de deux ou trois excellentes personnes, qui ont trouvé aussi bien que moy que ce nom de Serrail laisseroit une idée qui n'estoit pas belle, et qu'il estoit

---

1. Hylas, héros d'inconstance dans *L'Astrée*; Hippolyte, héros d'insensibilité dans la tragédie d'Euripide.
2. En 1599 avait paru un roman prétendûment traduit du grec, *Du vrai et parfait Amour* [...] *contenant les Amours de Theagenas et de Charide, de Pherecides et de Melangenie*. Son auteur, demeuré inconnu, l'attribuait à Athenagoras, philosophe grec du 11e siècle après J.-C.

bon de ne s'en servir qu'en parlant du Grand Seigneur, et mesme le moins qu'on pourroit. Mais pendant que nous parlons de Palais, j'ay à vous advertir que ceux qui ne sont pas curieux de voir les beaux bâtimens peuvent passer devant la porte de celuy de mon Heros sans y entrer, c'est à dire n'en lire point la description. Ce n'est pas que j'aye traitté cette matiere comme Athenagoras, qui fait le Maçon au Temple de Jupiter Hammon, ny comme Poliphile en ses songes [1], qui a mis les termes les plus estranges et toutes les dimensions de l'Architecture, au lieu que je n'en ay employé que les ornemens; ce n'est pas que ce ne soient des beautez convenables au Roman comme au Poëme Epique, puis que les fameux des uns et des autres en ont; ce n'est pas mesme que le mien ne soit fondé en Histoire, qui nous asseure que c'estoit le plus superbe que les Turcs ayent jamais fait, comme on le voit encore par ce qui en reste, que ceux de cette nation appellent SERRAV IBRAHIM : Mais enfin, comme les inclinations doivent estre libres, ceux qui n'aimeront point ces belles choses, pour lesquelles j'ay tant de passion, peuvent, comme je l'ay dit, passer outre sans les voir, et les laisser à d'autres plus curieux de ces raretez, que j'ay assemblées avec assez d'art et de soin. [...]

[...] Que si vous trouvez quelque chose de trop peu serieux aux histoires d'un certain Marquis François que j'ay meslé dans mon Livre, souvenez-vous, s'il vous plaist, qu'un Roman doit avoir des images de tous les naturels; que cette diversité fait ses beautez, et le plaisir du Lecteur; et au pis aller, regardez cela comme le jeu d'un melancholique, et le souffrez, sans le blâmer. Mais avant que de finir, il faut que je passe des choses à la façon de les dire, et que je vous conjure encore de n'oublier point que le stile narratif ne doit pas estre trop enflé, non plus que celuy des conversations ordinaires; que plus il est facile, plus il est beau; qu'il doit couler comme les fleuves et non bondir comme les torrens; et que moins il a de contrainte, plus il a de perfection. J'ay donc tâché d'observer une juste mediocrité, entre l'élevation vicieuse et la bassesse rampante; je me suis retenu dans la narration, et me suis laissé libre dans les Harangues et dans les passions : et sans parler comme les extravagans, ny comme le peuple, j'ay essayé de parler comme les honnestes gens.

Voila, Lecteur, ce que j'avois à vous dire : mais quelque défense que j'aye employée, je sçay qu'il est des ouvrages de cette nature comme d'une Place de guerre où, quelque soin qu'ait apporté l'Ingénieur à la fortifier, il se trouve toûjours quelque endroit foible où il n'a point songé, et par où on l'attaque. Mais cela ne me surprendra point : car n'ayant pas oublié que je suis homme, je n'ay pas oublié non plus que je suis sujet à faillir.

---

1. *Hypnérotomachie, ou Songe de Poliphile,* par F. COLONNA (1499).

texte 16 — # Clorinde (1654)

L'auteur inconnu de *Clorinde* est encore un romancier qui met l'histoire au service du roman : mais il ne prétend pas corriger l'histoire au nom de la morale et de la bienséance, il veut encore moins enseigner à son lecteur la vérité du passé. L'histoire est pour lui comme le tremplin de l'imagination, elle l'autorise à sortir du vraisemblable, moins en lui fournissant un invraisemblable historiquement vérifié qu'en l'installant d'emblée dans un domaine où tout est « illustre, éclatant et magnifique », c'est-à-dire où tout est poésie. En apparence, il parle comme Scudéry (voir le texte 15), mais quand Scudéry définit la « vérité » romanesque par référence à une réalité permanente et à l'expérience de ses lecteurs, l'auteur de *Clorinde* attend de la « vérité » romanesque qu'elle soit en harmonie avec ses rêves et ses enthousiasmes. A cette date, une telle conception commence à être retardataire : est-ce parce que l'ouvrage a été effectivement conçu longtemps avant 1654, ou parce que l'auteur réagit contre une hostilité au romanesque déjà sensible chez certains de ses contemporains ? Il rend pourtant hommage à la « naïveté » de quelques romans de son temps (probablement au naturel de la psychologie dans les romans de M^lle de Scudéry) et à l'imitation de la vie dans quelques autres (peut-être ceux de Sorel et de Scarron) ; mais quand il évoque le merveilleux, la mélancolie où l'âme se plaît, les « agrémens recherchez » appréciés par les connaisseurs, les efforts de l'héroïsme, il dessine en quelques mots les traits les plus remarquables du roman baroque.

A LYSIS

[L'auteur a commencé ce livre à une époque où il était amoureux. Trahi et abandonné, il y est revenu après un long délai, sur les exhortations de Lysis, mais il n'a pas retrouvé l'inspiration qui lui avait dicté son commencement.]

[...] Vous avez maintenant changé ma résolution, si bien qu'ayant corrigé quelques endroits de cette premiere Partie, je me suis determiné à la laisser voir au Public, quoy que la delicatesse des esprits soit aujourd'huy extrême, et qu'ils n'ayent jamais esté si rigoureux qu'ils le sont dans le jugement des Ouvrages de cette nature. Aussi est-il certain qu'ils n'ont jamais eu surquoy s'exercer avec tant de plaisir. Les Romans de nostre temps peuvent contenter les plus difficiles, et de quelque humeur qu'ils soient, ils rencontrent dans leur agreable diversité des charmes pour se satisfaire. Les uns excellent dans leur naïveté incomparable; les autres en certains évenemens merveilleux, où l'ame se plaist à quelque chose de melancholique, qui la met, pour ainsi dire, hors d'elle mesme; quelques-uns ont des agréemens fins et recherchez, qui ne sont apperceus que de ceux qui s'y connoissent parfaitement; quelques-uns font admirer en eux les derniers efforts des sentimens heroïques; et quelques autres enfin imitent si bien tout ce qui arrive d'ordinaire dans la vie qu'on diroit qu'ils découvrent un portrait de tous les hommes, où chacun se voit et se reconnoist. De si beaux et de si differens characteres élevent de sorte les François au dessus de tous ceux qui se sont arrestez à ce genre d'écrire, que nos voisins qui nous disputent l'advantage en tous les autres, et qui peut-estre ont quelquesfois raison de le faire, nous cedent sans repugnance en celuy-cy : L'antiquité mesme ne nous a rien laissé qui puisse en cela s'égaler à nous, et les Grecs, ny les Latins, ne nous font rien voir de cette force, en tout ce que l'on en a garanty de l'oubly et des autres injures du temps. Pour ne point estre trop long en monstrant icy comment nous les surpassons là-dessus en beaucoup de choses, puisque cette verité est assez claire d'elle mesme, et qu'elle peut estre facilement reconnue de ceux qui n'ont point une admiration aveugle pour la poussiere dont les vieux Livres sont couverts, je me contenteray de dire que l'adresse avec laquelle on accommode la Fable à l'Histoire est aujourd'huy si merveilleuse, que seule elle seroit capable de nous donner cét honneur. Les advantures qui sont purement imaginaires nous touchent peu, parce que, ne nous persuadans pas que ce qui n'est qu'un effet de l'imagination se trouve dans les accidens ordinaires de la vie, nous avons peine à croire qu'il nous puisse rien arriver de semblable, et cela fait que nous n'en sommes presque point émus. Voila pourquoy la vray-semblance est recommandée avec tant de soin à ceux qui veulent representer sur le Theatre ou dans leurs écrits quelque action touchante et passionnée : Mais quand on se sert des apparences de l'Histoire pour auctoriser ce que l'on a inventé, l'esprit ne discerne plus en un sujet le vray d'avec le faux, et bien loin de se plaindre de la tromperie que luy fait ce mélange industrieux, il y contribuë autant qu'il lui est possible, il entre dans les sentimens de ceux que l'Histoire luy fait d'ailleurs estimer, et s'interesse dans leur bonne et dans leur mauvaise fortune, presque avec autant de chaleur qu'il le feroit en celle de quelqu'un de sa connoissance, ou mesme de ses amis. Pour moy, mon cher Lysis, je vous avouë que quand je rencontre dans nos derniers Romans quelque narration où l'on mesle des évenemens fabuleux à ce qui s'est veritablement passé dans un autre siecle, je pense estre comme transporté en ce temps-là : du moins il me semble que ceux qui les ont écrits ont connu les personnes dont ils racontent si naturellement les adventures, et qu'ils revelent des choses que les Historiens n'ont pas laissées à la Postérité, parce qu'ils n'en ont pas esté informez, ou que par quelque consideration ils ont esté empeschez de les luy apprendre. L'amour, que l'on peut nommer l'ame des belles imaginations, prend assez de part dans les Histoires dont nous avons plus de connoissance pour nous faire croire qu'il a causé la plus part des mouvemens qu'on voit dans les anciennes; et sçachant qu'il a de coustume de produire des effets parmy nous, qui selon les apparences ont une autre cause, nous pouvons nous persuader avec beaucoup de fondement qu'il faisoit alors ce qu'il fait encore aujourd'huy. Je vous apprens ainsi en peu de mots les sentimens que j'ay de nos Romans en general, et pour ne vous point dissimuler mon jugement de Clorinde en particulier, je vous diray que sans le vouloir mettre au rang de ces Ouvrages admirables, je pense que c'est ma faute qu'elle ne merite pas cét honneur. Je la fais venir en une aussi belle conjoncture qu'aucune autre qu'on puisse choisir en tout l'Empire Romain, et je suis assuré que si une telle matiere avoit esté bien traittée, elle auroit esté capable de recevoir les traits les plus achevez, et les ornemens les plus rares. En effet, soit que l'on remarque les grands hommes qui vivoient alors, soit que l'on s'arreste aux revolutions qui changeoient la forme de leurs Estats, ou que l'on considere les guerres importantes qui agitoient l'Europe et l'Asie, tout y paroist illustre, éclatant et magnifique : mais il falloit d'autres forces que les miennes pour remplir dignement l'attente que j'en fais icy concevoir. Cependant, Lysis, si je suis assez heureux pour obtenir du Public une partie de ce bon accueil que vous m'en avez fait esperer, je pourray continuer un dessein qui a quelque chose d'assez extraordinaire, et j'employerai peut-estre à la composition d'une seconde Partie le temps que je déroberai à mes autres divertissements.

texte 17 # Clélie (tome X, 1661)

Cette conversation sur l'invention des fables (c'est-à-dire des fictions romanesques) figurait au tome X de *Clélie*, paru en 1661 ; la version que nous reproduisons fut publiée par l'auteur dans un recueil de *Conversations sur divers sujets* (tome II, pp. 3-40) en 1680. Parmi les nombreux textes où sont examinés les rapports de la vérité et de la fiction, celui-ci est l'un des plus fermes et des plus nuancés. L'enseignement qu'on peut attendre d'une œuvre romanesque réside d'une part dans l'exactitude de ses données, d'autre part dans l'idéalisation qu'elle fait subir au réel : l'exactitude des données exige de l'auteur des connaissances multiples ; non seulement elle instruit le lecteur de façon documentaire, mais elle lui garantit le sérieux et l'objectivité de la leçon ; l'idéalisation du réel assure à cette leçon sa signification la plus générale et la plus haute.

Comparer ce texte avec la préface d'*Ibrahim* (texte 15) et voir le commentaire tome I, p. 176.

### DE LA MANIERE D'INVENTER UNE FABLE

[Amilcar vient de raconter les amours et la mort d'Hésiode ; Anacréon affirme que ce récit, presque entièrement imaginaire, est encore plus beau et plus vraisemblable que la vérité.]

[...] « Ainsi je soûtiens qu'un Homme qui auroit inventé ce que l'histoire[1] dit de cette avanture auroit fait une mauvaise chose, et que celuy qui a composé cette Fable selon les regles de l'Art merite d'en estre loüé. — En effet, dit Herminius, il a assez bien profité

---

1. La vérité historique. Le mot est employé plus loin au sens de « récit ».

de tout ce que l'histoire luy a donné, et je me trouve tout disposé à croire que si cela n'est pas, cela peut avoir esté, n'y ayant, sans doute, rien qui établisse mieux une Fable bien inventée que ces fondemens historiques qu'on entrevoit par tout, et qui font recevoir le mensonge meslé avec la verité. Mais à n'en mentir pas, ce sont deux choses plus difficiles qu'on ne croit à bien mesler ensemble. Car il faut que cela soit si adroitement confondu qu'on ne les puisse discerner l'un d'avec l'autre, si ce n'est qu'il faut presque toûjours que ce qu'on invente paroisse plus vray-semblable que la verité. Car enfin, il est permis au hazard de faire des choses incroyables, mais il n'est jamais permis à un Homme sage d'inventer des choses qu'on ne puisse croire. — Mais si tout ce que je viens d'entendre n'est point vray, reprit Plotine, je veux qu'Amilcar me rende les larmes que j'ay répan-duës, ou qu'il invente quelque autre histoire aussi gaye que celle-cy est melancolique, ou qu'il die du moins comment il faut qu'une histoire inventée soit faite pour estre bien. Car pour moy, ajoûta-elle agreablement, si j'inventois quelque histoire, il me semble que je ferois les choses bien plus parfaites qu'elles ne sont. En effet, toutes les Femmes seroient admirablement belles; tous les Hommes seroient aussi vaillans qu'Hector; tous mes Heros tueroient pour le moins cent hommes de chaque Bataille; je bâtirois des Palais de pierres precieuses; je ferois arriver des prodiges à tous les momens : et sans m'amuser à avoir du jugement, je laisserois agir mon imagination comme il luy plairoit. Si bien que ne cherchant que des évenemens surprenans, sans examiner s'ils seroient bien ou mal fondez, je ferois assurément des choses bien extraordinaires, comme des naufrages continuels, des embrasemens de Villes, et mille autres belles choses qui font faire de belles plaintes et de belles descriptions ». Plotine dit cela d'un air spirituel qui fit assez connoître qu'elle connoissoit bien que ce qu'elle disoit n'étoit pas ce qu'il falloit faire, et qu'elle ne cherchoit qu'à faire parler Anacreon, Herminius et Amilcar, qui pouvoient, sans doute, fort bien parler sur ce sujet-là. En effet, elle arriva à la fin qu'elle s'étoit proposée. Car Anacreon, ne la connoissant pas encore assez pour connoître toute cette ingenieuse malice dont elle faisoit profession, prit la parole, et la regardant en riant : « Si vous inventez une histoire de la maniere que vous le dites, aimable Plotine, luy dit-il, vous feriez, sans doute, une chose assez particuliere. Car avec de fort beaux évenemens, des descriptions merveilleuses, des actions heroïques, des choses extraordi-naires, et des Palais de pierres precieuses, vous feriez une des plus méchantes Fables qu'on puisse jamais inventer, n'y ayant, sans doute, rien de plus mal que de voir des choses de cette nature faites sans ordre et sans raison. Y a-t-il rien en effet de plus étrange, lors qu'on peut faire arriver les évenemens tels qu'on veut, que de faire pourtant qu'ils arrivent comme ils ne pourroient jamais arriver? — Mais encore, reprit Plotine, comment faut-il que cela soit? Et pourquoy ce que je dis seroit-il si mal à propos? — C'est, reprit Anacreon, parce que dés que vous voulez inventer une Fable, vous avez dessein d'étre crû, et que le veritable art du mensonge est de bien ressembler à la verité. Car dés qu'on s'éloigne de ce fondement-là, il n'y a plus de difficulté à quoy que ce soit : et il n'y a mesme rien de plus propre à faire briller l'esprit, quand on en a, que de n'avoir point de jugement. — Pour moy, dit Clelie, je conçoy bien ce que dit Anacreon. Et je conviens que les choses qui ont du rapport avec la verité, et qui paroissent pouvoir arriver, touchent bien plus que celles qu'on ne peut ny croire, ny craindre. — Mais si l'on ne dit jamais que des choses qui paroissent vrayes, reprit Valerie, et que l'on puisse croire aisément, on ne dira, ce me semble, que des choses assez communes, et qui ne divertiront gueres. — Ha! Valerie, reprit Amilcar, vous touchez une chose fort delicate. Car enfin, en ne vou-lant pas souffrir les choses incroyables et impossibles, on ne pretend pas n'employer que des choses basses et communes : et il y a un troisiéme chemin à prendre, qui est le plus agreable de tous, et le plus raisonnable. Les choses merveilleuses, bien loin d'estre deffenduëes, sont necessaires, pourveu qu'elles n'arrivent pas trop souvent, et qu'elles produisent de beaux effets : et il n'y a que les choses bizarres ou impossibles qui soient absolument condamnées. Car le moyen d'estre persuadé de rien, quand on a une fois trouvé une chose qu'on ne peut croire? Quand un de mes Esclaves m'a menty une fois seulement, je doute aprés de tout ce qu'il me dit. Jugez donc si je pourrois croire un Homme qui m'iroit conter des avantures si extraordinaires que ma raison ne pourroit suposer qu'elles fussent possibles. Ainsi il faut presque également s'éloigner des choses impossibles et des choses basses et communes, et chercher les voyes d'en inventer qui soient merveilleuses et naturelles tout à la fois. Car sans cette derniere qualité, il n'y a point de merveille qui puisse plaire à une personne raisonnable. — En effet, reprit Herminius, dés qu'on veut inventer de ces sortes d'avantures qui peuvent instruire, ou divertir, il faut regarder le monde en general comme un Peintre regarde son modele quand il travaille. Et comme la diversité est l'ame du monde, il se faut bien garder d'aller faire que tous les Hommes soient des Heros, que toutes les Femmes soient également belles, que les humeurs des uns et des autres soient semblables, et que l'amour, la colere, la jalousie et la haine produisent toûjours chacune les mesmes effets. Au contraire, il faut imiter cette admirable varieté qu'on voit en tous les Hommes, à l'exemple d'Homere, que je sçay que deux des Dames qui sont icy connoissent [...]. Mais ce qu'il y a encore de beau, c'est que ces diverses personnes qu'Homere introduit deviennent des personnes de vôtre connoissance, parce qu'elles agissent toûjours selon le temperament qu'il leur a attribué. En effet, il faut bien prendre garde à ne confondre pas ces divers caracteres. Mais sur toutes choses, il faut bien connoître la nature des passions, et ce qu'elles peuvent faire dans le cœur de ceux à qui on les a données, aprés les avoir dépeints tels qu'ils sont. Car chacun a sa maniere d'aimer selon son humeur. — Vous avez raison, reprit Plotine, et je commence de bien concevoir ce que vous dites. Mais puisque l'on peut inventer une histoire, ajoûta-elle, pourquoy ne pourroit-on pas inventer toutes choses, et suposer mesmes des Païs qui ne sont point? car ce seroit bien de la peine épargnée. — Cela est vray, repliqua Anacreon. Mais ce seroit aussi bien du plaisir perdu. Car si on ne nommoit que des lieux et des personnes qu'on n'eust jamais entendu nommer, on en auroit moins de curiosité : et l'imagination, trouvant toutes choses nouvelles, seroit disposée à douter de tout. Et au contraire, quand on choisit un siecle qui n'est pas si éloigné qu'on n'en sçache quelque chose de particulier, ny si proche qu'on sçache trop tout ce qui s'y est passé, et qui le soit pourtant assez pour y pouvoir suposer des évenemens qu'un Historien a pû vray-semblablement ignorer et n'a pas mesme dû dire, il y a lieu de faire de bien plus belles choses que si on inventoit tout. En effet, quand on employe des noms celebres, des Païs dont tout le monde entend parler, et dont la Geographie est exactement observée, et que l'on se sert de quelques grands évenemens assez connus, l'esprit est tout disposé à se laisser seduire et à recevoir le mensonge avec la verité : pourveu qu'il soit mêlé adroitement, et qu'on se donne la peine d'étudier bien le siecle qu'on a choisi, de profiter de tout ce qu'il a eu de rare, de s'assujettir aux coutumes des lieux dont on parle, de ne faire pas croître des lauriers en des Païs où l'on n'en vit jamais, de ne confondre ny les Religions, ny les Coûtumes des Peuples qu'on introduit, quoy qu'on puisse avec jugement les accommoder un peu à l'usage du siecle où l'on vit afin de plaire davantage, je suis assuré aprés cela que si ceux qu'on introduit dans une Fable composée de cette sorte parlent bien; que les passions y soient bien depeintes; que les avantures soient naturelles et sagement inventées; que toutes les petites choses qui font connoître le fond du cœur de tous les Hommes y soient placées à propos; que le vice y soit blâmé, et la vertu recompensée; que la diversité y regne sans confusion; que l'imagination y soit toûjours soûmise au jugement; que les évenemens extraordinaires y soient bien fondez; qu'il y ait du sçavoir sans affectation; que la galanterie soit par tout où il en faut; que le stile n'en soit ny trop élevé, ny trop bas; et qu'en nul endroit la bien-seance ny les bonnes mœurs n'y soient blessées, il est, dis-je, assuré que cet ouvrage plaira à ceux qui le liront, qu'il leur donnera plus de plaisir qu'une Histoire, et qu'il leur sera mesme plus utile. Car enfin, une Personne qui écrit l'histoire d'un Prince ne peut blâmer que les vices de celuy dont il écrit la vie. Mais un homme qui voudroit composer quelque Fable ingenieuse trouveroit lieu, s'il vouloit, de condamner tous les vices, et d'enseigner toutes les vertus. [...] »

[Anacréon souhaite alors qu'Herminius écrive une œuvre de ce genre.]

« Je vous assure, reprit Herminius, que je l'entreprendrois avec joye, si je croyois le pouvoir executer aussi bien que je conçois qu'on le pourroit faire. Car je suis persuadé qu'un Tableau du monde, et du monde un peu embelly, seroit une chose fort agreable, et même fort utile. Mais à n'en mentir pas, cette entreprise est plus difficile qu'elle ne paroist, et je tiens qu'il est plus aisé d'écrire une belle histoire que de composer une Fable parfaite, de la maniere que je conçoy qu'on en peut faire. Il faut pourtant qu'un Historien ait de grandes qualitez. [...] »

[Esprit, imagination, jugement, mémoire, connaissance du monde, de la politique, de l'art militaire, aptitude à peindre les batailles et à débrouiller les intrigues et les secrets diplomatiques, à représenter les passions et le caractère des princes et des dirigeants... telles sont les qualités exigées de l'historien selon Herminius.]

« Apres tout neantmoins, quand on a des memoires fidelles, qu'on a soy-mesme vescu dans le monde, et qu'on a une partie des qualitez necessaires à un Historien, on peut aisément ne faire pas une histoire tout à fait mauvaise. Mais pour composer une Fable parfaite, ornée de tout ce qui la peut rendre agréable et utile, je soûtiens qu'il faut avoir non seulement tout ce que j'ay dit qui est necessaire à un excellent Historien, mais encore cent connoissances plus étendües, et plus particulieres. Il faut, pour ainsi dire, estre le createur de son ouvrage : il faut sçavoir l'art de parer la vertu, et de ne la montrer pas comme une chose difficile à pratiquer. Il faut non seulement connoître le monde de la maniere que le doit connoître celuy qui fait une Histoire, mais il faut encore sçavoir le bel usage du monde, de la politesse, de la conversation; l'art de railler ingenieusement; celuy de faire d'innocentes satires; n'ignorer pas celuy de faire des Vers, d'écrire des Lettres, et de faire des Harangues. Il faut même, pour ainsi dire, sçavoir le secret de tous les cœurs; et n'ignorer pas un de tous les beaux arts, dont on peut quelquefois trouver occasion de parler en passant. Mais sur toutes choses, il faut sçavoir ôter à la Morale ce qu'elle a de rude et de sec, et luy donner je ne sçais quoy de si naturel et de si agreable qu'elle divertisse ceux à qui elle donne des leçons. De sorte que, comme les Dames ne cassent pas leurs miroirs, qui leur montrent des defauts qu'elles corrigent, quand elles les connoissent, elles ne haïssent pas non plus un ouvrage où elles voyent bien souvent des choses qu'on n'oseroit leur dire, et qu'elles ne se diroient jamais à elles-mesmes. Ainsi, il vous est aisé de juger qu'il est encore plus difficile de bien faire un ouvrage de cette qualité que de bien faire une Histoire. — Ce que vous dites est admirablement bien dit, reprit Anacreon. — J'en tombe d'accord, repliqua Amilcar. Mais ce que je trouve de plus rare, c'est que s'il estoit possible qu'il se trouvast quelqu'un qui composast une Fable de cette nature, il se trouveroit encore un grand nombre de gens qui en parleroient comme d'une simple bagatelle, et comme d'un amusement inutile. Et je connois plusieurs vieux Senateurs icy, et même plusieurs Matrones Romaines, à qui l'amour feroit tant de peur qu'ils deffendroient même à leurs enfans de lire une Fable de cette nature. — Ce sentiment-là, reprit Herminius, seroit bien injuste. Car enfin, l'amour ne s'apprend point dans les Livres. La nature l'enseigne à tous les Hommes : et dans tous les lieux où j'ay voyagé, j'y ay trouvé l'amour. Mais je l'ay bien trouvé plus grossier, plus brutal et plus criminel parmy les Gens qui n'ont aucune politesse, et qui sont tout-à-fait ignorans de la belle galanterie, que parmy les honnestes Gens. Et puis, si l'on ne devoit pas lire les Livres où l'on trouveroit de l'amour, il ne faudroit pas lire les Histoires, où vous trouverez des exemples de tous les crimes, et où bien souvent les criminels sont si heureux qu'ils peuvent faire envie à quelques-uns de les imiter. En effet, on verra quelque jour dans l'Histoire l'effroyable action de Sextus, la pitoyable mort de Servius Tullus, les injustes amours de Tarquin et de Tullie, et mille autres choses de tres-dangereux exemple, ce qui ne seroit pas dans une Fable de la maniere que je l'entends. Au contraire, la modestie y seroit toûjours jointe avec l'amour, et l'on n'y verroit jamais d'amours criminelles qui ne fussent malheureuses. — Pour moy, dit alors Clelie, je trouve qu'il importe plus qu'on ne croit de montrer qu'il peut y avoir des amours innocentes et agreables tout ensemble. Car il n'y a que trop d'Hommes qui croyent que cela ne peut presque jamais estre. — Clelie a sans doute raison, repliqua Herminius. Ainsi ces bons Senateurs et ces severes Matrones auroient grand tort d'empescher leurs enfans de lire une chose où ils trouveroient dequoy apprendre l'usage de toutes les vertus, et où ils pourroient s'épargner la peine de voyager pour devenir honnestes Gens, puis qu'on pourroit faire un si beau tableau du monde qu'on le verroit en racourcy, sans sortir de son cabinet. Et pour les Dames, je soûtiens mesme que la lecture d'un ouvrage tel que je l'imagine les empescheroit plûtost d'avoir des Galants, que de les y porter. Car si elles vouloient bien faire comparaison de l'amour qu'on a pour elles à celle qu'elles verroient dépeinte dans un Livre de cette nature, elles y trouveroient tant de difference qu'elles ne s'en laisseroient pas toucher. J'avance même hardiment qu'un Livre de cette maniere pourroit non seulement enseigner toutes les vertus, blâmer tous les vices, et reprendre tous ces petits défauts dont le monde est plein, mais qu'il pourroit même apprendre à reverer les Dieux, par l'exemple qu'on en pourroit donner en la personne des Heros qu'on proposeroit pour modeles. Et de quelque Nation et de quelque Religion qu'on fust, on pourroit en tirer du profit. Car lors que je voy un Persan qui revere les Dieux de sa Patrie, il ne laisse pas de me donner bon exemple, quoy que je sois Romain, et de m'apprendre que je dois reverer ceux de mon Païs [1]. Ne m'allez donc pas dire qu'il y auroit des Gens assez deraisonnables pour blâmer un Livre de cette nature. Car au hazard d'éprouver cette injustice, je voudrois en avoir fait un. Enfin, comme je serois content de mon intention, je me consolerois de la severité d'un petit nombre de Personnes par l'applaudissement general du monde, et par la propre connoissance que j'aurois de l'utilité de cette espece d'ouvrage, où l'on pourroit trouver de l'expérience sans l'aide de la vieillesse, des leçons sans severité, des plaisirs sans crime, des Satyres innocentes, du jugement qui ne coûteroit rien, et le moyen d'apprendre cet art du monde, sans lequel on ne peut jamais estre agreable. »

---

1. Et par conséquent une *Histoire romaine* (tel est le sous-titre de *Clélie*) montrant la piété des anciens païens, loin de choquer la religion des chrétiens, peut raviver leur foi : mais M<sup>lle</sup> de Scudéry se garde bien d'avoir recours au merveilleux mythologique.

texte 18  # Histoire comique de Francion
## (1623-1626-1633)

La fiction agréable fait passer la leçon : comme cent autres depuis Lucrèce, Plutarque, Pétrarque et Montaigne, Charles Sorel illustre cette idée par l'image du remède enrobé de sucre. Mais chez lui la fiction est réaliste et comique; il s'attache à prouver que les « choses basses » dont il parle sont plus sérieuses et plus instructives que les aventures invraisemblables des romans héroïques. Le réalisme qu'il professe exige une expression originale : Sorel la définit avec lucidité quand il déclare que dans son livre « on peut trouver la langue françoise tout entière » (Rabelais aurait pu en dire autant) et que le seul ornement de la vérité est « la naifveté » (le naturel). Il est peut être moins sincère ou moins lucide quand il s'excuse de sa « négligence ».

Le texte cité est celui qu'a édité E. Roy, Paris, 1924-1931. Cet *Advertissement* est celui de la seconde version, parue en 1626.

### ADVERTISSEMENT D'IMPORTANCE AUX LECTEURS

Je n'ay point trouvé de remede plus aisé ny plus salutaire a l'ennuy qui m'affligeoit il y a quelque temps, que de m'amuser à descrire une histoire qui tinst davantage du folastre que du serieux, de maniere qu'une triste cause a produict un facecieux effect. Je ne croy pas qu'il y ait des personnes si sottes que de me blasmer de cette occupation, veu que les plus beaux esprits que l'on ait jamais veus ont bien daigné s'y addonner et qu'il y a des temps ausquels nostre vie nous sembleroit bien ennuyeuse si nous ne nous servions d'un divertissement semblable. C'est estre Hypocondriaque que de s'imaginer que celuy qui fait profession de vertu ne doit point prendre de recreation. Fasse qui voudra l'Heraclite du siecle, pour moy j'aime mieux en estre le Democrite, et je veux que les plus importantes affaires de la terre ne me servent plus que de farces. [...] Il est bien vray que mon premier dessein a esté de ne rendre pas ce contentement cy vulgaire, ny de donner du plaisir a une infinité de personnes que je ne cognoy point, qui pourront lire mon Histoire Comique aujourd'huy qu'elle est imprimée, et ce n'estoit qu'une chose particuliere pour plaire à mes amis [...]. Neantmoins des personnes de si bon esprit m'ont conseillé de mettre cecy au jour qu'enfin je me suis rendu à leurs persuasions, et ay cru que mon livre pourroit bien autant plaire aux sages du monde comme au peuple, encore que leurs avis soient differens d'ordinaire, puisqu'il estoit approuvé de ceux cy qui estoient des plus passionnez Amants de la Sagesse. Il m'a falu confesser avec eux que j'avois meslé l'utile avec l'agreable, et qu'en me moquant des vicieux je les avois si bien repris qu'il y avoit quelque esperance que cela leur donneroit du desir de se corriger, estans honteux de leurs actions passées. Mais il se peut bien faire que nous nous soyons flattez, et que nous ayons eu trop bonne opinion de mon ouvrage et du naturel des hommes. Ils n'ont pas tous deux assez de force, l'un pour se faire croire, l'autre pour suivre les remonstrances : Et je sçay bien qu'il y a des gens si stupides qu'ils ne profiteront point icy, et croiront que tous mes discours sont faits seulement pour leur donner du plaisir et non pas pour corriger leurs mauvaises humeurs : C'est pourquoy l'on me dira que pour obvier à tout cecy, il m'estoit facile de reprendre les vices serieusement, afin d'esmouvoir plutost les meschans à la repentance qu'à la risée; mais il y a une chose qui m'a empesché de tenir cette voye là, c'est qu'il faut user d'un certain appast pour attirer le monde. Il faut que j'imite les Apotiquaires qui succrent par le dessus les breuvages amers, afin de les faire mieux avaller. Une satyre dont l'apparence eust esté farouche eust diverty les hommes de sa lecture par son seul tiltre. Je diray par similitude que je monstre un beau Palais qui par dehors a apparence d'estre remply de liberté et de delices, mais au dedans duquel l'on trouve neantmoins lorsque l'on n'y pense pas, des severes Censeurs, des Accusateurs irreprochables, et des Juges rigoureux. La corruption de ce siecle où l'on empesche que la verité soit ouvertement divulguée me contraint de faire cecy. Je raconte des fables et des songes qui sembleront sans doute pleins de niaiseries à des ignorans, qui ne pourront pas penetrer jusques au fonds. Mais quoy que c'en soit, ces resveries là contiennent des choses que jamais personne n'a eu la hardiesse de dire. Je cache ainsi les mauvaises actions des personnes d'authorité pour ce que l'on n'aime pas aujourd'huy à voir la verité toute nuë et je tien pour maxime qu'il se faut taire quelquefois afin de parler plus long temps, c'est à dire qu'il est bon de moderer sa mesdisance en de certaines saisons, de peur que les Grands ne vous mettent en peine et ne vous fassent condamner à un eternel silence. J'ayme mieux perdre mes bons mots, que mes amis; et bien que je sois Satyrique, je tasche à l'estre de si bonne grace que ceux mesme que je controolle ne s'en puissent offencer. [...] N'ayant faict que tesmoigner la haine que je porte aux vicieux, avec des discours bien negligens, je pense encore que ce seroit assez. Mais quoy que puisse dire l'envie, je me donne bien la licence de croire que je n'ay point commis de fautes qui me puissent faire rougir. Outre cela je sçay bien que dans mon livre on peut trouver la langue Françoise toute entiere, et que je n'ay point oublié les mots dont use le vulgaire, ce qui ne se void pas par tout, car dans les livres serieux l'on n'a pas la liberté de se plaire à cela et cependant ces choses basses sont souvent plus agreables que les plus relevées. Qui plus est j'ay representé aussi naifvement qu'il se pouvoit faire toutes les humeurs, et les actions des personnes que j'ay mises sur les rangs, et mes advantures ne sont pas moins agreables que beaucoup d'autres qui ont esté fort estimées; je fay librement cette confession : car estant appuyée de beaucoup de preuves, elle ne doit point sembler insupportable, et puis il y en a plusieurs qui la liront et n'entendront pas seulement ce qu'elle veut dire, ayans tousjours crû que pour composer un livre parfaict, il n'y a qu'à entasser paroles sur paroles, sans avoir esgard à autre chose qu'à y mettre quelque advanture qui delecte les Idiots. [...] Outre cela je sçay bien qu'il y aura des gens qui diront que j'ay mis dans mon livre des avantures qui ne valent pas la peine d'estre escrites : mais que les Lecteurs ne pensent pas faire les entendus, je sçay aussi bien qu'eux tous ce que l'on en doit dire, et c'est que je me suis pleu à escrire de certaines choses qui me touchent, lesquelles estans veritables ne peuvent avoir d'autres ornemens que la naifveté. Nonobstant cela je ne me veux point abaisser, et je ne feins point de dire que je ne sçay si ces Escrivains qui font tant aujourd'huy les glorieux, estans en aussi bas age que j'estois quand j'ay fait ce livre [1], ont donné d'aussi bonnes marques de leur esprit. Je ne veux pas mesme aller si loin. Il faut parler du present, et je seray bien aise que ces faiseurs de Romans à la douzaine, et ceux qui composent des lettres tout expres pour les faire imprimer, fassent quelque chose de meilleur avec aussi peu de temps et de soin que j'en ay mis à mon ouvrage [...]. Il est donc aisé à cognoistre par la negligence que j'advouë selon ma sincerité consciencieuse que les ouvrages où sans m'espargner je voudray porter mon esprit à ses extremes efforts seront bien d'un autre prix. Mais ce n'est pas une chose asseurée que je m'y puisse addonner, car je hay fort les inutiles observations à quoy nos Escrivains s'attachent. Jamais ce n'a esté mon intention de les suivre, et estant fort esloigné de leur humeur, comme je suis, l'on ne me sçauroit mettre en leur rang sans me donner une qualité que je ne dois pas recevoir. Leur ame sert indignement à leur plume, et je veux que ma plume serve à mon ame. Ils occupent incessamment leur imagination à leur fournir de quoy contenter le desir qu'ils ont d'escrire, lequel precede la consideration de leur capacité; et moy je n'escry que pour mettre en ordre les conceptions que j'ay euës longtemps auparavant. [...]

texte 19 # Polyandre (1648)

Entre le roman bouffon et le roman héroïque, Sorel n'a cessé de réclamer une place pour le roman réaliste, œuvre utile et sérieuse en même temps que plaisante, image de la vie quotidienne menée par les honnêtes gens à son époque. Mais il est assez embarrassé à le définir : il a donné aux personnages de *Polyandre*, au lieu de noms français, des noms grecs symboliques dont il explique la signification dans le début de cet *Advertissement*, avant le passage que nous citons. Pour dérouter les fabricants de « clefs », il insinue que ces personnages sont fictifs, que leur condition sociale a pu être déguisée, que certaines ressemblances sont fortuites, qu'il a transporté dans son siècle des faits très anciens. Il comprend

---

1. La première version de l'*Histoire comique de Francion* est de 1623. Sorel avait alors 21 ans.

que la vérité du roman réaliste doit être générale et non particulière et anecdotique, sans oser pourtant nier l'authenticité de certains traits.

Sur Sorel et ses œuvres, voir tome I, pp. 191-202.

## ADVERTISSEMENT AUX LECTEURS

[...] Le nom de Polyandre nous ayant attirez à parler de ceux des autres personnages, nous ne laisserons pas de parler encore icy du tiltre d'Histoire Comique, qui est donné à ce Livre. Nous remarquerons qu'il ne faut point entendre par là que ce doivent estre icy des narrations pleines de bouffonneries basses et impudiques, pour aprester à rire aux hommes vulgaires, parce que la vraye Histoire Comique selon les preceptes des meilleurs Autheurs ne doit estre qu'une peinture naive de toutes les diverses humeurs des hommes, avec des censures vives de la pluspart de leurs deffaux, sous la simple apparence de choses joyeuses, afin qu'ils en soient repris lors qu'ils y pensent le moins, et la pluspart de cecy peut estre écrit, si l'on veut, d'un stile facetieux, que l'on souffre en ce lieu-là, pourveu qu'il soit exempt de toute sorte d'impuretez, et tel que rien n'empesche que cela ne puisse estre composé par des personnes modestes, à leurs heures de recreation, ny que cela puisse aussi servir d'instruction et de divertissement à ceux qui font profession de sagesse et de vertu. Que si l'on dit que la pluspart des anciens ont fort peu observé cecy dans les pieces Comiques, et encore moins dans les Satyriques, et qu'il y a eu des modernes qui n'ont pas esté moins licentieux, l'on peut respondre que l'on n'est pas obligé de suivre les mauvais exemples. En ce qui est de cét ouvrage-cy, vous verrez que ce qu'il y a mesme de plus recreatif est meslé quelquefois à des remarques assez serieuses, mais qui touchent aussi de prés quelques personnes adonnées au vice, parce que ce mélange a semblé plus agreable et plus utile.

Or l'on ne doute point que plusieurs ne desirassent que l'on leur aprist si tout ce qu'il y a icy d'avantures est veritable; sur quoy l'on leur respond qu'ils s'en informent eux-mesmes, et que possible [1] prendront-ils plus de plaisir d'en aprendre des nouvelles d'un costé et d'autre, qu'à ce qu'on leur en diroit à une seule fois. Qu'ils prennent garde pourtant à ne point s'y laisser tromper, et qu'ils ne donnent pas à quelques-uns ce qui doit estre attribué aux autres; qu'ils sçachent aussi que les conditions sont souvent desguisées, et que ceux que l'on y fait de basse qualité, peuvent estre d'une plus haute; que l'on se peut mesme abuser au siecle, et que ce que l'on pense estre arrivé de nos jours est quelquefois tres-ancien. L'on ne doute point qu'il ne se soit pû rencontrer dans Paris des Musigenes et des Panfiles, des Heliodores et des Gastri-margues [2], qui ont fait de pareils tours que ceux que l'on raconte, et qui ont eu de semblables avantures, mais ce n'est possible [3] que la moindre partie de ce qui est en ce Livre, ou ce sont des choses qui ont quelque ressemblance fortuite l'une avec l'autre, et qui ne sont pourtant pas les mesmes : Par exemple, il y a icy quelque chose de ce qui a esté dit depuis quelques annees d'un Parasite du temps, mais l'on y a joint des antiquitez et des nouveautez en abondance, qui changent l'affaire de face. Aprest out

---

1. Peut-être.
2. Personnages de *Polyandre*.
3. Peut-être.

sans faire tant le subtil, il faut considerer que ces livres-cy estant d'invention d'esprit, il ne faut pas penser y trouver toutes les veritez que l'on s'imagine, veu que l'on n'est pas obligé d'y en mettre, et que l'on se peut contenter de choses vraysemblables. Que si mesme il y en a de vraies en leur particulier, il ne faut pas s'attendre neantmoins qu'elles le soient en general, et que ce que l'on peut expliquer en partie le doive estre de mesme dans sa suitte. Quoy que toutes les mauvaises inclinations que l'on reprend soient veritables, il n'est pas necessaire que le sujet auquel l'on les attribuë ayt eu quelque subsistance : c'est pourquoy tous les personnages qui sont nommez icy peuvent passer si l'on veut pour des Chymeres et des Idées, ou plutost des Caracteres et des Tableaux de ce que l'on veut representer; que si l'on trouve quelquefois une avanture qui puisse estre attribuée à quelque homme vivant, c'est comme aux portraits que les Peintres ont faits à plaisir, lesquels ne peuvent estre si extraordinaires qu'ils ne ressemblent par quelque traict à quelque homme qui se peut rencontrer sur la Terre. C'est la meilleure opinion que l'on puisse suivre, non pas de crainte d'irriter personne, car je ne pense pas qu'il y ayt des gens assez simples pour s'aller attribuer ce que l'on ne leur impute point, mais c'est que, gardant cette pensée, l'on s'attache au meilleur raisonnement, sans s'alembiquer l'esprit pour donner à quelques choses des explications ausquelles l'on ne pensa jamais. Vous verrez donc en ce lieu sous le nom de divers hommes, la sottise de quelques Poëtes et des amoureux insensez, les fanfaronnades de quelques gens d'espée, les goinfreries des escorniffleurs et mouches de Cour, les divers caprices de quelques femmes, les fourbes des Empyriques, des Alchymistes et des faux Magiciens, et le mauvais succez qui arrive à ceux qui faisans trop les vains se veulent eslever sans sujet, et mesme lors qu'ils ne peuvent, comme il en prit à Gastrimargue, lors qu'il voulut faire l'homme d'importance et l'amoureux; et par tout le Livre, l'on trouve que plusieurs folies et vanitez du siecle sont assez aigrement censurees, ce qui est accompagné de descriptions en de certains endroits, lesquelles l'on a rendu naives et agreables, afin que cette lecture fust moins ennuyeuse. Ce qu'il y a encore à observer, c'est qu'au lieu que ces sortes de livres ne descrivent ordinairement qu'une façon de vie, comme celle d'un desbauché, d'un voleur, ou d'un Chevalier Hypocondriaque [1], celuy-cy en descript plusieurs, et a plusieurs objets qui luy sont presque aussi considerables les uns que les autres, sinon en ce que Polyandre fait la meilleure partie des intrigues et des narrations [2].

Vous pouvez considerer de plus que cét ouvrage estant faict selon la maniere de vivre et de parler de toute sorte de gens, il est assez mal-aysé d'y reussir, parce que chacun n'a pas eu une entiere pratique de toutes les sortes de conditions et d'humeurs, ou n'a pas eu ce don de les pouvoir bien observer, et c'est possible [3] ce qui jusques à cette heure a destourné les Autheurs François de composer de tels Livres, tellement qu'à peine en avons nous deux de pareil genre qui soient originaires de France; car les autres sont des traductions de livres Espagnols, composez selon les coustumes de leur païs et de leur siecle. Cependant l'on a peut estre fait en France depuis cinquante ou soixante ans plus de dix mille volumes [4] d'invention d'esprit, où il n'y a qu'une seule

---

1. *Le Chevalier hypocondriaque* est un roman de Du Verdier (1632).
2. Polyandre est, en effet, le personnage central qui fait le lien entre les divers épisodes, mais il s'en faut de beaucoup que le roman soit construit et que l'intrigue ait une unité.
3. Peut-être.
4. Exagération manifeste.

des actions de la vie qui soit representée principalement, qui est celle de faire l'Amoureux, et ces Livres s'apellent des Romans, apres lesquels courent toute sorte de personnes, disant que cela est de grand divertissement, et il le faut croire puis qu'ils y en prennent, et que mesme ils y trouvent des varietez de discours et mesme de l'instruction dans les intrigues des Amans et la conduite des guerres et des querelles particulieres; l'on pretend aussi que cela est ravissant de ne voir là que des affaires de Roys et d'Empereurs, de Princes et de Princesses, et que les grands evenemens qui leur arrivent, doivent remplir l'esprit d'une satisfaction nompareille : Mais il y a d'autres gents qui ayment mieux voir de petites avantures d'une visite de Paris ou d'une promenade, telles qu'il en pourroit arriver à eux ou aux personnes de leur connoissance, parce que cela leur parest plus naturel et plus croyable; de sorte que si l'on fait des Livres où de semblables choses soient escrites, ils trouveront aussi leurs Lecteurs, et par ce moyen chacun suit sa fantaisie dans son choix, mais il faut prendre garde à s'attacher à ce qui a le plus d'utilité.

## texte 20    Le Roman comique (1651)

Avant la représentation qu'ils doivent donner chez un riche bourgeois du Mans, les comédiens s'entretiennent avec quelques-uns des invités (première partie, chapitre XXI); l'entretien a d'abord porté sur le théâtre : Scarron, qui fait exprimer ses idées par un jeune Conseiller du parlement de Rennes, juge que le théâtre est paralysé à la fois par l'habitude d'emprunter ses sujets à l'histoire et par « la rigueur des règles d'Aristote ». Au roman héroïque, il reproche ses personnages trop éloignés de l'humanité moyenne; il souhaite que les fictions romanesques se rapprochent de la vie réelle et que l'exemple des *nouvelles espagnoles* soit imité.

Voir tome I, p. 206.

De la Comedie on vint à parler des Romans. Le Conseiller dit qu'il n'y avoit rien de plus divertissant que quelques Romans modernes; que les François seuls en sçavoient faire de bons, et que les Espagnols avoient le secret de faire de petites histoires, qu'ils appellent Nouvelles, qui sont bien plus à notre usage et plus selon la portée de l'humanité que ces Heros imaginaires de l'antiquité qui sont quelquefois incommodes à force d'estre trop honnestes gens; enfin, que les exemples imitables estoient pour le moins d'aussy grande utilité que ceux que l'on avoit presque peine à concevoir. Et il conclud que, si l'on faisoit des Nouvelles en François, aussi bien faites que quelques-unes de celles de Michel de Cervantes, elles auroient cours autant que les Romans Heroïques; Roquebrune [1] ne fut pas de cet avis. Il dît fort absolument qu'il n'y avoit point de

---

1. Roquebrune est le poète de la troupe.

plaisir à lire des Romans, s'ils n'estoient composés d'aventures de Princes, et encore de grands Princes, et que par cette raison-là l'Astrée ne luy avoit pleu qu'en quelques endroits. Et dans quelles Histoires trouveroit-on assez de Rois et d'Empereurs pour vous faire des romans nouveaux? luy repartit le Conseiller. Il en faudroit faire, dit Roquebrune, comme dans les Romans tout à fait fabuleux, et qui n'ont aucun fondement dans l'histoire. Je voi bien, repartit le Conseiller, que le livre de Don Quixotte n'est pas trop bien avec vous. C'est le plus sot livre que j'aye jamais vu, reprit Roquebrune, quoy qu'il plaise à quantité de gens d'esprit. Prenez garde, dit le Destin [1], qu'il ne vous deplaise par vostre faute plustost que par la sienne.

---

[1]. L'un des acteurs de la troupe, le principal personnage sérieux du roman.

*Daniel HUET*

texte 21 # Lettre à M. de Segrais sur l'origine des romans (1670)

Huet apporte à l'apologie du roman tout le poids de son érudition et tout le sérieux de sa réflexion. En 1670, on n'écrit plus d'œuvres romanesques selon les règles qu'édicte Huet, mais sa *Lettre à Segrais* restera pendant un siècle un texte de référence.

Voir tome I, pp. 181-182. Sur la psychologie du besoin de romanesque, voir tome I, pp. 219-220 et dans ce tome les textes 11 (Fancan) et 23 (Segrais).

Ce que l'on appelle proprement Romans sont des fictions d'avantures amoureuses, écrites en Prose avec art pour le plaisir et l'instruction des Lecteurs. Je dis des fictions, pour les distinguer des Histoires veritables. J'ajoûte, d'avantures amoureuses, parce que l'amour doit être le principal sujet du Roman. Il faut qu'elles soient écrites en prose, pour être conformes à l'usage de ce siecle. Il faut qu'elles soient écrites avec art, et sous de certaines regles; autrement ce sera un amas confus, sans ordre et sans beauté. La fin principale des Romans, ou du moins celle qui le doit être, et que se doivent proposer ceux qui les composent, est l'instruction des Lecteurs, à qui il faut toûjours faire voir la vertu couronnée, et le vice châtié. Mais comme l'esprit de l'homme est naturellement ennemi des enseignemens, et que son amour propre se revolte contre les instructions, il le faut tromper par l'appas du plaisir, et adoucir la severité des préceptes par l'agrément des exemples, et corriger ses défauts en les condamnant dans un autre. Ainsi le divertissement du Lecteur, que le Romancier habile semble se proposer pour but, n'est qu'une fin subordonnée à la principale, qui est l'instruction de l'esprit et la correction des mœurs : et les Romans sont plus ou moins réguliers, selon qu'ils s'éloignent plus ou moins de cette définition et de cette fin [...].

Je ne parle donc point ici des Romans en Vers, et moins encore des Poëmes Epiques, qui outre qu'ils sont en Vers, ont encore des differences essentielles qui les distinguent des Romans : quoi qu'ils ayent d'ailleurs un très-grand rapport, et que suivant la maxime d'Aristote, qui enseigne que le Poëte est plus poëte par les fictions qu'il invente, que par les Vers qu'il compose, on puisse mettre les faiseurs de Romans au nombre des Poëtes. Petrone dit que les Poëmes doivent s'expliquer par de grands détours, par le ministere des Dieux, par des expressions libres et hardies, de sorte qu'on les prenne plutôt pour des Oracles, qui partent d'un esprit plein de fureur, que pour une narration exacte et fidelle : les Romans sont plus simples, moins élevez, moins figurez dans l'invention et dans l'expression. Les Poëmes ont plus de merveilleux, quoy que toujours vrai-semblables : les Romans ont plus du vrai-semblable, quoy qu'ils ayent quelquefois du merveilleux. Les Poëmes sont plus reglez, et plus chatiez dans l'ordonnance, et reçoivent moins de matiere, d'évenemens, et d'Episodes : les Romans en reçoivent davantage, parce qu'etans moins élevez et moins figurez, ils ne tendent pas tant l'esprit, et le laissent en état de se charger d'un plus grand nombre de differentes idées. Enfin les Poëmes ont pour sujet une action militaire ou politique, et ne traitent l'amour que par occasion : les Romans au contraire ont l'amour pour sujet principal, et ne traitent la politique et la guerre que par incident. Je parle des Romans reguliers, car la plûpart des vieux Romans François, Italiens, et Espagnols sont bien moins amoureux que militaires.

[Huet fait alors l'histoire du genre romanesque depuis l'Antiquité, et, venant à parler d'Héliodore et du pseudo-Athénagoras, il fait remarquer que ce sont les Grecs anciens, et non les Italiens modernes, qui ont inventé les romans à intrigues multiples : il formule alors la règle de subordination des intrigues secondaires à l'intrigue principale.]

[...] S'il est vrai [...] que le Roman doit ressembler à un corps parfait, et être composé de plusieurs parties differentes et proportionnées sous un seul chef ; il s'ensuit que l'action principale, qui est comme le chef du Roman, doit être unique et illustre en comparaison des autres ; et que les actions subordonnées, qui sont comme les membres, doivent se rapporter à ce chef, lui ceder en beauté et en dignité, l'orner, le soutenir et l'accompagner avec dépendance : autrement ce sera un corps à plusieurs têtes, monstrueux et difforme. [...]

[L'historique du genre romanesque se poursuit, et Huet en est encore aux romans grecs quand il énonce la différence entre les romans réguliers et les romans irréguliers.]

Dans ce dénombrement que je viens de faire, j'ai distingué les Romans reguliers de ceux qui ne le sont pas. J'appelle reguliers, ceux qui sont dans les regles du Poëme heroïque. [...]

[A la chute de l'Empire romain, les lettres entrèrent en décadence ; aux romans écrits pour leur plaisir par des peuples civilisés succédèrent les fictions imaginées par des peuples barbares qui, incapables dans leur ignorance de concevoir des histoires véritables, se contentèrent de fables grossières. Nés d'abord en Gaule, ces romans se répandirent en Espagne et en Italie. C'est alors que Huet se demande quelle est la source du besoin de fabulation chez l'homme.]

Cette inclination aux fables, qui est commune à tous les hommes, ne leur vient pas par raisonnement, par imitation, ou par coûtume : elle leur est naturelle et a son amorce dans la disposition même de leur esprit et de leur ame; car le desir d'apprendre et de sçavoir est particulier à l'homme, et ne le distingue pas moins des autres animaux que sa raison. On trouve même en quelques animaux des étincelles d'une raison imparfaite et ébauchée; mais l'envie de connoître ne se remarque que dans l'homme. Cela vient, selon mon sens, de ce que les facultez de nôtre ame étant d'une trop grande étendue, et d'une capacité trop vaste pour être remplies par les objets presens, l'ame cherche dans le passé et dans l'avenir, dans la verité et dans le mensonge, dans les espaces imaginaires, et dans l'impossible même, de quoi les occuper et les exercer. Les bêtes trouvent dans les objets qui se presentent à leurs sens de quoi remplir les puissances de leur ame, et ne vont guere au-delà; de sorte que l'on ne voit point en elles cette avidité inquiete qui agite incessamment l'esprit de l'homme, et le porte à la recherche de nouvelles connoissances, pour proportionner, s'il se peut, l'objet à sa puissance, et y trouver un plaisir semblable à celui qu'on trouve à appaiser une faim violente, ou à se desalterer après une longue soif. [...]

[Mais, continue Huet, certaines des connaissances auxquelles l'âme aspire ne s'acquièrent pas sans peine; il n'en est pas de même des connaissances procurées par les romans.]

Les connoissances qui l'attirent et la flattent davantage sont celles qu'elle acquiert sans peine, et où l'imagination agit presque seule, et sur des matieres semblables à celles qui tombent d'ordinaire sous nos sens, et particulierement si ces connoissances excitent nos passions, qui sont les grands mobiles de toutes les actions de nôtre vie. C'est ce que font les Romans : il ne faut point de contention d'esprit pour les comprendre, il n'y a point de grands raisonnemens à faire, il ne faut point se fatiguer la memoire, il ne faut qu'imaginer. Ils n'émeuvent nos passions, que pour les appaiser; ils n'excitent nôtre crainte ou nôtre compassion, que pour nous faire voir hors du peril ou de la misere ceux pour qui nous craignons, ou que nous plaignons; ils ne touchent nôtre tendresse, que pour nous faire voir heureux ceux que nous aimons; ils ne nous donnent de la haine que pour nous faire voir miserables ceux que nous haïssons; enfin toutes nos passions s'y trouvent agréablement excitées et calmées. C'est pourquoi ceux qui agissent plus par passion que par raison, et qui travaillent plus de l'imagination que de l'entendement y sont les plus sensibles : quoique les derniers le soient aussi, mais d'une autre sorte. Ils sont touchez des beautez de l'art, et de ce qui part de l'entendement : mais les premiers, tels que sont les enfans et les simples, le sont seulement de ce qui frappe leur imagination et agite leurs passions, et ils aiment les fictions en elles-mêmes, sans aller plus loin. Or les fictions n'étant que des narrations vrayes en apparence, et fausses en effet, les esprits des simples, qui ne voyent que l'écorce, se contentent de cette apparence de vérité, et s'y plaisent : mais ceux qui penetrent plus avant et vont au solide se dégoûtent aisément de cette fausseté. De sorte que les premiers aiment la fausseté à cause de la verité apparente qui la cache, et les derniers se rebutent de cette image de verité, à cause de la fausseté effective qu'elle cache, si cette fausseté n'est d'ailleurs ingénieuse, mystérieuse, et instructive, et ne se soûtient par l'excellence de l'invention et de l'art.

[Au Moyen Age donc, la France l'emporte sur toute l'Europe dans la littérature romanesque.]

[...] Il y a sujet de s'étonner qu'ayant cedé aux autres le prix de la Poësie Epique et de l'Histoire, nous ayons emporté celui-ci[1] avec tant de hauteur, que leurs plus beaux Romans n'égalent pas les moindres des nôtres. Je crois que nous devons cet avantage à la politesse de nôtre galanterie qui vient à mon avis, de la grande liberté dans laquelle les hommes vivent en France avec les femmes. Elles sont presque recluses en Italie et en Espagne [...]. Mais en France, les Dames vivant sur leur bonne foi [...], les hommes ont donc été obligez d'assieger ce rempart par les formes, et ont employé tant de soins et d'adresse pour le réduire, qu'ils s'en sont fait un art presque inconnu aux autres peuples. C'est cet art qui distingue les Romans François des autres Romans, et qui en a rendu la lecture si délicieuse, qu'elle a fait negliger de lectures plus utiles. [...] Ainsi une bonne cause a produit un très-mauvais effet, et la beauté de nos Romans a attiré le mépris de belles Lettres, et ensuite l'ignorance.

Je ne prétens pas pour cela en condamner la lecture. Les meilleures choses du monde ont toujours quelques suites fâcheuses. Les Romans en peuvent avoir de pires encore que l'ignorance. Je sçay de quoi on les accuse : ils dessechent la dévotion, ils inspirent des passions dereglées, ils corrompent les mœurs. Tout cela peut arriver et arrive quelquefois. Mais dequoi les esprits malfaits ne peuvent-ils point faire un mauvais usage? Les ames foibles s'empoisonnent elles-mêmes, et font du venin de tout. [...] On a eu peu d'égard à l'honnêteté des mœurs dans la plûpart des Romans Grecs et des vieux François par le vice des temps où ils ont été composez. L'Astrée même et quelques-uns de ceux qui l'ont suivie, sont encore un peu licentieux, mais ceux de ce tems, je parle des bons, sont si éloignez de ce défaut, qu'on n'y trouvera pas une parole, pas une expression qui puisse blesser les oreilles chastes; pas une action qui puisse offenser la pudeur. Si l'on dit que l'amour y est traité d'une maniere si délicate et si insinuante, que l'amorce d'une si dangereuse passion entre aisément dans de jeunes cœurs : Je répondrai que non seulement il n'est pas périlleux, mais qu'il est même en quelque sorte necessaire que les jeunes personnes du monde connoissent cette passion, pour fermer les oreilles à celle qui est criminelle, et pouvoir se démêler de ses artifices; et pour sçavoir se conduire dans celle qui a une fin honnête et sainte. Ce qui est si vrai, que l'expérience fait voir que celles qui connoissent moins l'amour, en sont les plus susceptibles, et que les plus ignorantes sont les plus duppes. Ajoutez à cela, que rien ne dérouille tant l'esprit, ne sert tant à le façonner et le rendre propre au monde, que la lecture des bons Romans.

---

1. Le prix du roman.

texte 22        # La Prétieuse (1656-1658)

Le roman héroïque commence à ennuyer, à cause de ses longueurs, de sa monotonie et de ses invraisemblances. Certaines lectrices désirent un « roman galant », c'est-à-dire un roman d'analyse psychologique peignant les joies spirituelles de l'amour et les douceurs de la tendresse; mais d'autres continuent à placer le romanesque dans les grands efforts de la vertu et du courage; elles redoutent que la peinture du bonheur ne tombe dans la trivialité et préfèrent, comme eût dit Pascal, le combat à la victoire. L'abbé de Pure fonde cette opposition des goûts en matière de roman sur une curieuse opposition entre le désir et le plaisir comme source du plus grand bonheur. En fait, le roman psychologique qui succèdera au roman héroïque, et dont le chef-d'œuvre sera *La Princesse de Clèves*, ne peindra pas le bonheur, mais le malheur de l'amour. Voir tome I, p. 216.

Les pages qui suivent sont tirées de la Quatrième Partie, éd. E. Magne, Paris, 1939, vol. 2, pp. 213-218 et 223-224.

Gélaisire est venu lire devant un cercle de précieuses un roman intitulé *Le Roman de la Prétieuse;* la conversation par laquelle commence le texte cité est un passage de ce roman.

Après avoir veu passer quelque troupes, elles quitterent ce jardin et se retirerent dans un cabinet hors du bruit et commencerent une conversation paisible et tranquille sur leurs singuliers evenemens. « Car, dit Didascalie, je ne puis desadvouër une delicatesse, ou si vous aymez mieux une foiblesse, dont je m'accuse : je ne puis plus souffrir ny le propos de guerre, ny le trouble des esprits, ni cette agitation continuelle où je vois la pluspart du monde. — Vous n'aymeriez donc pas, dit Gueridée, les Romans qui ne tournent que sur les travaux des Heros et qui les font tousjours battre sans estre battus, tousjours estre blessez sans mourir, et toûjours vaincre sans triomphe? » Eulalie survint qui, apres quelques civilitez, repartit pour Gueridée : « Il est vray, dit-elle, que j'ay eu beaucoup plus de curiosité et d'empressement de lire des Romans que de chose du monde, et sur tout depuis que nostre sexe a commencé d'y travailler et que nous avons veu de si belles choses dans deux ou trois Livres incomparables. Mais quoy que je fusse ravie des choses que j'y lisois et que je ne pusse assez admirer l'esprit, le feu, le biaiz, et l'art que j'y trouvois, je ne laissois pas de m'ennuyer, en attendant l'accomplissement des vœux de mon Heros, la juste recompense de ses belles actions et la fin des on Histoire. — Cette longueur, dit Didascalie, peut estre bien excusée; car quand les choses sont belles, le nombre n'est jamais ennuyeux. On peut faire des conversations si belles qu'elles paroistront tousjours courtes et succintes, et faire naistre de si beaux incidents qu'ils feront admirer la suitte plustost que blasmer la longueur. Mais loin de blasmer des choses faites et que toute la terre approuve, je suis toute persuadée que les derniers Ouvrages qui ont paru en ce genre meritent tout ce qu'on peut meriter. Mais je voudrois cependant que chaque Roman eût quelque chose de different, et establir la mesme reputation à un Heros par une procedure differente. Car Melinte dans l'Ariane, Cesar dans la Cleopatre, Artamene dans le Cyrus, Aronce dans la Cloelie, sont cinq[1] Heros d'une même bravoure. Ils n'ont point donné de combat dont ils ne soient sortis victorieux; et les Héroïnes ont esté toutes fideles, constantes et si delicates que la moindre pensée de desordre n'en a jamais approché. Il semble que leur amour depende de leur vaillance, que la conqueste des cœurs soit l'ouvrage de leurs mains. Tout ce qu'il y a de different, c'est quelque detail adjousté, qui a deguisé plustost que de changer; car sous de differens noms, ce sont les mesmes choses. — Que voudriez-vous donc, objecta Gueridée, qu'on fit un Heros imparfait et flestry, à cause que jusqu'à present on en a fait d'illustres et d'accomplis, qui estoient si elevés au-dessus des hommes qu'ils ont passé pour des demy-Dieux? La vertu ne doit point lasser; et quoy que le Roman la mette tousjours devant les yeux, et en face le principal objet de son Livre et de vostre lecture, il faut qu'elle plaise tousjours; et on ne peut ny trop l'exposer aux yeux, ny trop la considerer. — Ce n'est pas aussi, repliqua Didascalie, ce qui me choque; car j'ayme la vaillance comme une vertu guerriere; j'ayme la justice comme une vertu pacifique, j'ayme la liberalité comme une vertu genereuse et magnifique. Enfin j'ayme toutes les autres belles qualitez qui brillent dans une ame, comme des vertus particulieres qui ont leur merite et leur beauté; et je n'improuve pas ce qui est fait; je desire seulement de voir ce qui n'est pas fait encore, qui est un Roman de pur amour, dont le Heros ne soit armé que de fidelité, de constance, de sousmissions, de respect et d'esprit, et dont l'Heroïne soit belle, de bonne grace, personne de merite, mais sans chagrin et sans cruauté; qui ait assez d'esprit pour faire un raisonnable choix; et qu'après l'avoir choisi, elle l'ayme de toutes les puissances de son ame et de toute l'estenduë de son affection; que cet amour mutuel et reciproque soit la baze du Roman. Et, comme dans les autres l'espoir et la suspension d'esprit sont les amorces et les amusemens du plaisir, dans celuy que je propose, l'accomplissement et la consommation en fassent le commencement et soient le fondement de toute l'œuvre. — Helas! dit Eulalie, on languiroit en le lisant, si l'on n'y trouve pas ces agreables interruptions par où l'on picque l'ame, pour réveiller la curiosité; car de longs desirs d'un Amant et d'une Amante font le grand plaisir du Lecteur, par ce que le desir dure beaucoup plus que le plaisir. Ainsi l'artifice seroit grossier et infructueux si on donnoit au Lecteur du plaisir par le plaisir; il faut ménager

---

1. Tel est bien le texte original.

ce lien qui doit estre l'esprit de l'œuvre et de l'ouvrier, de l'Escrivain et du Lecteur[1] et faire en sorte que l'un et l'autre arrive à la fin agreablement par quelque chose de distingué et de different, qui, faisant une double impression dans l'ame, en double aussi le plaisir et en augmente la curiosité. — C'est à dire, repartit Didascalie, que vous croyez que le plaisir soit stérile et ne produise rien et qu'au contraire la fecondité se trouve dans les desirs, mais abondante et si heureuse qu'elle produise tost ou tard des plaisirs et de la satisfaction. [...] Je demeure d'accord que le desir precede le plaisir, et dispose l'ame à le ressentir; mais cette disposition est bien au dessous de ces émotions agreables que produit le plaisir et est bien éloignée du merite de ces ravissemens que nous donne la possession de nostre fin. Si bien que si quelqu'un trouvoit l'art de tousjours plaire, il toucheroit bien autrement l'ame que ne fait cet art defectueux qui nous force d'avoir recours à ces ingenieuses tricheries pour conserver le goust des choses, et le plaisir que nous en avons pû recevoir. C'est donc par foiblesse de l'art et par l'infirmité de nos sens qu'on se sert des desirs comme d'un passage aux plaisirs, qu'on expose les épines devant les roses, et qu'on fait ainsi languir un Amant, pour le rendre plus heureux. Mais je suppose qu'un autheur soit homme de bon esprit, mais j'entens bon et extra-ordinaire, eloquent, vif, industrieux, abondant, d'une imagination belle, aysée, et qui soit accompagnée de quelque habitude dans le monde, et de ces notions rafinées qui forment les gens et les rendent capables de la belle societé. Pourquoy, dit-elle, cét homme intelligent dans son art ne me rendra-t-il pas une chose aussi belle quand elle sera dans une espece heureuse, que quand elle sera dans une persecution épouvantable? Que diriez-vous de moy, si je voulois m'opiniastrer qu'on ne peut faire de beaux tableaux de la mer calme? que la peinture demande les écueils, les vagues et les autres desordres de la fougue des eaux? Quoy, il n'est point de couleurs pour depeindre le jour serein! Le pinceau ne pourra former des traits de la tranquillité de l'air et ne sera heureux et favorable qu'aux agitations de cet element, et lors que le Ciel grondera et troublera la beauté du jour par l'éclat de la foudre et le bruit des tonnerres? Non, non, j'espere mieux de l'adresse des esprits du temps, et si les anciennes loix de l'eloquence ont prescrit ces vaines ruses, pour jetter dans les esprits les semences d'un plaisir imparfait, il faut par un nouvel effort, et sans l'ayde et le secours de toutes ces foiblesses, tâcher de faire ce bel effet dans les cœurs, et je ne desespere pas de voir un jour un Roman merveilleux, sans y voir autre chose que des effets d'amour et de tendresse, sans aucun melange de vaillance ny de bravoure. Je veux voir un Amant et une Amante s'attaquer et se deffendre par les principes de la belle raison et par la seule force de l'esprit, que les interruptions en soient douces et non pas violentes, et du moins qu'elles ne fassent point languir, si elles font soûpirer. Car de grace qui peut avoir quelque compassion d'un Amant dont on connoit le merite et dont on voit cependant la disgrace et le mal-heur, et ne s'ennuyer pas pendant six semaines qu'il faut au moins pour arriver jusqu'à la fin de ses avantures? Qui ne seroit pas importuné d'un spectacle mal-heureux, quand mesme il seroit beau, s'il duroit plus d'un mois? Et qui pourroit souffrir si long-temps, dans son

---

1. Comprendre : ce lien de l'écrivain et du lecteur, qui doit être l'esprit de l'œuvre et de l'ouvrier (et qui consiste à faire attendre l'heureux dénouement et à l'amener par des voies originales). La suite de la phrase est obscure : « l'un et l'autre », selon la construction grammaticale la plus simple, doivent être l'écrivain et le lecteur, mais l'âme qui reçoit une « double impression » est celle du lecteur seul; l'impression reçue est double, puisque le lecteur goûte aussi bien le plaisir de l'attente et de la curiosité, causé par les trouvailles originales de l'auteur, que le plaisir du dénouement heureux.

cabinet, un miserable qui se plaindroit sans cesse, et dont on entendroit tous les jours de nouveaux soûpirs et de nouvelles plaintes ? — Il est vray, repartit Gueridée, que leur peine et celle des Lecteurs ont un peu trop de durée. Je consentirois quasi à en augmenter plustôt la violence pour tacher de les racourcir. — Il n'est pas besoin, repartit Didascalie, ny de l'un ny de l'autre ; l'amour est-il plus mal-heureux que l'eloquence ? et puis qu'on peut persuader, sans qu'il soit necessaire de feindre, pourquoy ne pourra-t-on pas jouïr des douceurs de l'amour, sans y méler les amertumes des langueurs et des cruautez ? — Mais encore, objecta Eulalie, ne faut-il pas qu'il y ait tant de facilité que la chose degouste. Ce mot de cruauté, poursuivit-elle, est souvent appliqué à une pure action de modestie, et l'ardeur indiscrete d'un Amant appelle ainsi une juste retenuë d'une Amante. — Il est bien possible, repartit Didascalie, qu'un Amant oblige sa Maistresse à quelque severité, que luy-mesme s'emancipe et perde le respect ; mais ce n'est pas le style de ces Amans Heros qui ont autant de retenuë que d'amour, et autant de respect que d'ardeur. Je veux faire aymer deux belles ames qui soient toutes deux deprises de la foiblesse des sens et des impuretez de la matiere et qui ne s'ayment que par des motifs de raison et ne brulent que de flammes spirituelles. »

[Ici la lecture est interrompue par une discussion au cours de laquelle Melanire émet l'opinion suivante :]

Il faut que je vous die mon sentiment sur la lecture que nous avons faite. Cette Heroïne est bizarre et bien éloignée du beau goust. Que veut-elle que fassent ces Heros, des souliers ? et de la toile ? que leur bonne fortune les fasse Consuls de Ville, Intendans des pavez et Directeurs de grands chemins ? La guerre est le theatre des grandes choses où les veritables Heros et tous les grands hommes sont les Acteurs, et fait paroistre la grandeur de leur ame par leurs exploits et par leur valeur. Si on retranche ces belles et ces grandes choses, si on se renferme dans l'espace d'une ruelle, si on se contente d'en écrire une conversation, et si on borne le Roman à des choses communes et triviales, ou a des galanteries continuelles et sans mélange de bravoure, il est impossible qu'on ne s'ennuye en le lisant. La tendresse est proche parente de la molesse et je ne sçay pas mesme la juste difference des deux, si ce n'est l'usage du mot, le credit de l'usage et le merite de l'Autheur qui luy a donné ce credit. Pour moy je me ris de ce Roman galant ; je crois qu'il ne peut estre que fade et insipide, s'il n'y a point de mélange de bravoure et de valeur. Je suis comme l'illustre Autheur de la Cleopatre, qui sans doute a ravy tout le monde en ce genre d'écrire. Il parle ainsi de ces Heros familiers qu'on a introduits dans les plus grands Ouvrages : Bien-heureux Heros, dit-il, qui au lieu de battre la campagne souflent leurs tisons, qui au lieu de paroistre insatiables de combats et de gloire bornent leur ambition à avoir pignon sur ruë et credit chez la lingere, et, parlant des Autheurs :

> Le point le plus haut de leur choix
> Est de faire un Roy de la Fève,
> Ou bien des Heros de la Grève
> Ou de la ruë Quincampois.

*Jean REGNAULT DE SEGRAIS*

texte 23     # Les Nouvelles françoises,
## ou les Divertissemens de la Princesse Aurelie
### (1657)

Dans le premier passage cité, extrait du prologue des *Nouvelles françoises*, le roman héroïque est mis en question et le désir d'un roman plus moderne, plus proche de l'humanité moyenne, se manifeste. Dans le second, tiré du commentaire de la *Nouvelle Quatriéme*, on discute des rapports entre l'idéal et le réel, entre le roman et l'histoire. Segrais essaie de concilier des tendances contradictoires, dont la contradiction n'était pas encore pleinement ressentie par les lecteurs de romans à son époque. Voir tome I, pp. 216-223.

Un si beau jour et un si beau Pays furent long-temps le sujet de la conversation : Mais enfin cet agréable objet ayant ramené à quelques unes de la Troupe l'imagination des Romans, je ne sçai qui ce fut qui se mit à dire que ce Pays sans doute étoit celui d'Astrée; et insensiblement tombant sur cette matiere, les Oroondates, les Polexandres et les Grands Cyrus furent mis sur les rangs; et chacune s'affectionnant à quelqu'un de ces Heros, la dispute s'échauffoit sans doute, si la Princesse, qui jusques-là n'avoit presque point parlé, ne se fût venuë mêler à cet Entretien. Sa parole modera l'ardeur de la contestation; et chacune se soumettant à son jugement, ne faisoit qu'attendre qu'elle le prononçât. Quoique jusqu'ici cette lecture ne m'ait pas fort occupée, dit-elle, je ne voudrois pas la censurer, voyant qu'elle fait l'amusement de tant de gens qui ont de l'esprit. Les beaux Romans ne sont pas sans instruction, quoi qu'on en veuille dire, principalement depuis qu'on y mêle l'Histoire, et quand ceux qui les écrivent, savans dans les mœurs des Nations, imaginent des avantures qui s'y rapportent, et qui nous en instruisent. Qu'y a-t-il de mieux fait, de plus touchant et de plus naturel que les belles imaginations de l'Astrée? Où en peut-on voir de plus extraordinaires et de mieux écrites que dans le Polexandre? Que peut-on lire de plus ingénieux que l'Ariane? Où peut-on trouver des inventions plus héroïques que dans la Cassandre? La seule Histoire du Peintre et du Musicien qui se lit dans l'illustre Bassa, ne ravit-elle pas, et ne vaut-elle pas les plus riches inventions des autres? Qu'est-ce qu'une personne qui sçait le monde ne doit pas dire de l'admirable variété du Grand Cyrus, des différentes images où chacun peut se contempler et de ces délectables et tout-à-fait instructives conversations qui font qu'on ne sçauroit quitter la lecture de ce bel ouvrage? Mais à dire le vrai, les grands revers que d'autres ont quelquefois donnez aux veritez historiques, ces entrevuës faciles et ces longs entretiens qu'ils font faire dans des Ruelles entre des hommes et des femmes, dans des Pays où la facilité de se parler n'est pas si grande qu'en France, et des mœurs tout-à-fait françoises qu'ils donnent à des Grecs, des Persans ou des Indiens, sont des choses qui sont un peu éloignées de la raison. Le but de cet art de divertir par des imaginations vrai-semblables et naturelles, je m'étonne que tant de gens d'esprit qui nous ont imaginé de si honnêtes Scythes et des Parthes si genereux, n'ont pris le même plaisir d'imaginer des Chevaliers ou des Princes François aussi accomplis, dont les avantures n'eussent pas été moins plaisantes. Toute la compagnie écouta attentivement le raisonnement de la Princesse et personne n'y trouva à redire, et sur tout la belle Frontenie : Mais seulement elle repartit que les noms donneroient bien de la peine à qui voudroit l'entreprendre : Que naturellement les François aimoient mieux un nom d'Artabaze, d'Iphidamante ou d'Orosmane qu'un nom de Rohan, de Loraine ou de Montmorency : que même le Pont de la Bouteresse [1], pour être un peu plus éloigné, semble être bien plus propre à produire des avantures que le Pont de S. Cloud ou celui de Charenton; et qu'au reste d'en user [2] comme ceux qui ont écrit les Histoires Tragiques de ce temps [3], ou le Roman de Lizandre et Caliste [4], il n'y auroit gueres plus d'incongruité de donner des mœurs Françoises à un Grec, que d'appeller un François Monsieur Pisandre ou Monsieur Ormedon, comme ces gens dont on n'a jamais ouï parler à Poitiers dans la Comedie du Menteur[5]. Gelonide qui a l'esprit fort naturel et le goût excellent pour toutes ces choses, repliqua que les Espagnols n'ont pas laissé d'en user autrement avec succez; que les Nouvelles qu'ils ont faites, n'en étoient pas plus dés-agréables pour avoir des Heros qui ont nom Richard ou Laurens, et goûtant les raisons de la Princesse : Je vous assure, dit-elle, que je croi que ce n'est que faute d'invention : nous avons des noms de terminaison Françoise aussi agréables que les Grecs ou les Romains, et qui pourroit [6] venir à bout de trouver des avantures extremement naturelles, tendres et surprenantes, je croi que nous les aimerions autant passées dans la guerre de Paris, que dans la destruction de Troye. Mais Uralie prenant la parole : Il me semble, dit-elle, que comme l'éloignement des lieux, l'antiquité du temps rend aussi les choses plus vénérables, outre que si l'on nous racontoit quelque chose de ce temps-ici, qui fût un peu mémorable, il y auroit

---

1. Dans *L'Astrée*.
2. A en user, si l'on en use.
3. De Rosset.
4. *Histoire tragi-comique de Lisandre et de Caliste*, par Vital d'Audiguier (1616).
5. De Corneille, 1644 (I, 5 et V, 1).
6. Si quelqu'un pouvait...

à craindre que personne n'en voulût rien croire, parce que si l'on décrivoit ces Heros comme des gens que nous voyons dans le monde, on s'étonneroit de n'en avoir point ouï parler. Et combien, repartit Aplanice, est-il venu d'avantures à notre connoissance qui ne seroient point dés-agréables si elles étoient écrites? Sçait-on toutes les actions particulieres? Je ne voudrois pas faire donner une Bataille où il ne s'en est point donné. Mais a-t-on publié tous les accidens qui sont arrivez dans celles qu'on a données? A-t'on divulgué toutes les galanteries qui se sont faites dans la vieille Cour, et sçaura-t'on toutes celles qui se font aujourd'hui? Au reste comme ces choses sont écrites ou pour divertir ou pour instruire, qu'est-il besoin que les éxemples qu'on propose, soient tous de Rois ou d'Empereurs, comme ils le sont dans tous les Romans? Un particulier qui les lira, confor-mera-t'il ses entreprises sur des gens qui ont des Armées, dès qu'il leur plaît, ou sa libe-ralité sur des personnes qui prodiguent des pierreries? car les dimans et les grosses perles ne manquent jamais aux Heros mêmes qui ont perdu leur Royaume. Je vous assure qu'Aplanice a raison, dit l'agréable Silerite. Je me suis fait lire autrefois quelques-uns des Contes de la Reine de Navarre, et je suis persuadée que si Madame Oisille n'alloit pas si souvent à Vêpres et ne se mêloit point tant de passages de l'Ecriture-Sainte en des choses prophanes, et si le stile de Guebron ou de Symontant [1] étoit en quelques endroits un peu plus modeste, ce seroit une chose fort divertissante. Ce sont des contes de ma grand'mère (dit la Princesse riant de l'application qu'elle faisoit d'une chose qui se dit si vulgairement) car j'ai ouï dire qu'elle étoit mere de Jeanne d'Albret, et je suis obligée d'en prendre le parti pour cette raison. Je vous avoüe aussi que je trouve qu'ils avoient assez de plaisir en leur solitude; et je croi que si la Reyne de Navarre ne se fût point lassée d'écrire, ou que le Pont ne se fût point refait, ils raconteroient encore leurs His-toires : Je pense même que nous ne ferions pas mal si nous faisions comme eux.

## MATHILDE, OU L'HEUREUSE RECONNAISSANCE.
### NOUVELLE QUATRIÉME

[...] L'étonnement, la compassion et la joie tout ensemble, engagérent toutes ces Dames dans un si grand silence, qu'il y avoit déjà long-tems qu'Aplanice avoit cessé de parler, quand Silerite lui adressa ces paroles : Je ne sçai pas, divine Aplanice, où vous pouvez avoir appris une histoire si agréable : car il faut avoüer que, quand tous ces incidents seroient imaginez, il seroit difficile que le vrai-semblable et la bien-seance y fussent mieux observez : chose très-rare dans les événemens que nous voyons tous les jours. Je crois aussi, dit Uralie, que c'est cette raison seule qui peut excuser l'homme de cette grande passion qui semble lui être naturelle pour le mensonge : car si nous faisons reflexion sur les choses qui lui sont les plus agréables, vous trouverez que nous n'aimons celles que l'art produit, qu'en tant qu'elles contrefont ces heureuses productions du hazard ou de la nature, et que l'un ni l'autre n'ont aucun charme pour nous, si elles n'ont quelque imitation de l'artifice humain. Cela ne se peut contredire, ajoûta la Prin-cesse; mais il ne faut pas croire que cela vienne de l'imperfection de l'homme, comme il me semble qu'au contraire ce seroit quelque marque de sa justice, puisqu'il semble ne souhaiter ainsi les choses que pour réparer les défauts qui se trouveroient infailliblement

---

1. Les noms exacts de ces personnages, dans l'*Heptaméron*, sont *Geburon* et *Simontault*.

en leur production, si on les abandonnoit au caprice seul de la nature, ou si l'art ne prenoit d'elle quelques instructions. Mais pour en revenir à ce qui nous regarde principalement ; quoique je ne sois pas de celles, comme je l'ai déjà dit, qui sont les plus obligées de proteger cette affection qui est quasi naturelle à notre sexe pour les événemens des Romans, et pour leurs agréables mensonges, quand le vrai-semblable y est observé en toutes ses parties : ne peut-on pas dire que notre fantaisie ne s'y laisse emporter que pour corriger, pour ainsi dire, les erreurs de l'histoire, dans laquelle pour le plus souvent les temeritez du hasard et les injustices de la fortune regnent avec tant d'empire ? Il vaut mieux en effet, dit Gelonide, se laisser abuser par un agréable mensonge que de s'ennuyer et de s'affliger même par un récit véritable des choses qui ont toûjours leur succez contre notre inclination : car sans chercher d'autres histoires que celles qui nous sont familieres, qui est la personne à qui il arrive quelque avanture, comme on souhaiteroit qu'elle fut arrivée pour être agréable en toutes ses circonstances ? Ou du moins à laquelle, dit encore la charmante Frontenie, notre imagination ne put donner une meilleure forme ? Car, ou la vertu n'y aura jamais la recompense dont elle est digne, ou rarement le crime y sera puni comme il le mérite. Et c'est ce qui m'a fait davantage admirer l'histoire qu'Aplanice nous a racontée : car nous attachant à des choses véritables, comme la Princesse nous l'a ordonné, ou du moins à les raconter de sorte qu'on ne les puisse pas contredire, il faut demeurer d'accord qu'il est difficile d'en trouver quelqu'une qui ait une fin plus souhaitable, et plus surprenante tout à la fois.

*Gabriel GUÉRET*

texte 24    # Le Parnasse Réformé (1668)

Le roman héroïque déforme grossièrement la vérité historique, travestit les grands hommes, prête aux personnages un comportement absurde, manque de pudeur et de décence : plusieurs des griefs formulés par Guéret se trouvent aussi dans le célèbre *Dialogue des Héros de Romans*, de Boileau (voir tome I, p. 209). Guéret est moins spirituel, moins discret que Boileau et son goût est moins bon, mais ses plaisanteries plus appuyées expriment encore plus nettement le mépris presque universel qui frappe désormais le roman héroïque et dont celui-ci ne se relèvera jamais. Guéret s'emploie moins à critiquer une esthétique qu'il ne comprend plus qu'à la transposer parodiquement selon un procédé voisin du burlesque.

[...] J'apperceus un grand nombre de Heros **et** d'Heroïnes qui avoient été mandez par Apollon pour la reforme des Romans : Le premier d'entre eux qui prit la parole fut Theagene, et son discours le fit d'abord reconnoître. [...]

[Théagène reproche à l'auteur des *Ethiopiques* d'avoir fait de lui un insensible qui préfère recevoir de sa maîtresse un soufflet plutôt qu'un baiser.]

[...] Heliodore voyant que sa faute ne se pouvoit excuser, se retira adroitement, et fit place à la belle Astrée dont les yeux ardans et le visage chargé d'une rougeur plus grande qu'à l'ordinaire, témoignoient que son ame étoit agitée de quelque passion violente. Apollon qui s'en apperceut luy demanda la cause de ce changement, et voicy ce que cette aimable Bergere luy répondit.

Il y a long-temps, dit-elle, que je tiens captif le ressentiment d'une injure que l'on m'a faite. J'ay voulu la dissimuler autant que j'ay pû, mais enfin je me suis persuadée que je trahirois mon honneur si je n'en poursuivois la vengeance, et si parmy les plaintes de tout le Parnasse je ne mêlois les miennes qui sont plus legitimes que toutes les autres. C'est vous, poursuivit-elle en jettant les yeux sur Durfé, c'est vous qui êtes l'auteur de l'injure dont je me plains, et vôtre plume temeraire a jetté des traits dans mon Histoire qui me blessent dans la partie de l'ame la plus sensible. Je ne suis pas plus delicate qu'une autre, poursuivit-elle, j'excuse les emportements amoureux, lorsqu'une passion toute pure les produit, un baiser surpris galamment n'éfaroucha jamais ma pudeur, et je say qu'il y a de petites privautez que l'amour inspire, et que la raison ne condamne pas. Mais quand je considere que je suis une des trois Bergeres que vous presentez à Celadon, toutes nuës, de quel œil puis-je regarder une avanture si injurieuse à ma vie? Et ne dois-je pas croire, ou que vous avez eu mauvaise opinion de ma pudeur, ou que vous m'avez prise pour une esclave que vous vouliez vendre à ce Berger? Si je ne me flatte point dans ma beauté, je croy que mon visage tout seul pouvoit bien faire une conqueste; il y avoit assez de feu dans mes yeux pour brûler un cœur, et je puis dire sans presumer trop que ma nudité n'étoit point de l'essence de ma victoire.

Celadon voulut prendre le party de Durfé, mais Sylvandre luy dérobant la parole: Il ne faut point, dit-il, perdre le temps en des discours inutiles; ce jour consacré à la reforme ne doit être employé qu'à des remontrances serieuses; et ce n'est point icy le lieu d'excuser une nudité qui ne peut être défenduë que par de mauvaises raisons. Oüy, poursuivit-il, en se retournant vers Durfé, vous avez bien fait des choses à la legere, et pour ne point sortir de moy-même, n'est-il pas étrange que vous me fassiez quitter la fameuse Ecole des Massiliens pour me travestir en Berger, et me faire debiter sous cet habit de grandes leçons Philosophiques capables d'épouventer toutes les Bergeres? Avois-je amassé tant de science pour la voir perir dans un Roman? Mes raisonnemens graves et serieux devoient-ils se perdre sous les bocages? Et faloit-il que n'ayant à passer pour habile homme qu'une seule fois en ma vie, je ne le fusse qu'à contre temps? N'esperez pas que je vous pardonne jamais cette imprudence, j'en demande justice à Apollon, et je ne suis pas homme à me laisser prendre à l'éclat d'une pannetiere de soye et d'une houlette d'argent.

Durfé plein de dépit de ne savoir que répondre aux remonstrances d'Astrée et de Sylvandre, déchargea sa colere contre son continuateur Baro. [...]

[...] Durfé s'alloit emporter plus loin, quand tout d'un coup Polexandre[1] fendit la presse, et fit remarquer sur son visage tous les caracteres d'un homme irrité. On veut, dit-il, que j'aye été l'un des plus celebres Romans, le bruit commun tâche de me persuader que je faisois autrefois le plaisir de toutes les belles Cours; et quoy que ma domination ne s'étende que sur les Isles de Canarie, j'apprens neantmoins que j'ay eu une reputation pareille à celle des Cesars. Je ne say pas bien si toutes ces choses sont veritables; mais quoy qu'il en soit elles n'empêchent pas qu'on ne m'ait rendu le plus visionnaire de tous les amans. On me fait aimer la Reine de l'Isle invisible; je cours

---

1. Héros de Gomberville.

perpetuellement apres elle sans savoir où je dois aller pour la rencontrer ; je passe la plus grande partie de ma vie à le demander aux arbres, aux oyseaux, aux rochers, et generalement à tout ce qui s'offre à ma veuë, et je pousse à toute heure des soûpirs qui ne savent non plus que moy où je les envoye. Ce seroit peu neantmoins si j'en demeurois à des soûpirs ; mais mon Romaniste porte ma vision au delà, il me fait embrasser la condition d'un esclave, et c'est dans ce bel état que je voy la Reine de l'Isle invisible, et qu'elle me croit digne de l'épouser. Tant que je suis Roy des Canaries, on se donne bien de garde de me la montrer, cette invisible n'aime point les Rois, et ce sont des *Monstres* effroyables pour elle ; mais lors que je parois tout chargé de fers, quand je represente un miserable esclave d'Afrique, alors cette Heroïne veut bien paroître, et son cœur ennemy du Diadê-me trouve ce qu'il luy faut dans ma servitude. Si l'on appelle heroïque cette maniere d'aimer, c'est ce que je laisse à juger aux Muses ; pour moy je ne veux point être Heros à ce prix-là, et je m'étonne comment on est venu déterrer mon nom jusques dans des lieux détachez du monde pour se faire Auteur à mes dépens. Je ne pensois pas que la Jurisdiction d'un faiseur de Livres deût s'étendre si avant : Il y avoit ce me semble, assez d'autres Histoires à gâter sans la mienne, et il n'étoit point necessaire de me tirer de si loin pour me montrer comme un fanatique. [...]

[...] Pour moy, dit Ariane[1], je ne suis point si facile à satisfaire que ces deux Heros, et ce n'est pas une chimere que l'injure que l'on m'a faite. On ne trouve chez-moy que des lieux infames ; chaque Livre en fournit un pour le moins, et les Heros du Roman sont si bien accoûtumez à frequenter ces endroits, qu'on les prendroit pour des Soldats aux Gardes ou des Mousquetaires. Me rendre visite, et aller au (vous m'entendez bien) n'est plus qu'une même chose ; on confond maintenant l'un avec l'autre, et je suis devenuë le repertoire de tous les bons lieux.

Je ne m'étonne point apres cela si l'on me fait paroître nuë [2], il y auroit eu de l'irre-gularité d'en avoir usé d'autre sorte ; et puis qu'Astrée qui n'avoit pas l'avantage du lieu comme moy, se montre à Celadon en cette posture, il étoit d'une necessité indispensable que j'en fisse autant. Je ne say pas si mon Auteur a fait cette reflexion ; mais je voudrois bien qu'elle ne fût pas si juste, mon honneur et le sien s'en trouveroient mieux.

Enfin pour achever l'histoire de mon Roman, j'épouse un Heros [3] dont le merite est de bien faire le Comedien, et de donner du divertissement au public par la douceur de sa voix, et par le recit de quelques Poësies. On fait du défaut de l'Empereur Neron toute la vertu de Melinthe, on aime mieux le representer tenant sa partie dans un concert que signalant sa valeur dans une bataille, et l'on fonde toute sa gloire sur les qualitez de baladin plûtost que sur celles de Conquerant. C'est en consideration de toutes ces choses que l'Empereur luy accorde des privileges, et des immunitez pour la Sicile, et sans doute que mon Auteur qui n'étoit pas moins sensible que Neron au merite d'un Comedien, a crû devoir imiter la generosité de ce Prince, en me donnant à Melinthe pour le prix de sa belle voix et de ses recits agreables.

---

1. Héroïne de Desmarets de Saint-Sorlin.
2. C'est le passage que nous citons plus loin, texte xii.
3. Melinte, amoureux d'Ariane dans le même roman de Desmarets.

Ce que vous dites, interrompit Melinthe, ne m'est pas plus avantageux qu'à vous; mais que pouvoit-on attendre d'un composeur de Romans qui fait enlever un pavillon par un Aigle? Croyez-moy, laissez rompre le pavillon et tout l'équipage de guerre qu'il renfermoit, ne vous mettez pas en peine d'un Aigle crevé, et riez de mes Comedies comme je ris de vos bons lieux [...].

[Vient alors l'illustre Bassa, qui prend à partie son créateur Scudéry.]

[...] Alexandre se fit faire place avec grand bruit, et s'adressant tout d'un coup à la Calprenede : Si de celebres Historiens, dit-il, n'avoient décrit la verité de mes actions heroïques, et si leurs Livres n'eussent conservé toute la gloire que je me suis acquise par les armes, je ferois une belle figure dans vôtre Cassandre. Il semble, poursuivit-il, que vous ayez pris plaisir à détruire les veritez les plus éclatantes de ma vie : Vous mêlez toûjours quelque disgrace dans mes combats et dans mes amours, et comme je ne remporte point de victoire sans recevoir quelque blessure d'Orondate, je n'ay point de femme ny de Maîtresse qui ne me manque de fidelité, mêmes pour un Scythe. [...]

[...] Pendant qu'Alexandre parloit de la sorte, je jettay les yeux sur la Calprenede, dont le visage triste et défait témoignoit la grandeur de son dépit; mais aussi-tost j'apperceus Cyrus, qui tournant fierement la veuë sur Scudery : Soit, dit-il, que vous ou un autre [1] m'ait travesty en Roman, il est toûjours bien certain que vous avez eu part à cet ouvrage, la voix publique vous l'attribuë mémes tout entier, et je ne puis me prendre maintenant qu'à vous de toutes les fautes qui s'y rencontrent : Je n'eus jamais d'autre but de mes Conquêtes que la gloire, c'est pour elle que j'ay affronté les perils, et tant de batailles gagnées ne sont que les effets du noble feu qu'elle m'inspiroit. Cependant vous changez la face des choses, vous m'arrachez ce divin objet de mes victoires, et vous voulez que l'amour soit le principe qui me fait agir, et la machine qui renverse tous les efforts de mes ennemis. Je say bien que les Heros doivent aimer; mais il ne faut point que l'amour emporte le pas sur la gloire, elle naist dans l'ame des grands hommes toute la premiere, elle est la fin de toutes leurs entreprises, et les Myrthes ont moins de charmes pour eux que les Lauriers.

Peut-estre, ajoûta-t-il, ne demeurerez-vous pas d'accord de cette maxime, vous me répondrez que l'amour est la passion dominante des Romans, et que sans elle tout y languiroit. A la bonne heure si cela est de la sorte; mais au moins vous deviez me rendre amoureux d'une personne qui fût digne des conquestes que je luy sacrifie, et il faloit me donner une Heroïne à qui l'on ne pût faire aucuns reproches.

Vous jugez bien sans doute par ce discours que je ne suis pas content de Mandane, et certes que voulez-vous que je pense d'elle apres tous les enlevemens qui luy arrivent? Dois-je croire qu'elle sort bien pure des mains de quatre ravisseurs? et les moins clair-voyans dans ces Mysteres peuvent-ils douter que vous ne me donniez le reste des autres? Vous deviez, ce me semble, mettre sa pudeur à d'autres épreuves. Celles-là sont un peu trop fortes pour une chose si fresle, et Mandane n'estoit pas une place qui pût resister à

---

1. Georges de Scudéry ou sa sœur Madeleine : voir tome I, p. 175.

tant d'assauts : Peut-estre se fût-elle bien tirée d'un premier enlevement; je veux croire qu'elle auroit eu assez de vertu pour ne se pas rendre tout d'un coup, et son honneur se pouvoit sauver sans miracle de ce mauvais pas : Mais les recheûtes sont mortelles dans ces matieres : un second enlevement ravage tout, et une heroïne qui n'a plus que les restes d'une fermeté ébranlée, ou peut-estre moins encore, ne fait que des efforts inutiles pour sa défense.

J'aurois beaucoup d'autres plaintes à faire contre vostre Roman; je pourrois vous demander pourquoy je preste l'oreille à mille petites nouvelles indifferentes, lors même que je suis prest à combattre, et par quelle raison vous me faites entendre une histoire où je n'ay point de part, en un temps que je suis prisonnier de Tomiris, et que l'indifference de ma Maistresse me jette dans le desespoir : Mais tout cela ne vous touche point, et vous passez trop doux sur les enlevemens de Mandane pour vous arrêter à ces minuties. [...]

[La Calprenède est de nouveau mis en cause, cette fois par les personnages de *Cléopâtre*. Mais Faramond le défend, en arguant que « pour un Auteur Cavalier comme La Calprenede, c'est beaucoup que de savoir parler bon François ».]

[...] Alors parut un gros de Heros et d'Heroïnes, entre lesquels on reconnoissoit Orazie, Prazimene, Clytie, Berenice, Hermiogene, Scanderberg, Laodice, Cytherée, Scipion, Tarsis, Rodogune, et Macarise[1]. Apollon étant effrayé du nombre les remit à une autre fois; mais Clelie, qui se sentoit aussi maltraittée que pas un de ceux qui avoient paru avant elle, voulut faire éclater son ressentiment, et apres avoir salüé ce Dieu et les neuf Muses ses Sœurs : De graces, dit-elle, qu'il me soit permis de me plaindre comme les autres, puis que j'en ay plus de sujet que personne. Il y a, poursuivit-elle, quelques années qu'il court un Roman sous mon nom; on en a parlé dans le monde comme d'un ouvrage admirable, et la caballe luy a fait acquerir une reputation dont je souhaitterois qu'il fût digne. La relation que l'on m'en a faite répond en quelque chose à cette grande estime qu'on en a conceuë : On y remarque plusieurs beaux endroits; les conversations y sont belles, il y brille de temps en temps des traits de la galanterie la plus delicate. Mais quand j'examine de prés le Heros de ce Roman, je ne puis trouver des termes pour exprimer sa bassesse, et je n'ay jamais oüy parler de cadet de Normandie qui laissast une moindre idée de sa personne et de sa vertu. Representez-vous un homme dont la fortune n'a point d'établissement certain, qui se rend à charge à tous ses amis, qui disne aujourd'huy chez l'un et demain chez l'autre, qui n'a ny train ny équipage, qui porte toûjours un vieux buffle[2] gras, qui ne change de cravate que tous les huit jours, enfin un coureur d'Auberges qui loge à une troisième Chambre[3]; voila le portrait d'Aronce, c'est là à peu prés comme on le conçoit, et parce qu'il est Fils de Porsenna Roy des Etruriens qui n'avoit pas dix mille livres de rente, et qui pouvoit d'un coup de chifflet appeler tous ses sujets, on me fait devenir sa conqueste. S'il en coûtoit quelque chose à un Auteur pour bien habiller son Heros, pour luy donner des équipages magnifiques, pour le loger dans

---

1. Héros et héroïnes de Mezeray, Le Maire, Puget de la Serre, Segrais, Chevreau, Pelisséri, Gomberville, Vaumorière, Aigue d'Iffremont, Le Vayer de Boutigny, d'Aubignac...
2. Justaucorps de cuir.
3. Au troisième étage. Voir LA FONTAINE, *Fables*, VIII, 19, vers 17.

un superbe Palais, et pour luy entretenir une table somptueuse; je pourrois croire qu'on n'auroit pas voulu se mettre en si grands frais pour Aronce; mais quand je considere que cette dépence n'est que d'imagination, je ne comprens pas comment on a refusé si peu de chose à mon Heros, si ce n'est pour étouffer sous tant d'indignitez la qualité d'Heroïne que j'ay si justement meritée.

Apollon eut pitié de cette illustre Romaine, et luy ayant fait un signe de tête obligeant, il se leva de sa place, et rassembla au tour de soy les Muses et les principaux du Parnasse pour deliberer sur les remedes necessaires à ces desordres. [...]

texte 25     # De la Délicatesse (1671)

L'idéal héroïque supposait des consciences exigeantes et capables de ferveur. Mais « ce siècle », n'étant plus « entesté » de rien, ne se plaît plus à aucun bon ouvrage; sa « délicatesse » consiste à choyer ses propres faiblesses revêtues d'une apparence séduisante : les lecteurs demandent aux romanciers une image noblement poétisée de leurs passions et de leur dérèglement. Villars a très bien compris que le pessimisme moral était à la base du roman nouveau et, s'il en a refusé le charme, il a bien vu que *La Princesse de Montpensier* avait été dans ce domaine une œuvre initiatrice. Les entretiens *De la Délicatesse* visent un groupe jansénisant et réfutent les *Sentimens de Cléante*, œuvre écrite par Barbier d'Aucour contre le jésuite Bouhours. Paschase, qui fait ici l'éloge paradoxal de *La Princesse de Montpensier*, est Blaise Pascal. Voir tome I, pp. 212 et 245.

## Dialogue 1

### ALITON, PASCHASE

ALITON.

> [...] Il n'y a que les Livres qui favorisent quelque entestement general qui ayent un succés général.

PASCHASE.

> Au défaut de cet entestement, il faut ménager les inclinations et les passions qui regnent le plus universellement : ou bien certain tour et

certains replis du cœur, qui sont de tous les temps et de tous les siecles. Pourveu qu'on sçache les toucher finement on ne peut manquer de plaire, et c'est en cette occasion qu'il est plus vray qu'en toute autre que [1] l'esprit est la duppe du cœur.

ALITON.

Votre maxime n'est pas seure. Y a-t-il de passion, par exemple, plus universelle que l'amour, et la peut-on traiter plus delicatement qu'elle l'est dans les Romans? Cependant les Romans ne sont plus du goût du siecle.

PASCHASE.

C'est que les Romans comme on les a faits ne prennent pas le tour du cœur, ils ne menagent pas assez la pente qu'ont tous les hommes à l'amour dereglé, ils inventent une maniere d'amour que la seule imagination autorise, ceux qui n'aiment pas pour se marier n'y trouvent pas leur conte. Le mariage est un ouvrage de la raison toute seule. Le cœur n'a guere eu de part en cette invention. C'est pourquoy on a veu cesser tout à coup cette ardeur qu'on avoit pour les Romans : on y couroit, parce qu'on esperoit sans qu'on s'en apperceût, d'y trouver ses foiblesses autorisées; et on les a quittés tout à coup sans sçavoir pourquoy; parce qu'on n'y a pas trouvé ce qu'on y cherchoit, et qu'on n'en a rapporté autre chose, si ce n'est qu'il faut brûler ou se marier [2], et le cœur ne cherche ni l'un ni l'autre.

ALITON.

Selon cette reflexion, il faudroit que les Romans licentieux reüssissent toûjours.

PASCHASE.

Il est encore plus difficile d'en faire de cette espece qui reüssissent : il y a un autre tour dans le cœur dont peu de gens s'apperçoivent. Sa pente est d'aimer avec déreglement, mais il ne veut pas qu'on le croye, ni qu'on agisse avec lui comme avec un libertin. Il veut conserver les apparences, et qu'on les conserve avec luy, il se gendarme dés qu'on ne le traite pas de prude : il faut sçavoir flatter sa foiblesse et luy conserver l'apparence de la force [...] Avez-vous leu la Princesse de Montpensier? C'est un petit chef d'œuvre, il a reüssi admirablement, et on le lira toûjours avec plaisir, parce qu'une grande partie des foiblesses du cœur y sont excellement ménagées. La pente à la galanterie en la Princesse de Montpensier, toutes les Dames qui ont cette pente trouvent là leur conte [3]. L'inclination qu'on a à conter des douceurs à la femme de son

---

1. Maximes morales (note de l'abbé de Villars. C'est la Maxime 102 de La Rochefoucauld).
2. Voir saint PAUL, *Première Épître aux Corinthiens*, VII, 9.
3. *Conte*, ici comme un peu plus haut, est le même mot que *compte*.

meilleur amy est flattée par le beau rolle de Chabanes. Le Duc de Guise autorise l'ingratitude de ceux qui quittent là leurs Maîtresses aprés les avoir perduës de reputation, et les avoir mises en danger de perdre la vie. La clemence du Prince de Montpensier pour Chabanes qu'il trouve avec sa femme, et la prudence avec laquelle il dissimule la disgrâce qui luy est arrivée, sont au gré des maris qui dissimulent la sottise de leurs femmes, et au goût de ceux qui ont interest que les maris en usent ainsi. Il ne faut pas s'etonner si ce petit Livre flattant tout à la fois tant de foiblesses s'est acquis tant de reputation.

ALITON.

N'y a-t-il que ces caracteres dans ce Livre?

PASCHASE.

Le Duc d'Anjou y fait encore un rolle particulier, et il exprime assés bien cette inclination qu'ont tous les hommes à traitter de haut en bas ceux qui ne sont pas leurs égaux.

ALITON.

J'ay bien peur que ce Livre ne soit pas si excellent que vous le faites, puis que tous ses caracteres sont si peu raisonnables.

PASCHASE.

Encore une fois ce n'est pas la raison qui fait le succès des Livres, mais c'est l'adresse avec laquelle nous sçavons mettre le cœur de nostre costé, et c'est un art et une affaire.

texte 26 **Sentimens sur les Lettres et sur l'Histoire avec des scrupules sur le Stile (1683)**

Aucun texte de l'époque classique n'offre sur le roman une réflexion aussi méthodique que celle de Du Plaisir dans ses *Sentimens* [...] *sur l'Histoire* (il appelle *histoire* la narration romanesque). Ce n'est pas dire que cette réflexion soit profonde : témoin d'un goût, Du Plaisir prétend le fonder en raison et donne dans la naïveté, par exemple quand il condamne la complexité des romans héroïques comme une « beauté fatigante » ou affirme qu'on n'a guère de curiosité pour les pays inconnus. Il ne se satisfait pas des romans de M^me de Lafayette, car c'est bien elle qu'il semble viser quand il critique le romancier qui recourt à l'analyse explicative lorsqu'il faudrait laisser parler les personnages et qui fait prétexter à son héroïne une maladie comme excuse pour éviter une société ou une rencontre. Il est classique quand il écarte presque tout détail concret, tant par refus de l'invention arbitraire que par souci de ne rien présenter au lecteur qui puisse lui déplaire; quand il note à sa façon, après Boileau, que le vrai peut quelquefois n'être pas vraisemblable; quand il réclame une action et des situations très simples, au bénéfice de l'intensité des sentiments; quand il blâme la caractérisation banale et hyperbolique des héros, telle qu'on la trouvait dans les romans baroques; et même quand il tend à confondre l'art avec la difficulté vaincue [1].

---

1. On pourrait reprocher ce travers à certains baroques, mais voir la lettre de Boileau à Maucroix du 29 avril 1695.

Son idéal est un roman dans lequel, une fois posés les principaux caractères, se déroulerait une action purement psychologique, en majeure partie grâce à des dialogues.

Sur le roman attribué à Du Plaisir, *La Duchesse d'Estramène*, et sur ses rapports avec ce texte théorique, voir tome I, pp. 276-279.

Je connois peu de regles pour l'Histoire veritable. C'est une peinture dont les traits sont toûjours aimez, pourveu qu'ils soient sinceres ; ou du moins si cette beauté essentielle a besoin d'agrémens, elles les emprunte principalement d'une expression exacte, et polie.

Je n'avois d'abord eu dessein que de parler de cette expression ; mais parce que l'Histoire galante a un grand cours dans le monde, je seray bien aise, pour engager les Sçavans a me faire connoistre ses beautés et ses défauts, de proposer icy ce que je m'en imagine, et ce que je trouve de diférent ou de commun entr'elle et l'Histoire veritable.

Les petites Histoires ont entièrement détruit les grands Romans. Cet avantage n'est l'effet d'aucun caprice. Il est fondé sur la raison, et je ne pourrois assez m'étonner de ce que les Fables à dix et douze Volumes ayent si longtemps regné en France, si je ne sçavois que c'est depuis peu seulement que l'on a inventé les Nouvelles. Cette derniere espece est principalement tres-convenable à l'humeur promte et vive de nostre Nation. Nous haïssons tout ce qui s'oppose à nostre curiosité ; nous voudrions presque commencer la lecture d'un Volume par la fin, et nous ne manquons jamais d'avoir du dépit contre les Autheurs, qui ne ménagent pas assez les moyens de nous satisfaire promptement.

Ce qui a fait haïr les anciens Romans, est ce que l'on doit d'abord éviter dans les Romans nouveaux. Il n'est pas difficile de trouver le sujet de cette aversion ; leur longueur prodigieuse, ce mélange de tant d'histoires diverses, leur trop grandn ombre d'Acteurs, la trop grande antiquité de leurs sujets, l'embarras de leur construction, leur peu de vray-semblance, l'excés dans leur caractere, sont des choses qui paroissent assez d'elles-mesmes.

La distribution d'une Histoire en quatre ou six volumes, est à present excessive ; on ne prend ordinairement pour matiere des Romans, qu'un seul évenement principal, et on ne le charge point de circonstances qui ne puissent estre contenuës en deux Tomes.

Le mélange d'Histoires particulieres avec l'Histoire principale, est contre le gré du Lecteur. Le titre d'une Nouvelle, exclut tout ce qui n'est pas necessaire pour la composer, en sorte que ce qu'on y ajoûte, arreste le cours de la premiere Histoire. Les Lecteurs se rebutent, ils sont fâchez de se voir interrompus par le détail des avantures de Personnes pour qui ils s'interessent peu, et il arrive que dans la crainte de perdre de veuë, et d'oublier un commencement de lecture qui ne manque point de les attacher aux premiers Héros, ils négligent de lire ce qui ne les regarde pas, c'est-à-dire, les trois quarts de toute la Fable.

Le petit nombre d'Acteurs épargne une grande confusion dans l'esprit et dans la mémoire. D'un costé, l'union des matieres en est plus suivie ; de l'autre, l'imagination n'est point sans cesse occupée à reconnoistre les Personnes dont on parle, et enfin chacun y paroist mieux caracterisé.

Les Nouvelles ne devroient point avoir pour sujets, des évenemens trop anciens, et on peut ajouter à cet article, qu'elles ne devroient point aussi avoir pour Scene, des lieux trop éloignez. Jamais un Historien ne peut assez attacher les Lecteurs. On n'a guére de curiosité pour des Siecles, et des Païs inconnus; on en a au contraire pour ceux qui sont peu étrangers; et il est indubitable, que de deux Histoires également travaillées, dont l'une contiendra tous incidens arrivez en France pendant les derniers Siecles, et l'autre tous incidens arrivez en Grece, ou pendant la premiere Race de nos Roys, celle-cy interessera infiniment moins; un nom barbare est seul capable de faire haïr une Histoire bien écrite.

On ne recite [1] plus dans le Roman. Il n'est plus de Confident qui fasse l'Histoire de son Maître; l'Historien [2] se charge de tout, et en quelque endroit où on lise, on n'est plus embarrassé de sçavoir lequel parle, ou l'Historien, ou le Confident. D'ailleurs, c'est le mérite seul des Héros, ou l'état de leur fortune, qui nous fait attendre avec impatience la fin de leur Histoire; ce n'est plus l'embaras de la construction, et ainsi on ne pratique plus cette fatigante beauté de commencer l'ouvrage par sa fin.

La vray-semblance consiste à ne dire que ce qui est moralement croyable, et on ne se confie point [3] sur ce qu'il est arrivé des choses plus extraordinaires que celles qu'on avance. La verité n'est pas toujours vray-semblable; et cependant celuy qui écrit une Histoire vraye, n'est point obligé d'adoucir les choses, pour les rendre capables d'estre crües. Il n'est point garand de leur vray-semblance, parce qu'il doit les raporter telles qu'elles se sont passées, et parce qu'elles sont connuës de plusieurs; mais l'Autheur d'une Histoire fabuleuse, donne luy-mesme l'estre aux incidens de ses Héros, et il ne se met point au hazard d'estre dementy, parce qu'il ne pourroit se justifier. Ainsi, bien que l'un puisse sans préparation écrire que le Roy, quand il a esté present, a emporté en trois ou quatre journées des villes qui se vantoient de ne pouvoir estre prises, l'autre ne pourroit pas dire la mesme chose de son Héros.

Neanmoins je croirois mal juger de ces Ouvrages, si parce que leur principale action détachée de ses circonstances me sembleroit incroyable, je décidois qu'ils sont défectueux. Bien éloigné de ce sentiment, je croy que l'Historien devroit toûjours affecter des actions de cette nature, parce que plus elles semblent hors de la raison et de la vray-semblance ordinaires, plus pour les persuader il feroit voir son esprit et son adresse. De cette sorte, loin d'estre prévenu contre une Histoire, où l'on parleroit d'une jeune Personne qui refuse d'épouser son Amant, parce qu'elle s'imagine l'aimer trop, j'aurois impatience de la lire, et je jugerois par avance que son Autheur est d'un génie élevé, ou du moins je suspendrois mon jugement, jusqu'à ce que j'eusse veu les moyens que l'on auroit employez pour établir, conduire, justifier, et finir ce point principal, qui séparé du reste, paroist si extravagant et presque impossible.

---

1. Le sens du mot *réciter* est expliqué par la phrase suivante.
2. Le romancier.
3. On ne se fonde point.

On n'outre plus la vertu dans les Femmes. Les Femmes pour se faire aimer, doivent estre vertueuses; mais sur ce principe, on ne met pas cette vertu à de trop grandes épreuves. Le courage dans les Hommes paroist par le grand nombre, ou d'entreprises, ou de dangers; mais la sagesse des Femmes, loin de devenir héroïque après de longs combats, devient soupçonnée, et il n'appartient qu'à Dieu seul de luy donner des récompenses apres plusieurs occasions dangereuses, parce que luy seul ne juge point selon l'usage, ou les apparences. Prazimene [1] se retira du Palais de Ninus, pour suivre Mélistrate. Mélistrate estoit jeune, amoureux, admirablement bien fait. Prazimene l'aimoit éperduëment. Elle estoit avec luy dans des Deserts, dans un Vaisseau, seule, sans Mere, sans Femmes, séduite par son amour, par la pitié, par la confiance et par l'occasion, cependant on croit qu'elle fut sage; mais ces grandes vertus, aussi bien que la valeur du Roy, ne doivent point servir d'exemple. Si Prazimene a résisté à tant d'Ennemis, elle estoit Assyrienne. On ne dressoit point encor d'embusches à la Vertu; l'innocence faisoit alors une partie du mérite des Hommes; mais aujourd'huy les Héros sont infailliblement dangereux, et la sagesse des Héroïnes ne souffre plus ny courses ny avantures.

Toutes ces remarques nous font voir une grande diférence entre les Romans anciens et les Romans nouveaux. Ils ne sont pas néantmoins dissemblables en toutes choses, et le premier but des uns et des autres, est de plaire par l'invention des incidens, par la constante des caracteres, par la noblesse des pensées, par la justesse des mouvemens du cœur; mais il est vray aussi qu'ils ne s'y ressemblent pas entierement, et il sera aisé de connoistre, après l'explication de toutes ces circonstances dans les petites Histoires, la diférence de leur usage.

On ne cherche point aujourd'huy des incidens sur les Mers, ou dans la cour d'un Tyran. L'action la plus legere peut former une action admirable; et tout l'art de faire ainsi valoir une petite circonstance, est de caractériser fortement, et d'une maniere sensible, les Personnes de qui on parle. Un Homme dépeint avec tous les traits de la jalousie, n'a pas besoin, pour avoir une douleur violente, de trouver sa Maîtresse dans une conversation particuliere avec un Rival extraordinairement bien fait; la moindre civilité qu'elle luy rendra, fera trembler le Lecteur par la crainte que cette extréme jalousie ne produise quelque effet funeste. Une Femme fiere, et qui voudroit éternellement cacher sa foiblesse à un Homme qu'elle aime, fera compâtir les Lecteurs, lors qu'elle sera au moindre danger de paroistre devant luy; et ces divers mouvemens de crainte ou de pitié, penétreront davantage dans nos cœurs, que quand nous voyons ou un Prince seul attaqué par un grand nombre d'Ennemis, ou une Princesse exposée sur le sable au flux des eaux, ou à la rencontre des Bestes farouches. [...]

Toutes les Personnes qui ont une part considérable à ces Nouvelles, pourroient estre dépeintes au plûtost, afin que par la connoissance de leurs qualitez, de leurs caracteres, et de leur mérite, on commence d'abord à s'intéresser ou pour eux, ou pour l'Histoire.

---

1. *La Prazimene* est un roman en quatre volumes, par Le Maire, paru en 1637. A travers cet obscur roman, il est probable que Du Plaisir vise Mandane, héroïne du *Grand Cyrus*.

Je croy qu'il seroit d'un bon usage, de ne point loüer par les traits du visage, et du corps. Outre que ce détail de nez, de bouche, de cheveux, de jambes, ne soufre point de termes assez nobles, pour faire une expression heureuse, il rend l'Historien suspect de peu de verité. Les Lecteurs sçavent que tous ces traits ne consistent que dans son imagination, et que souvent parce qu'il aime le blond, il a fait blond ce qui avoit esté brun [1]. Enfin ces sortes de peintures ne plaisent point universellement; s'il est des Personnes qui aiment dans les Hommes une taille fine, il en est qui aimeront davantage une taille pleine; et ainsi l'Autheur peche contre le dessein qu'il a de faire aimer de tout le monde, ceux dont il parle.

Les qualitez de l'ame au contraire, plaisent à chacun. Ce sont elles seules qui font les caracteres, et ce sont elles seules encor qu'il faut décrire distinctement, au lieu qu'il suffira d'exprimer par quelque terme general les avantages extérieurs.

Je ne parle icy que des Héros du second ordre, c'est à dire, de ceux qui n'entrent dans l'Histoire que pour noüer l'intrigue. Les principaux semblent demander d'autres regles en ce qui regarde les moyens de les faire estimer. Je parlerois de leur caractere sans parler de leur mérite. Tout ce qu'un Autheur peut dire de leur esprit, ou de leur vertu, ne fait jamais assez d'impression; et dans l'impossibilité de remplir toute l'esperance, qu'ont les Lecteurs de voir des coups de pinceau extraordinaires, et dignes d'un premier Heros, il ne montreroit qu'incapacité, et que foiblesse. [...]

Dans ces rencontres, les actions seules doivent parler. Un Héros se peint par ses effets; et si on voit une Femme raisonnable perdre dés le premier moment où elle l'apperçoit une fierté, et un repos qu'elle avoit conservé aupres du reste des Hommes, il sera bien mieux dépeint que par tous ces mots de bonne mine, d'agrémens, et de majesté. [...]

L'Historien peut bien dans le commencement de l'Ouvrage employer tout son esprit, pour faire estimer, ou pour caractériser ses Héros; mais il ne le pourroit pas ailleurs, et je croy que voicy une raison de cette diférence. Les particularitez sur les tempéramens ou sur le mérite écrites avant les actions, sont simplement regardées comme des traits ressemblans, et comme un portrait necessaire; mais dans le détail de ces actions, elles font voir que l'Autheur applaudit, blâme, et s'intéresse. La peinture qu'il a faite une fois, doit seule estre le principe de tous les mouvemens qu'il décrira. S'il la retouche dans la suite, il témoignera qu'il a manqué de la finir d'abord, ou fera une repétition inutile, et je serois fâché d'y trouver : *Elle estoit reconnoissante, elle estoit naturellement tendre, elle estoit généreuse, et c'en estoit trop pour résister davantage.*

Ce des-intéressement si necessaire dans l'Histoire, défend aux Historiens de joindre mesme à un nom quelque terme flateur, quoy que facile à justifier. Autrement ils sortiroient de leur indifférence et parlassent-ils mesme du Roy, ils ne pourroient pas dire *ce grand Prince.* Ce n'est point à eux d'estre Juges du mérite d'un Héros, ils doivent uniquement représenter ses sentimens ou sa conduite, et les Lecteurs seuls peuvent luy donner les loüanges dont il est digne. [...]

---

1. On notera qu'un reproche analogue est formulé par Furetière, voir tome I, p. 275.

L'Historien doit en tous les endroits de son Histoire paroistre poly; mais il ne doit pas y paroistre toûjours spirituel. Il ne peut donner liberté à son esprit, c'est à dire, entrer en de longues réfléxions, que lors qu'on est en peine de quel œil un Acteur regardera un évenement, et de quelle maniere il se tirera de quelque embarras [1], ou du moins quand il est assuré que les Lecteurs auront assez de patience et de tranquilité, pour attendre un temps à rentrer dans le fil des incidens.

Quelques belles que fussent ces peintures, elles rebuteroient si elles estoient placées au moment d'une extrême curiosité. Ainsi un Autheur qui par une grande connoissance des sentimens du cœur, auroit fait voir tout ce que soufrent deux Personnes éloignées l'une de l'autre, ne pourroit pas, lors qu'elles se rejoignent, faire un second portrait des mouvemens de l'ame. Leur douleur qu'il auroit dépeinte, feroit assez juger de toute leur joye. On n'est plus curieux alors de sçavoir ce qu'elles peuvent penser, on souhaite seulement connoistre la maniere avec laquelle elles vont se recevoir, et c'est icy que l'Autheur doit estre spirituel sans le paroître; c'est à dire employer tout son esprit à former une conversation naïve, où il semble que c'est bien moins luy qui parle, que l'Acteur luy-mesme.

Il me paroîtroit assez judicieux d'achever une conversation quand elle est commencée. L'interruption en est toûjours tres-desagreable au goust des Lecteurs. Deux Personnes, par exemple, mutuellement offensées par quelques faux bruits, entrent dans un ressentiment l'une contre l'autre qui leur fait fuïr toutes les occasions de se revoir; le hazard les assemble, elles se regardent d'abord avec mépris, ensuite l'amour veut paroistre sous sa premiere forme, on consent à s'éclaircir, et à peine a-t-on commencé, que l'on voit arriver une Personne suspecte.

Les Hommes habiles n'attribuëroient pas au hazard ces rencontres importunes; on sçait trop que l'Historien n'a pas aujourd'huy la liberté de faire des avantures impréveuës, ou brusques, et on ne les attribuëroit qu'à une indigne paresse, ou à quelque impuissance de trouver un moyen pour finir, ou pour soûtenir agreablement une conversation, et séparer deux Personnes qui ont de grands interests ensemble.

Il n'est pas besoin de prouver les laideurs de ce defaut; on n'a qu'à se représenter un état semblable à celuy que j'ay décrit, et on verra assez par le dépit que l'on sentira contre l'Historien, ou contre l'Interrupteur, combien on aura esté heureux, ou de n'avoir pas espéré un éclaircissement dont on est privé, ou de voir au contraire terminer une entreveüe qui donnoit tant d'attention, et d'inquietude.

Un autre défaut ou de paresse, ou de peu d'invention, seroit lors qu'un Autheur dans le besoin qu'il auroit d'éloigner ses Héros, ou du Cercle, ou du Bal, luy donneroit des prétextes ou peu spécieux, ou trop dépendans du hazard. Il vaut mieux faire moins

---

1. C'est donc dans l'analyse psychologique que le romancier **devra mettre** son « esprit ».

d'intrigue, et la finir davantage. Rien, par exemple, seroit-il plus capable de rebuter, que de voir une Femme, qui pour éviter une visite, pour cacher son trouble, pour jouïr de la solitude, s'excuseroit aussi-tost sur une maladie.

Ce prétexte, outre qu'il seroit trop uniforme, seroit encor dégoûtant. Un des plus grands traits de beauté dans une Femme, est d'estre propre; il est impossible de l'estre quand on est souvent mal-saine. Une indisposition dans toute une Histoire, peut donner de la pitié; mais une rechute commence à déplaire.

# texte 27 Lettre sur « Eléonor d'Yvrée » (1687)

Parue dans *Le Mercure* de septembre 1687, cette lettre a été recueillie dans les éditions des *Œuvres complètes* de Fontenelle. Elle montre ce que le public attendait de la *nouvelle* psychologique, telle que l'avait créée M^me de Lafayette. Voir plus loin, texte XV, un extrait de l'œuvre de Catherine Bernard.

Que donneriez-vous, Madame, à un homme qui vous apprendroit que, selon toutes les apparences, le goût des Romans va se rétablir? Je suis assuré que vous recevriez avec plaisir une pareille nouvelle, et c'est moi qui serai assez heureux pour vous la porter. Nous nous imaginions que le siècle avoit perdu ce goût-là; nous croyions l'avoir perdu nous-mêmes; mais il est aisé de voir d'où cela venoit. On ne faisoit plus de Romans, et le goût périssoit, faute de sujets sur quoi il pût s'exercer. Je viens de faire une lecture qui m'a rendu l'ancienne vivacité que j'ai eue pour ces sortes d'Ouvrages, et que j'espere qui réveillera aussi la vôtre. Je vous parle d'*Eléonore d'Yvrée* que je vous envoie. C'est un petit sujet peu chargé d'intrigues, mais où les sentimens sont traités avec toute la finesse possible. Or, sans prétendre ravaler le mérite qu'il y a à bien nouer une intrigue, et à disposer les événemens de sorte qu'il en résulte de certains effets surprenans, je vous avoue que je suis beaucoup plus touché de voir régner dans un Roman une certaine science du cœur, telle qu'elle est, par exemple, dans *la Princesse de Cleves*. Le merveilleux des incidens me frappe une fois ou deux, et puis me rebute; au lieu que les peintures fidelles de la nature, et sur-tout celles de certains mouvemens du cœur presque imperceptibles, à cause de leur délicatesse, ont un droit de plaire qu'elles ne perdent jamais. On ne sent, dans les aventures, que l'effort de l'imagination de l'Auteur; et dans les choses de passion, ce n'est que la nature seule qui se fait sentir, quoiqu'il en ait coûté à l'Auteur un effort d'esprit que je crois plus grand. Vous trouverez dans *Eléonore d'Yvrée* beaucoup de beautés de cette derniere espéce, et des beautés fort touchantes. *Eléonore*, le Duc de *Misnie* et *Matilde* y sont dans une situation douloureuse, qui vous remplit le cœur d'une compassion fort tendre, et presqu'égale pour ces trois personnes, parce qu'aucune des trois n'a tort, et n'a fait que ce qu'elle a dû faire. Le style du Livre est fort précis; les paroles y sont épargnées, et le sens ne l'est pas. Un seul trait vous porte dans l'esprit une idée vive, qui, entre les mains d'un Auteur médiocre, auroit fourni à beaucoup de phrases, si cependant un Auteur médiocre étoit capable d'attraper une pareille idée. Les conversations sont bien éloignées d'avoir de la langueur; elles ne consistent que dans ces sortes de traits qui vous mettent d'abord, pour ainsi dire, dans le vif de la chose, et rassemblent en fort peu d'espace tout ce qui étoit fait pour aller au cœur. Enfin, on voit bien que la personne qui a fait ce Roman-là a plus songé à faire un bon Ouvrage, qu'un Livre; car, comme on se propose d'ordinaire, pour un Livre, une certaine étendue, et même un certain volume, on n'a pas accoutumé d'être plus avare de paroles, que de pensées. Je ne vous en dirai pas davantage, Madame; aussi-bien vous ne croirez de tout ceci que ce que votre cœur en sentira; mais pour cette fois j'espere bien être d'accord avec lui.

texte 28    # De l'Usage des Romans (1734)

Sur le traité *De l'Usage des Romans*, voir tome I. pp. 326-327.

### MAXIMES A OBSERVER DANS LES ROMANS

Au chapitre III, *Des Conditions d'un Roman destiné pour plaire et pour instruire*, l'auteur énumère d'abord les *Défauts à écarter dans les Romans*, puis les *Maximes à observer dans les Romans*. La première des maximes à observer est de ne choisir que des sujets nobles : les romans réalistes et les nouvelles, dont les sujets ne sont pas nobles, sont-ils alors de véritables romans? C'est la question que pose Lenglet du Fresnoy, dans un esprit assez étroit.

[...] Voilà tout d'un coup bien des ouvrages amusans, ingénieux et même instructifs, chassez du corps des Romans, puisqu'on n'y trouve ni la dignité du sujet, ni la majesté des personnes, ni la noblesse des caracteres. C'est faire main-basse sur *Lazarille de Tormes, Gusman d'Alfarache, Gil Blas*[1] *de Santillane* et même sur le pauvre *Scarron*, dont le *Roman Comique*, malgré la séverité de cette censure, se soutiendra toujours par les agrémens, les saillies et les portraits aussi bizarres que naturels dont il a sçu décorer cet ingénieux ouvrage; et je vous dirai qu'il n'en ignoroit pas l'imperfection de

---

1. Lenglet du Fresnoy, ici et plus bas, écrit *Giblas*.

ce côté-là. [...] Passons donc celui-ci; il mérite grace, ne seroit-ce que par les épisodes si gracieux et si bien narrés qu'il contient; et je suis bien-aise de marquer ce que le célebre M. *Huet* m'a dit plusieurs fois, comme à beaucoup d'autres, que jamais homme n'a mieux entendu que Scarron, le stile et le caractere de la narration; et que rien n'étoit plus correct à ce sujet que ses nouvelles et les épisodes de son Roman. Mais il faut avoüer que le Héroïsme de *Lazarille de Tormes* ne méritoit pas de figurer ailleurs que dans les rües de Madrid, et il ne convenoit pas d'instruire la postérité des tours de souplesse de ce Héros de la gueuserie, non plus que des Avantures de *Guzman d'Alfa-rache*, qui ne valoit pas mieux, et dont la vie n'est enflée que par de longues Prédications et d'ennuyeuses moralités qui ne convertiront jamais ceux qui auront la patience de le lire [1]. Le *Gil Blas*, quoique mieux écrit, n'est pas digne d'un sort beaucoup meilleur. Je m'embarasse peu si l'on a trouvé yvre et vautré dans la boüe un célebre Licentié, que l'on fut même obligé de remener chez lui. Mais ce sont-là, dit-on, des caracteres de mœurs; ce sont des portraits [...]; je conviens de tout cela. Mais qu'ai-je affaire des portraits d'un *Saint-Pavin*, ou d'autres gens de pareille étoffe? J'aime beaucoup mieux les *Wandeyk* que les *Reymbrans;* et je fais plus de cas d'une étude de *le Clerc* que d'un craïon de *la Fage* [2].

J'ai dit, et je l'avois presque oublié, que je rétablirois l'honneur de bien des Livres, qui portent le glorieux nom de Romans sans en avoir toutes les qualités; c'est-à-dire, qui paroissent plutôt sur le pied de recits historiques, que de poëmes héroïques. *La mode des grands Romans* qui avoient longtems fait les délices de la Cour, *ayant cessé avec celles des chapeaux pointus*, dit un Auteur [3], on se jetta sur les Historiettes, les Nouvelles et les Romans historiques, ornés des agrémens que la vérité peut souffrir; et leur goût qui subsiste encore aujourd'hui s'accommode assez bien avec l'impatience françoise. Les Avantures des grands Romans, tant pour le fond que pour les épisodes, étoient si coupées et si embarassées les unes avec les autres que l'attention se partageoit trop : il en faloit beaucoup plus que n'en ont ordinairement de jeunes personnes ou des gens occupés d'ailleurs, pour pouvoir rassembler et rejoindre toutes les pieces décousuës et dispersées de chaque Histoire particuliere. Un Roman auroit-il eu quarante Volumes, le dénouëment de toutes ses Parties ne se voyoit jamais que dans le dernier. Ainsi dans la lecture des trente-neuf premiers Volumes, on étoit toujours incertain de ce qui devoit arriver à tel Héros ou à telle personne pour qui on s'interesse; car dans tous ces divers caracteres, il est rare qu'il ne s'en trouve pas quelqu'un dont l'inclination convenable à nos mœurs ne nous touche plus que les autres. On s'est rebuté de tant d'embaras, de soins et d'incertitudes inutiles dans une lecture qui doit instruire sans fatiguer. Les petits Romans ont suplée à ce désagrément; si leur narratiou n'est pas tout-à-fait continuë, elle n'est point assez coupée pour faire perdre de vûë le fond principal, ni la mémoire des évenemens particuliers; c'est le premier avantage des historiettes. On a

---

1. LESAGE, qui venait en 1732 d'adapter *Gusman d'Alfarache*, en avait éliminé toutes les moralités.

2. Lire *Van Dyck, Rembrandt*; Sébastien Leclerc (1637-1714) est un célèbre graveur, Raymond Lafage (1656-1690) un dessinateur pour lequel nos contemporains ont plus d'estime que n'en avait Lenglet du Fresnoy, et Saint-Pavin un poète libertin et épicurien qui échangea des épigrammes avec Boileau.

3. LE NOBLE, préface d'Ildegerte (note de Lenglet du Fresnoy. Sur Le Noble, voir tome I, pp. 291-292 et *infra*, texte XVI.)

encore celui de changer souvent l'objet de ses lectures, et je n'ai que faire de le repéter, on sçait le goût que l'inconstance naturelle des hommes leur fait trouver dans cette diversité de matieres differentes. Oh! dans les choses d'agrément il ne faut pas moins avoir égard aux foiblesses, qu'aux perfections de l'humanité : il ne faut donc plus regarder les historiettes comme des Poëmes ou des Romans réguliers; cependant on ne peut se dispenser de les prendre au moins pour autant d'épisodes détachées que l'on presente à l'impatience d'un lecteur qui ne prétend pas étudier : il veut seulement s'amuser ou se délasser une heure ou deux; et si l'on détachoit ainsi toutes les épisodes des grands Romans, on feroit autant d'Historiettes ou de Nouvelles historiques dans le goût de celles qui sont maintenant en vogue. On peut donc les laisser joüir du nom de Roman, puisque ce sont comme des parties qui en paroissent détachées, et qui participent à l'agrément et à l'instruction qu'on tiroit auparavant de ces grands Poëmes. [...] Ainsi voilà les *Histoires secretes*, les *Nouvelles historiques* et les *Avantures galantes* maintenuës dans la possession de porter le nom de *Romans*, que j'avois paru leur ôter par une maxime peut-être trop generale; mais il y a remede à tout, on le voit bien. [...]

La deuxiéme loi ou *deuxiéme observation* consiste *dans le vraisemblable* [1]. C'est une régle ancienne, on ne fait aujourd'hui que la renouveller; les Grecs ne s'y sont pas toujours assujettis, non plus que ceux des Latins qui les ont trop servilement imités. Il est bon qu'ils ayent accommodé toute l'Histoire de leurs Dieux aussi burlesquement qu'ils ont fait; c'est une Apologie pour nos Contes des Fées, et pour les enchantemens si ordinaires dans nos vieux Romans de Chevalerie, sans cela nous serions bien embarassés à les défendre; il faudroit les abandonner aux voyes de fait que la sage raison pouroit employer contr'eux. Je sçai néanmoins qu'il y a des choses vrayes qui ne sont pas vraisemblables; mais il vaut mieux en embarasser l'Histoire; qu'elle s'en démêle comme elle pourra et ne les prostituons pas en les semant dans les Romans. Nos Romanciers ont assez à faire sans se fatiguer à enchasser dans leurs narrations des miracles et des prodiges; les modernes ont été là-dessus plus exacts que les anciens. Je ne compte point dans nos modernes ceux qui ont traité la Chevalerie depuis le IX ou Xᵉ Siecle jusqu'au XVI. Je ne commence qu'au XVII. Alors on voit de la régularité, de la vérité même jusques dans la narration fabuleuse. Si l'on dit qu'un Héros est vaillant, qu'il est brave, on n'en fait pas un Paladin, qui d'un coup de cimeterre pourfend le Cavalier armé à blanc avec son cheval.

#### UTILITÉ DES ROMANS [...]

Au chapitre VI, *Utilité des Romans pour inspirer des mœurs, réprimer les passions, en éviter les pièges, et pour connoître les usages du monde,* Lenglet du Fresnoy développe longuement une idée formulée déjà précédemment par Huet : le roman vaut pour les jeunes gens une expérience du monde; la théorie la plus belle est froide et abstraite, ses leçons sont oubliées aussitôt qu'apprises; les leçons du roman sont vivantes et modelées sur le réel. Encore ne peut-on pas faire lire n'importe quels romans aux « jeunes personnes » : certains sont trop pleins des passions mondaines, d'autres s'éloignent trop du vrai; il faut choisir

---

1. « Ficta voluptatis causa sint proxima veris », *Horat. de Poët.* (note de Lenglet du Fresnoy. Le vers cité est le vers 338 de l'*Épître aux Pisons*).

ceux qui sont conformes au naturel. Lenglet ne les désigne pas ici plus clairement; il nomme dans un autre passage les œuvres de M^lle de Scudéry, de M^me de Lafayette, de M^me de Ville-dieu, de Le Noble, etc., mais ses idées sur le roman sont en général plus spéculatives et dogma-tiques qu'inspirées par les livres effectivement lus à son époque.

Et c'est-là ce qui arrive dans les instructions : un seul jour passé dans le monde, renverse quelquefois tous les avis de la quinzaine. Ainsi il faut recommencer tout de nouveau. Oh! ce monde, vous le trouvez dans le Roman avant que d'y entrer, vous y voyez les préceptes mis en éxécution par des gens polis et des gens sages, tels enfin qu'on les pouroit desirer pour amis ou pour conducteurs de ses actions. Ils vous ménent par la main, il ne faut que les écouter et les suivre. On ne doit pas s'imaginer que les Romans partent tous de l'imagination de leur Auteur, que tout y soit idées chimériques, avantures fabuleuses, inventions agréables. Ce sont la plûpart des tems des portraits réels de ce qu'une personne atentive et repanduë dans le monde y a vû et découvert; il n'y a souvent que les noms de changés, ou quelques circonstances ajoutées ou suprimées pour ne pas dévoiler les acteurs.

Il y a dans les instructions un détail de minuties, dans lequel on ne peut entrer, et qu'il n'est pas possible de prévoir; elles ne sont rien dans le fond, mais elles deviennent quelquefois importantes par leurs suites. Ces minuties se trouvent dans les Romans, et tel les y blâme qui auroit bien fait peut-être de les y avoir observées. Allons plus loin; je consens qu'une Mere atentive, qu'une sage et habile Gouvernante ait assez de pénétration pour avoir tout remarqué, qu'elle ait l'esprit de détail pour se souvenir de tout, qu'elle ait même le talent d'y faire entrer une jeune personne, ce ne sont toujours que des avis : ainsi ils ont un air dogmatique et magistral, qui porte avec soi une sorte de sécheresse plus rebutante pour les jeunes personnes que pour celles qui sont plus avancées. Ils ne font pas toute l'impression qu'ils devroient, parce qu'ils ne sont point animés par l'exemple, qui augmente souvent la force du précepte, lorsqu'ils montrent en combien de manieres on le peut pratiquer; et c'est-là ce qu'on trouve dans les Romans. Les narrations, les personnes, les entretiens, cette variété de faits, d'incidens, de caracteres, de portraits, tout y soutient le précepte, en fait voir l'usage et l'aplication, et quelquefois même en insinuë les exceptions les plus sages, quand ils en sont suscep-tibles. On peut dire alors que le précepte est vivant, et ceux-là font bien plus d'effet que les autres.

J'ajoûterai enfin qu'une Mere, qu'une Gouvernante, ce n'est qu'une seule personne, au lieu que la lecture de cinquante petits Romans, sont autant de Maîtres qui instruisent chacun de ce qu'ils ont vû. Ainsi par-là une jeune personne sans sortir de sa chambre a déja vû ce qui se passe dans deux cens conversations ou compagnies qui sont peintes dans ces ouvrages. Il n'y a point de doute que cinquante Maîtres bien instruits ne valent mieux qu'un seul, quelque sage qu'il puisse être.

Tout ceci ne regarde que les vertus morales, ou les regles de conduite qu'on veut inspirer. C'est bien autre chose dès qu'il s'agit de se mettre en garde contre les passions, ou d'en éviter les piéges. Il faut convenir que la grande passion est l'Amour; c'est l'aimant de l'humanité, c'est la vie de l'ame, c'est même la clef de tout l'univers, c'est beaucoup dire, mais je ne donne point dans l'excès; les autres passions sont dignes à peine d'être les suivantes de celle-là. Elle produit des biens **infinis** prise à **propos**, c'est le seul regal du cœur quand on sçait en user avec discrétion; c'est le baume de toutes les belles actions : Dieu sçait aussi les échapées qu'elle fait faire aux personnes qui n'en connoissent pas la juste dose, cela consiste en un point presque imperceptible. Je sçai qu'il n'est pas moins dangereux d'être trop instruit que de ne l'être point assez; mais il y a un sage milieu entre trop et trop peu. Oh! comment s'y prendra une Mere pour en venir à ce point fixe, à cet exact équilibre? elle donnera des principes généraux à sa fille, j'y consens. Hé! ne sçait-on pas qu'avec des principes on est souvent atrapé, ou bien l'on fait quelquefois des impolitesses cruës et indigestes; et quoiqu'en disent les Pédagogues, il y a souvent autant de peril dans une vertueuse impolitesse que dans une chute secrete et bien voilée; les avis ne peuvent pas prévenir tous les piéges, il n'est registre qui tienne, on trouve tous les jours de nouveaux expédiens. Il n'y a pas longtems qu'on a dit qu'on ne s'avise jamais de tout : cela n'a fait qu'augmenter depuis, les filets sont aujourd'hui si déliés, que ceux de Vulcains n'étoient que des filets de Novices, en comparaison de ceux que fabriquent nos Ouvriers; on s'y prend sans le sçavoir, et l'on est quelquefois fort avant sans croire même qu'on puisse y venir. Le détail est à craindre, les conversations et les compagnies ne font pas sentir le desordre; elles se contentent d'y donner entrée. Les Histoires du monde ordinaire disent trop de crudités, on n'ose les entendre, ni les faire connoître à la jeunesse. Comment faire donc? Lisez de beaux, lisez d'agréables Romans; ils tiennent toujours au-deçà de l'Histoire; ainsi l'on n'y voit rien de scandaleux. Cependant ils découvrent les piéges, font voir le danger qu'il y a de s'y exposer, et donnent les moïens de les éviter, ou du moins ceux d'en sortir quand on s'y est engagé. Cet homme qui connoissoit si bien l'amour avoit raison de dire : « Si vous avez jamais des filles, laissez-les lire : une fille qui n'a rien lû croit qu'on n'a garde de la tromper, et n'en est que plûtôt prise; il est de l'amour comme du jeu, c'est prudemment fait que d'en aprendre toutes les ruses; non pas pour les pratiquer, mais afin de s'en garantir [1] ». Il y a bien d'autres dangers à fuïr que ceux de l'amour; la jalousie, la curiosité, la médisance, l'adulation, le mépris, la vanité, le luxe; tout cela est à la suite d'une jeune personne qui entre dans le monde. Il n'y a pas une de ces passions qui ne se métamorphose de vingt manieres differentes, pour voir comment elle surprendra jusqu'à ceux qui s'en méfient; c'est par la lecture qu'on peut les éviter, je veux dire une lecture d'ouvrages instructifs et détaillés tels que sont nos Romans, qui tournent les moindres passions de tant de côtés qu'il n'est pas difficile de les reconnoître, quoiqu'elles se presentent sous l'habit sage et honnête de la vertu. Les Livres dogmatiques ne vont pas jusques-là, ils sont moins faits pour instruire que pour ennuyer.

Enfin il y a un usage du monde, qu'il n'est pas permis d'ignorer; cet usage n'est ni dans la pratique de la vertu, ni dans les mœurs, ni dans la suite des passions [2]; ce sont des graces, mais qui ne sont pas tout-à-fait personnelles. C'est un talent qui consiste plus à faire valoir les autres qu'à se faire valoir soi-même; il consiste dans un tour adroit

---

1. La Fontaine dans sa *Psyché*, livre II (note de Lenglet du Fresnoy, qui modifie légèrement le texte de *Psyché* et met en tête du passage une phrase qui le termine chez La Fontaine).
2. Peut-être y a-t-il eu faute d'impression dans le texte original et doit-on lire *fuite des passions*, c'est-à-dire *art de fuir* les passions; mais *suite des passions* peut se comprendre au sens de *conduite à suivre* dans les passions, *art de les diriger*.

à faire sentir sans affectation ni fades loüanges combien on doit estimer ce que les autres disent ou font de bien; à leur déferer sans s'y soumettre bassement; à parler à propos, mais toujours juste et en termes convenables; à s'expliquer même ou par un sage, ou par un ingénieux silence. On n'a pas toujours l'esprit assez vif, pour prévoir sur le champ tout ce qu'il faut faire là-dessus dans les entretiens particuliers, il est bon de s'y préparer; et c'est par les Romans seuls qu'on le peut faire : c'est sur quoi tous les autres Livres sont en défaut; les situations où l'on represente les Acteurs donnent lieu de se préparer pour une pareille occasion. On n'y réüssit peut-être point d'abord; mais avec un peu d'expérience, on vient à bout d'en sçavoir plus que les Romanciers; on surpasse quelquefois ses Maîtres. [...]

Je le veux bien, répondra-t-on, mettons une jeune personne à même des Romans pour voir ce qui arrivera? Donnons-lui par exemple l'*Histoire des Favorites*, les *Galanteries des Rois de France*, les *Illustres Françoises*, les *Belles Grecques*, la *Fausse Clelie*, le *Comte de Clare*[1] et quelques-autres instructions de cette nature. Mais je ne l'entens pas ainsi, je prétens qu'il n'y ait pas moins de choix dans les Romans et dans les autres lectures amusantes, que dans tout ce qui peut servir à l'instruction de la jeunesse, et même à l'édification des ames. [...] Je ne voudrois pas aussi jetter une jeune personne dans tous ces Romans-là; ils ne sont point assez Romans, un peu moins d'histoire y feroit merveille. Il faut se fortifier dans l'art d'écouter et d'entendre avant que de voguer dans cette Mer; après cela on peut aller loin, mais il faut commencer par quelque-chose d'un peu moins vif.

Hé bien! ne les jettons que dans les grands Romans, ces Livres si sages, si graves, si mesurés. Mais n'en sçait-on pas les inconvéniens et les couleurs avec lesquelles le Satyrique de nos jours a representé la fadeur de ce Provincial qui disoit *tout Cyrus* dans ses longs complimens[2]? Ignore-t-on les idées que ces sortes de lectures ont quelquefois inspiré à des personnes qui avoient de l'esprit, de l'agrément et de la raison? Gâtées par des vûës Romanesques, elles ne goûtoient plus le naturel; tantôt par des façons de parler précieuses elles vouloient avoir un rang distingué du reste de l'humanité; une autre fois poussées par des goûts d'avanturieres, elles ne veulent pas moins que des Ducs; il leur faloit de l'étoffe à Héros. Trop d'habitude avec les grands fait prendre souvent de faux airs de grandeur. Un Comédien qui represente tous les jours sur le théatre des caracteres de Rois ou de Princes, se croit Prince avant que d'y monter, et même après qu'il en est descendu; mais ce n'est point ce que j'apelle user de ses lectures, ce n'est pas profiter des Romans. C'est dans les conversations paroître Livre au lieu d'être homme; c'est vouloir être Auteur jusques dans les entretiens familiers, je veux au contraire qu'on soit naturel; c'est-là que se doit porter l'attention d'une mere intelligente, ou d'un gouverneur habile, chercher à raprocher de l'agréable facilité de la vie toutes les idées des Livres, au cas que quelques-unes sortent un peu trop des bornes de cette aisance naturelle qu'on a si bien accommodée à nos mœurs.

---

1. Ouvrages « galants » de Mlle de La Roche-Guilhem, Vanel, Chasles (voir tome I, pp. 309-315), Catherine Bédacier-Durand (voir ci-dessous texte XVII), Subligny (voir tome I, pp. 278-279) et Mme de Tenain.
2. BOILEAU, *Satire III*.

texte 29 # Voyage merveilleux
# du Prince Fan-Férédin dans la Romancie,
# contenant plusieurs Observations Historiques,
# Géographiques, Physiques, Critiques
# et Morales (1735)

Sur cet ouvrage, voir tome I, pp. 327-328. Le chapitre cité ici fait la satire des aventures romanesques, telles qu'on les trouve encore dans les premières œuvres de Marivaux *(Les Effets surprenants de la Sympathie, 1713)* et de Prévost *(Mémoires et Avantures d'un Homme de Qualité qui s'est retiré du monde, 1728-1731)* : satire amusante, à peine exagérée, mais un peu anachronique.

## Chapitre XI

### DES GRANDES ÉPREUVES; ET RESSEMBLANCE SINGULIERE
### QUI FERA SOUPÇONNER AUX LECTEURS LE DÉNOUËMENT DE CETTE HISTOIRE

Je ne puis assez admirer, dis-je au Prince Zazaraph [1], le talent que vous avez de rapprocher les choses, et de les abréger. Car ce que vous venez de me dire en si peu de

---

1. Le prince Zazaraph, Grand Paladin de la Dondindandie, vient d'énumérer au prince Fan-Férédin les « Trente-six formalités préliminaires qui doivent précéder les propositions de Mariage ».

paroles, non-seulement je l'ai vû dans plus de vingt Romans différens, mais il y occupe des Volumes entiers. Ce n'est pas que j'aye le talent d'abréger, me répondit-il, mais c'est que d'une part la plûpart des Romans sont tous faits sur le même modéle, et que de l'autre leurs Auteurs ont le talent d'allonger tellement les événemens et les récits, qu'ils font un Volume de ce qui ne fourniroit que quatre pages à un Ecrivain qui n'entend pas comme eux l'art de la diffuse prolixité. Remarquez pourtant, ajoûta-t-il, que je ne vous ai encore parlé que des formalités préliminaires, et qu'avant que d'arriver à la conclusion du mariage, il reste bien du chemin à faire. Car comme dans un Laby-rinthe on sçait fort bien par où l'on entre, et que l'on ignore par où l'on en sortira : ainsi ceux qui s'embarquent sur la mer orageuse de l'Amour, sçavent bien d'où ils sont partis, mais ils ne sçavent point par où, comment, ni quand ils arriveront au Port. Deux jeunes personnes s'aiment comme deux tourterelles. Elles semblent faites l'une pour l'autre. Elles mourront si on les sépare : destin barbare! Faut-il... mais non, ce n'est point au destin qu'il faut s'en prendre, c'est aux Loix établies de tout tems dans la Romancie par les premiers Fondateurs de la Nation : Loix séveres, qui défendent sous peine de bannissement perpétuel de procéder à l'union conjugale de deux personnes qui s'adorent, avant que d'avoir passé par les grandes épreuves prescrites dans l'Ordon-nance.

Sans doute, dis-je alors au Prince Dondindandinois, j'aurai vû dans les Romans ce que vous appelez les grandes épreuves; mais je serai bien aise de les connoître plus distinctement, et d'apprendre de vous surquoi est fondée cette Loy, et si elle est indis-pensable. Si vous avez lû, me dit-il, les Avantures du pieux Enée, vous avez dû remarquer que sans la haine que Junon lui portoit, toute son Histoire finissoit au premier Livre; car il arrivoit heureusement en Italie, il épousoit la Princesse Latine, et voilà l'Eneïde finie. Mais son Historien ayant habilement imaginé de lui donner Junon pour ennemie, cette Déesse implacable lui suscite dans son voyage mille traverses, qui font une longue suite d'événemens extraordinaires, et qui donnent matiere à une grande Histoire. Or voilà sur quel modéle nos Annalistes ont établi la Loy des grandes épreuves. Au défaut du Neptune, d'Ulysse et de la Junon d'Enée, ils ont trouvé des Fées et des Enchanteurs ennemis, dont la haine puissante et les persécutions continuelles donnent lieu aux Héros de signaler leur courage par mille exploits inoüis; et comme il n'y a ni valeur, ni forces humaines qui puissent résister à de si terribles épreuves, ils ont soin de leur donner en même tems la protection de quelque bonne Fée, ou de quelque Génie puissant, comme Ulysse et Enée avoient l'un la protection de Minerve, l'autre celle du Destin. De-là il est aisé de juger que cette Loy dans la Romancie doit être indispensable, et elle l'est en effet si bien, que les Fils de Rois, et les plus grands Princes sont ceux qu'elle épargne le moins.

Que faut-il donc penser, repartis-je, de la plûpart des Héros modernes pour qui on ne voit plus agir ni les Divinités ni les Génies, soit amis, soit ennemis? Ce sont, me dit-il, des Héros bourgeois, qui n'ont ni la noblesse ni l'élévation qui est inséparable de l'idée d'un Héros Romancien. Mais ils ne laissent pas d'être sujets comme les autres, à la Loy des épreuves. Un Amant, par exemple, croit toucher au moment qui doit le rendre heureux. Les parens de part et d'autre consentent au mariage; point du tout. Il survient un prétendant plus riche et plus puissant, qui met de son côté une partie des parens; quel parti prendre? Il faut ou se battre ou enlever la Belle. S'il se bat, il tuëra sûrement son homme. Mais que deviendra-t-il? Voilà matiere d'avantures pour plusieurs années. S'il enleve sa Princesse; il faut qu'il la consigne chez quelque parente qui veüille bien la cacher, et qu'il ait bien soin de se cacher lui-même pour se dérober aux recherches. Tout cela est bien long; mais voici le tragique.

Un soir que la Belle enlevée prend le frais sur le bord de la mer avec sa parente, il vient une Tartane d'Alger qu'elle prend pour un Bâtiment du pays, et qui faisant brusquement descente à terre, enleve les deux Belles Chrétiennes pour les mener vendre à leur Dey. Quelle épreuve pour un Amant! Il ne sçait en quel pays du monde on a transporté le cher objet de ses pensées, ni quel traitement on lui fait. Quelle situation! Ce sera bien pis, si tandis que le Corsaire fait voile en Afrique, il est attaqué, et pris par un Vaisseau Chrétien, dont le Commandant est précisément le Rival de l'Amant infortuné. Voilà de quoi mourir mille fois de rage et de douleur, sans qu'heureusement tous les Romanciers ont la vie extrêmement dure [1].

Mais supposons que la charmante Isabelle arrive à Alger; elle est présentée au Dey qui en devient amoureux, jusqu'à oublier toutes les autres beautés de son Sérail. Elle aura beau rebuter sa passion, et faire la plus belle défense du monde : Le Dey ennuyé de ses larmes, et las de sa résistance, veut enfin user de tout son pouvoir. Le jour en est marqué, et il le fera tout comme il le dit. Ah! Prince, m'écriai-je alors, que cette épreuve est terrible! j'en fremis. Non, non, repliqua-t-il, rassûrez-vous : dans la Romancie on trouve remede à tout. L'Amant a si bien fait par ses recherches, qu'il a découvert le lieu où sa chere ame est captive, et il ne manque jamais d'y arriver à point nommé la veille du jour fatal. Déguisé en garçon Jardinier, il entre dans le Jardin du Sérail; il trouve moyen de faire un signal; il glisse un billet; Isabelle transportée de joye, se prépare à profiter de la nuit pour s'évader avec lui. Une échelle de soye, des draps attachés à la fenêtre, une corde avec un panier, que sçais-je? On trouve dans ces occasions mille expédiens, qui ne manquent jamais de réussir.

O! que le Dey fera le lendemain un beau bruit dans son Sérail! que de têtes d'Eunuques tomberont sous le Cimeterre du furieux Achmet! mais les deux Amans le laissant exhaler toute sa fureur à loisir, auront trouvé au port un petit bâtiment qui les attendoit, et ils sont déja bien loin. Au reste, ne croyez pas que ces Avantures soient bien singulieres; car pour peu que vous ayez lû les Annales Romanciennes, vous devez avoir vû qu'il n'y a rien de si commun.

En voulez-vous d'une autre espéce, ajoûta-t-il? L'Amoureux Cavalier a la nuit dans le Jardin de sa Belle un rendez-vous secret; mais en tout honneur, dans un Bosquet sombre, où de la lumiere seroit dangereuse. La petite porte du Jardin est demeurée entr'ouverte. Or le frere ou le pere de la Princesse voulant par hazard entrer par la petite porte, et la trouvant ouverte, se doute de quelque chose. On devine aisément tout le reste : grand bruit; on attaque, on se défend, on apporte des flambeaux, le Cavalier ne se bat qu'en retraite; mais il a beau faire, il faut de nécessité, et c'est encore là une régle capitale, que le frere ou le pere de celle qu'il adore, s'enferre lui-même

---

1. *Sans que tous les Romanciens ont* = si tous les personnages de roman n'avaient pas.

dans l'épée de l'infortuné Cavalier. Or jugez combien il faut d'années pour raccommoder une pareille avanture.

Il faut en attendant aller servir en Flandre ou en Hongrie. Autre inconvenient; car en Flandre il est crû mort dans une bataille, et la désolée Leonore après s'être arraché tous les cheveux de la tête pendant six mois, prend enfin quelque parti funeste à son Amant. En Hongrie on est fait prisonnier et envoyé esclave en Turquie pour y travailler au Jardin, ou à entretenir la propreté des Appartemens.

Je vous avouë Prince, dis-je au Grand Paladin, que de toutes les épreuves, cette derniere est celle que j'aimerois le mieux : car j'ai remarqué que de tous ceux qui partent de la Romancie pour aller être esclaves en Turquie, à Tripoli ou à Alger, il n'y en a aucun qui ne fasse fortune. Cela est vrai, repliqua-t-il; mais remarquez aussi qu'avant que de partir, il n'y en a pas un qui ne prenne la précaution de sçavoir bien danser, d'avoir une belle voix, de joüer des Instrumens dans la perfection, et d'être aimable et bien-fait. C'est par-là que tout leur réussit. On fait voir l'esclave étranger à la Sultane favorite pour la réjoüir. Or l'esclave est un homme si admirable, et toutes ces Sultanes ont le cœur si tendre, qu'en moins de rien voilà une intrigue toute faite, et un pauvre Sultan fort peu respecté. La condition leur plairoit assez, si elle pouvoit durer; mais il n'y a pas moyen : les Loix de la Romancie sont extrêmement séveres sur ce chapitre; il faut que le Sultan, averti ou non, entre dans le Sérail et menace de tout tuer. Quel tintamare ! ce ne sera pourtant que du bruit. On l'a entendu venir : la Sultane craignant pour sa vie, trouve le moyen de s'enfuir avec son charmant Bezibezu (c'est le nom de l'esclave), et ils sont déja bien loin. En quatre jours la belle Maroquine arrive à Marseille ou à Barcelone; et le lendemain elle est présentée au baptême. La seule chose qui me déplaît dans cette avanture, c'est que les Loix veulent encore que le coffre de pierreries que la belle Maure a emporté avec elle soit jetté à la Mer, ce qui la réduit à l'aumône.

Ces épreuves, repris-je à mon tour, me paroissent très-peu agréables; mais j'en ai vû d'autres qui ne le sont guéres davantage. Que dites-vous, par exemple, ajoûtai-je, d'un pauvre Amant, qui lorsqu'il est à la veille d'épouser tout ce qu'il aime, voit sa Princesse enlevée par des inconnus, et transportée dans un lieu inconnu, sans qu'après mille recherches il puisse en apprendre la moindre nouvelle? Vous m'avoüerez que voilà une des situations les plus favorables pour les sentimens tragiques et les beaux désespoirs. Ah! cher Prince, s'écria le Prince Zazaraph, quel souvenir me rappelez-vous? Je l'ai essuyée cette cruelle épreuve, et vous pouvez demander à tous les Echos de nos Forêts tout ce qu'elle m'a coûté de regrets douloureux, de sanglots pathétiques, et d'hélas touchants. Oüi, je me serois donné mille fois la mort, si on n'avoit eu la précaution, comme c'est l'ordinaire en ces occasions, de m'ôter épée, poignard, pistolets, et tout instrument qui tuë. C'est pour éviter les funestes effets d'un pareil désespoir, qu'au dernier enlévement de ma Princesse j'ai été condamné à dormir d'un si long sommeil, parce qu'on n'a pas crû que je pûsse soûtenir sans mourir une seconde épreuve de cette nature.

Vous auriez du moins pû, lui dis-je, dans un si triste accident vous munir d'un portrait de votre Princesse, ou du moins de quelques petits meubles qui auroient été à son usage. Cela est d'une ressource infinie; car j'ai connu un Cavalier appelé le Marquis de Rosemont [1], qui ayant ainsi trouvé le moyen d'avoir jusqu'aux chemises, aux bas et aux cotillons de sa défunte Donna Diana, passoit une bonne partie du tems à se les mettre sur le corps, à les contempler et à les baiser l'un après l'autre avec une douceur inexprimable. Il est vrai, me répondit le Prince, aussi ne trouvai-je alors de consolation qu'à contempler et à baiser mille fois par jour le portrait de l'adorable Anemone.

Le Prince tira en même tems le portrait, et me le montra. Dieux! quel fût mon étonnement? ami Lecteur, je ne vous ai pas trop préparé à cet incident; mais il est vrai qu'alors je ne m'y attendois pas non plus moi-même; ainsi votre surprise ne sera pas plus grande que la mienne. Je crûs reconnoître dans le portrait ma sœur, l'Infante Fan-Férédine. Il est vrai qu'elle me paroissoit extraordinairement embellie; mais enfin c'étoient ses traits et toute sa physionomie : de sorte que je n'aurois pas balancé un moment à croire que c'étoit elle-même, si je n'en avois vû clairement l'impossibilité. Car j'étois bien sûr qu'en partant pour la Romancie, j'avois laissé ma sœur l'Infante à la Cour de Fan-Férédia, auprès de la Reine Fan-Férédine ma mere. Ma sœur ne s'étoit jamais d'ailleurs appellée la Princesse Anemone; ainsi je crûs devoir regarder cette ressemblance comme un effet tout simple du hazard. Je ne pus cependant m'empêcher de dire au Grand Paladin la pensée qui m'étoit venüe à l'esprit à la vûë du portrait. Cela est admirable, me répondit-il; car dans ce même moment vous observant aussi moi-même de plus près, j'ai crû appercevoir en vous des traits de ressemblance très-frappants avec le frere de ma Princesse; de sorte que si elle ressemble à votre sœur, je puis vous assûrer que vous ressemblez aussi beaucoup à son frere, à cela près, que vous êtes beaucoup mieux fait, et que vous avez l'air plus noble et plus aimable. Oh! pour le coup, lui dis-je, je suis donc tenté de croire qu'il y a ici de l'enchantement, ou quelque mystere caché; car je trouve aussi qu'en vous regardant de certain côté, vous ressemblez si bien à un jeune homme de ma connoissance, qui est amoureux de ma sœur, que je vous prendrois volontiers pour lui, si vous n'étiez incomparablement plus beau, mieux fait de votre personne, et outre cela Grand Paladin, au lieu qu'il n'est qu'un simple Cavalier. Mais, lui ajoûtai-je en interrompant cet entretien, il me semble que j'apperçois une espece de Ville ou de grande habitation, à deux ou trois lieuës d'ici. Oüi, me dit-il, et c'est où nous allons descendre : vous y verrez des choses assez curieuses [2].

---

1. *Avantures d'un homme de qualité* (note de Bougeant).
2. Cette ville, décrite au chapitre suivant, est celle des Ouvriers de Romancie, Enfileurs de babioles, Souffleurs de riens, Brodeurs d'histoires déjà connues, Montreurs de curiosités, etc.

texte 30 # Lettres Juives (1738)

On trouve dans ce texte un écho de la *Préface* des *Egaremens du cœur et de l'esprit :* le roman est un genre sérieux, dont la mission est d'instruire en peignant la nature humaine. Il est très remarquable que, pour d'Argens comme pour Crébillon, cette nature est à chercher dans la bonne société; d'Argens pense même que l'expérience de la misère et la fréquentation du peuple sont pour un romancier un obstacle et non une aide à la connaissance du cœur humain. Du moins affirme-t-il, et c'est en quoi ce passage est intéressant, qu'un romancier doit avoir par lui-même connu ce dont il parle.

## Lettre XXXV

[...] On regarde un Roman comme un Ouvrage fait uniquement pour amuser. Ce ne doit pas être le but pour lequel on doit le composer. Tout Livre qui ne joint pas l'utile à l'agréable, est peu digne de l'estime des connoisseurs. En amusant l'esprit, il faut instruire le cœur. C'est par-là que les plus grands hommes ont illustré leurs Ecrits.

Un Ecrivain, qui, plein de fictions et d'imaginations hardies, amuse les Lecteurs dans le cours de douze volumes d'incidens ménagés adroitement et d'une maniere intéressante; et qui cependant à la fin de son livre n'a rempli les esprits que d'enlevemens, de duels, de pleurs, de désespoirs et de larmes [1]; n'a ni la science d'instruire, ni le don

---

1. La Calprenede (note de d'Argens).

d'atteindre à la perfection : il ne possede de son art que la moindre partie. Un Auteur qui plaît sans instruire, ne plaît pas long-tems : il voit son Livre moisir dans la boutique du Libraire ; et ses Ouvrages ont le sort des mauvais Sermons et des froids Panégyriques.

Autrefois les Romans n'étoient qu'un ramas d'aventures tragiques qui enlevoient l'imagination, et déchiroient le cœur [1]. On les lisoit avec plaisir ; mais on ne retiroit d'autre profit de leur lecture que de se nourrir l'esprit de chimeres, qui souvent devenoient nuisibles. Les jeunes gens avaloient à long traits toutes les idées vagues et gigantesques de ces Héros inventés : et les génies habitués à des imaginations outrées ne goûtoient plus le vraisemblable. Depuis quelque tems on a changé cette façon de penser : le bon goût est revenu : au lieu du surnaturel on veut du raisonnable ; et à la place d'un nombre d'incidens qui surchargeoient les moindres faits, on demande une narration simple, vive et soutenue par des portraits qui nous présentent l'agréable et l'utile.

Quelques Auteurs ont écrit dans ce goût, et ont approché plus ou moins de la perfection, selon qu'ils ont plus ou moins imité la nature [2].

Il en est d'autres qui poussent les choses à l'extrême : à force de vouloir paroître naturels, ils sont devenus bas et rampans, et n'ont eu ni le talent de plaire, ni celui d'instruire [3].

Quelques-uns [4] ont eu recours à une fade allégorie, croyans de plaire par un goût nouveau. Leurs Ouvrages sont morts en naissant, et ont été si peu lûs qu'ils n'ont pas été critiqués.

Si les mauvais Auteurs réfléchissoient sur les talens et les qualités qu'il faut pour un bon Roman, ces sortes d'Ouvrages ne seroient plus leur refuge. Un homme pressé par la faim et par la soif veut faire un Livre. Il n'a ni assez de science pour écrire l'Histoire, ni assez de génie pour travailler à des Ouvrages moraux. Il barbouille deux mains de papier d'un ramas d'aventures mal dirigées. Il les narre sans goût et sans génie ; porte son Ouvrage chez un Libraire ; et fût-il obligé de le vendre au poids, et de ne gagner que le double du papier, il est encore payé outre mesure. Il faut peut-être autant d'esprit, d'usage du monde et de connoissance des passions pour composer un Roman, que pour écrire une Histoire. On n'apprend à peindre les mœurs et les coutumes que par une longue expérience. Il faut avoir examiné de près les différens caracteres pour les pouvoir dépeindre dans le vrai.

--------

1. Le *Polexandre* de Gomberville, l'*Ariane* de Desmarets, etc. (note de d'Argens).
2. Prévôt d'Exiles. Voyez la *Bibliothèque des Romans* (note de d'Argens ; la *Bibliothèque des Romans* est de Lenglet du Fresnoy, elle fait suite à *De l'Usage des Romans* ; Prévôt d'Exiles est l'abbé Prévost).
3. *Histoire du Chevalier des Essars & de la Comtesse de Merci, &c.* (note de d'Argens, qui désigne inexactement une œuvre de Guillot de la Chassagne, voir tome I, p. 378 : *Le Chevalier des Essars et la Comtesse de Berci, histoire remplie d'évenemens intéressans,* 1735).
4. *Fanférédin,* et autres (note de d'Argens ; il s'agit de l'œuvre du P. Bougeant, voir ci-dessus texte 29).

Comment un Auteur, dont le métier ordinaire consiste à barbouiller du papier, et passer sa vie dans un caffé ou dans sa chambre, peut-il définir justement un Prince, un Courtisan, une Dame aimable? Il ne voit jamais ces personnes qu'en passant dans les rues ; et je ne crois pas que la boue, dont leurs équipages l'ont éclaboussé, lui ait communiqué une partie de leurs sentimens. Il n'est point cependant de misérable Auteur qui ne fasse parler Duc et Duchesse à sa fantaisie : lorsqu'un homme du grand monde vient à jetter les yeux sur ces Ouvrages ridicules, il est tout étonné de voir que la conversation de Margot la Revendeuse est mise sous le nom de la Duchesse de ..., ou de la Marquise de ... Quelque mauvais que soient ces Livres, on en vend cependant beaucoup. Bien des gens Amateurs outrés de la nouveauté, qui ne jugent des choses que par la superficie, achetent ces Ouvrages. Ils se forment en les lisant un goût aussi éloigné de la bonne maniere d'écrire que le sont ces Auteurs. [...]

## texte 31   Lectures amusantes, ou les Délassements de l'Esprit avec discours sur les Nouvelles [...] (1739)

En tête de ses *Lectures amusantes* (recueil de nouvelles adaptées de l'espagnol), d'Argens a mis un *Discours sur les Nouvelles*, long de soixante pages et qui contient fort peu d'idées originales. Rien ne prouve mieux combien est grande la distance entre la critique théorique et la création romanesque. D'Argens applique à la *Nouvelle* beaucoup des idées énoncées au cours du siècle précédent à propos du *Roman*. Sur la différence entre le roman et l'histoire, sur la structure des œuvres et le rapport de l'intrigue centrale aux épisodes, sur le but, qui est à la fois d'instruire et de distraire, d'Argens ne dit guère que ce qui a déjà été dit avant lui. A peine esquisse-t-il timidement l'éloge du *Gil Blas* de Lesage.

### DISCOURS SUR LES NOUVELLES

Ce mot *Nouvelle* signifie en notre Langue le recit ingénieux d'une Avanture agréable et intriguée, dont le fond ordinaire est un Amour traversé par des accidens imprévûs, qui excitent et entretiennent la curiosité du Lecteur jusqu'au denouëment. Quelquefois aussi ce sont des événemens causez par quelque autre passion, comme l'ambition, la colere, l'avarice et autres, qui sont le mobile le plus commun des actions humaines [...].

[D'Argens donne comme exemples ɪe *Décaméron*, l'*Heptaméron*, les *Contes* de La Fontaine imités de Boccace.]

La Nouvelle a cela de commun avec le Roman, que l'un et l'autre est une fiction ingénieuse ; et que les avantures qu'on décrit doivent être intriguées et ménagées de telle maniére que le Lecteur s'intéresse en faveur de la personne qui en fait le principal sujet, sache mauvais gré à ceux qui lui suscitent des traverses, et ait de l'impatience de la voir sortir heureusement d'embarras ; cela doit également se trouver dans le Roman et dans la Nouvelle. Leur difference, ce me semble, ne consiste que dans l'étenduë. Le Roman, à l'imitation du Poëme épique, employe de longs Épisodes, dont quelques-uns se répandent dans tout le cours de l'Ouvrage. La Nouvelle doit être plus reservée que le Roman sur cet accessoire [...].

[Suit, en partie d'après Huet, l'histoire de la littérature romanesque depuis le Moyen Age jusqu'aux longs romans héroïques du XVIIᵉ siècle.]

On se lassa de ces longs Romans. On n'y trouva point même le vraisemblable que Mademoiselle de Scuderi avoit prétendu y mettre. [...] On s'apperçut que ces Romans n'étoient si longs que parce qu'ils étoient pleins d'un accessoire étranger au sujet ; par exemple de longues conversations, et même de dissertations ingénieuses sur des questions frivoles.

Les Nouvelles n'ont point ce défaut et s'accordent mieux avec la vivacité Françoise. Elles sont la plûpart si courtes qu'on peut en lire une tout de suite [1]. On se livre d'autant plus librement à la lecture, que l'Auteur a sû ménager à propos dans son recit des traits imprévûs, des situations touchantes, des images vives, des circonstances qui frappent et donnent une extrême curiosité d'apprendre comment le Héros ou l'Héroïne sortira d'un embarras que l'on partage avec lui. On n'est point réduit à achetter ce plaisir, et c'est certainement le payer cher, quand il doit en couter une lecture de quelques mois. Quelques heures suffisent pour une Nouvelle. Tout y est dans une action vive et continuelle.
*Semper ad eventum festinat.*
Les longs Episodes, les ornemens étrangers n'y sont point admis. [...]

Le plaisir, me dira-t-on, en sera plus court : celui que donne un Roman bien fait dure long-tems, quand il a plusieurs volumes ; au lieu qu'une nouvelle est bientôt luë. Je respecte fort les plaisirs durables, mais je mets en fait que dix volumes, qui contiennent chacun une Nouvelle bien écrite, causeroient un plaisir plus vif, et qui ne dureroit pas moins que celui qu'on trouve dans la lecture d'un seul Roman qui a dix tomes. J'avouë qu'il y a de longs Romans, qui occupent si agréablement un Lecteur, qu'on n'en voit la fin qu'à regret. Mais il y en a peu qui ayent ce dégré de beauté ; et dans le nombre prodigieux de Romans que l'on a imprimez depuis environ un siécle, à la reserve de quelques-uns de ces longs Romans qui trouvent encore des Lecteurs à cause de la réputation que les Auteurs ont euë de leur tems, je n'en connois point parmi les modernes dont on ne se dégoutât, s'ils alloient jusqu'à six volumes. [...]

---

1. En une seule fois.

[Les romans de chevalerie sont bien passés de mode, dit alors d'Argens et l'on ne recourt plus à la magie ni au merveilleux, sauf pour un ingénieux artifice de présentation, comme dans *Le Diable boîteux*.[1]]

Le mieux est de se renfermer dans les bornes du vraisemblable, et de n'en jamais sortir. Il y a bien des siécles que cette regle a été faite. Horace l'a exprimée dans ces vers.

> *Ficta voluptatis causa sint proxima veris,*
> *Nec quodcumque volet, poscat sibi fabula credi* [2].

C'est-à-dire, ce qui n'est écrit que pour divertir, ne doit point s'écarter de la vraisemblance, et une fiction ne doit pas mettre la crédulité du Lecteur à une trop rude épreuve. Un homme perd tout son crédit, quand il veut faire croire des choses dont l'impossibilité saute aux yeux, et on lui refuse toute créance sur ce qu'il dit ensuite, quelque plausible qu'il puisse être. Le vrai est le fondement de l'histoire. Le vraisemblable suffit au Roman et à la Nouvelle; encore ne donne-t-on cette liberté d'inventer à quiconque travaille dans ce goût-là, qu'à condition qu'il ne s'en servira, que pour produire quelque chose de plus interessant qu'un vrai tout uni, dans lequel il est assez rare de trouver rassemblées toutes les circonstances, qui doivent concourir pour rendre une Histoire aussi agréable et aussi interessante, que l'est une avanture, où l'Auteur est le maître d'ajouter des particularitez, qui touchent et qui passionnent le Lecteur, ou d'en retrancher celles qui produiroient un effet contraire [...]

[L'historien est tenu au respect scrupuleux de la vérité, « c'est un crime pour lui que d'y rien changer ».]

Il n'en est pas de même de l'Auteur d'un Roman ou d'une Nouvelle. Despreaux a beau dire,

> *Dans un Roman frivole aisément tout s'excuse,*
> *C'est assez qu'en courant la fiction amuse,*
> *Trop de rigueur alors seroit hors de saison.*

Il a les coudées franches, on lui permet d'inventer, il n'est point géné sur la certitude des faits, qui est un des plus dangereux écueils pour l'Historien. On ne le chicane point sur la bonté des sources, où il a pris un événement brillant; tout cela est vrai. Mais à quel prix a-t-il cette liberté? On veut en récompense qu'il dédommage son Lecteur par une invention qui n'ait rien de trivial, ni rien de forcé. S'il n'écrit que des avantures dont on voit tous les jours des exemples, on méprise une peinture à laquelle le génie n'a aucune part. Si pour dire des choses extraordinaires, ou tout-à-fait neuves, il donne l'essor à son imagination sans regle, ni mesure, on s'en accommode aussi peu. Dès qu'un événement est mal ménagé, c'est sa faute. On ne s'en prend qu'à lui. Maître de créer

---

1. La même condamnation de la chevalerie et de la magie était déjà chez Lenglet du Fresnoy.
2. Vers de l'*Art poétique* d'Horace. Lenglet du Fresnoy avait déjà cité le premier dans un développement analogue sur la vraisemblance, voir ci-dessus, p. 98.

sa matiére, que ne se servoit-il mieux du privilége qu'il avoit d'inventer? Ou s'il n'en étoit point capable, qui le forçoit à écrire? [1]

On veut que rien ne languisse dans son récit, qu'une chaleur d'imagination donne de l'ame à toute l'intrigue, et se communique au Lecteur, et qu'elle ne s'amortisse point dans tout le cours de l'Ouvrage. Un récit languissant ennuye. Le Lecteur est tenu en suspens jusqu'au dénouëment. Cette inquiétude où on le laisse en interrompant le récit de l'avanture dont il brule de savoir la fin, pour courir après un incident qui survient à la traverse, demande beaucoup de ménagement; et c'est une partie considérable de l'art de bien composer une Nouvelle. Ces incidens doivent avoir assez de beauté, pour dédommager un Lecteur du retardement qu'on lui cause. Il couroit après le dénouëment, il avoit de l'impatience de savoir à quoi l'intrigue aboutiroit; on l'arrête par un nouveau spectacle. Il faut au moins que ce qu'on lui presente pour l'arrêter, en vaille la peine [...]; mais si l'incident ne mérite pas son attention, il tourne les feuillets, jusqu'à ce qu'il rencontre la suite de l'avanture qu'on lui faisoit perdre de vûë, et en rapproche, malgré l'Auteur, les morceaux qu'on avoit écartez l'un de l'autre. Cette maniére de lire certains Livres de Romans et de Nouvelles, n'est que trop usitée [...].

Les Episodes doivent être variez. La variété est une source d'agrémens toujours nouveaux. Mais il faut qu'ils se lient naturellement au sujet. La Carte du Tendre ne se lie point du tout avec un sujet pris de l'Histoire Romaine [2].

Il faut bien choisir la Nation que l'on veut faire agir et parler; mais quand ce choix est fait, il faut s'y tenir, et que les personnages parlent et agissent selon l'usage de cette même Nation. [...]

Un défaut qu'on ne pardonne point à l'Auteur d'un Roman ou d'une Nouvelle, c'est celui d'ennuyer son Lecteur. Je m'explique. Par le mot de Lecteur, j'entends un homme du monde, ou une femme qui a du goût pour la lecture, et qui par un bon sens naturel et par quelque habitude de lire des Ouvrages bien faits, est en état d'en juger sainement, et d'apprécier le mérite d'un Auteur, qui travaille avec plus d'agrément et de génie que d'érudition. Car il est bien sûr, qu'il se trouve toûjours des gens, qui avec beaucoup d'esprit et de savoir, ne goûtent point ces sortes de compositions. Un Descartes, un Pere Malebranche, un Le Clerc [3] auroient peut-être baillé, en lisant la Zaïde de Ségrais, ou la Princesse de Clèves. Cependant quelles graces n'ont point ces deux Livres, qu'on peut mettre au nombre des Nouvelles, quoi qu'elles ne soient pas qualifiées ainsi dans leurs titres! Quelle beauté dans le style! Quelle délicatesse dans le choix des images! Que d'ame dans les situations où la passion doit agir!

A l'occasion de la Princesse de Clèves, le Lecteur me pardonnera si je lui dis que

---

1. Raisonnement identique, exprimé dans des phrases qui ont le même mouvement, chez DESMARETS, *Préface de Rosane* (voir ci-dessus, texte 14).
2. Critique de la *Clélie* de M^lle DE SCUDÉRY.
3. Jean Leclerc, théologien et érudit protestant (1657-1736), qui écrivit de nombreux ouvrages et publia la *Bibliothèque universelle et historique* et la *Bibliothèque ancienne et moderne*.

j'ai un dégoût naturel pour les Romans et les Nouvelles, qui employent des noms fameux dans l'Histoire. Je me garderois bien de parler ici de mon goût, si toutes les personnes d'esprit, que j'ai consultées là-dessus, ne s'étoient pas accordées à me dire qu'elles pensent comme moi sur ce sujet. [...]

[Suit une discussion, déjà soulevée par Segrais dans ses *Nouvelles françoises*, sur le droit du romancier à faire agir des personnages historiques.]

Pour les soutenir [ces caractères historiques], il faudroit être parfaitement instruit, non seulement de leur Histoire particuliére, mais encore de toute celle de leur tems; et il est rare qu'un homme qui écrit un Roman, soit d'humeur à faire les études que cette connoissance demanderoit. Un homme qui les auroit faites, aimeroit mieux écrire l'Histoire que le Roman. [...]

[Segrais] dit dans les Segraisiana, qu'il est plus difficile de faire des Nouvelles qu'un Roman, parce qu'il faut trouver un dénoûment pour chaque nouvelle, et qu'il n'en faut qu'un pour finir un grand Roman[1]. Cela est vrai, quand à un seul Roman on oppose un Recueil de plusieurs Nouvelles; mais en récompense, il ne faut pas un si grand effort d'imagination pour remplir une Nouvelle d'un seul volume, que pour fournir à un Roman qui en a plusieurs.

Il est assez indiférent que le sujet soit grave et sérieux[2], ou qu'il soit badin et enjoué. Le tout dépend de la maniére de le traiter. Il y a des sujets qui par eux-mêmes n'ont rien de relevé, comme Gil Blas petit Ecolier, ensuite Laquais, etc. mais l'art avec lequel l'Auteur le place successivement en divers Etats, améne des peintures charmantes. Il sait faire intervenir dans le Roman une varieté de personnages de toute condition, et cela donne lieu à une satire délicate, d'autant plus agréable qu'elle embrasse une plus grande diversité d'objets.

Il y a des Nouvelles de bien des espéces. A l'égard des mœurs, on pourroit reduire ces espéces à trois. Il y en a de dangereuses, il y en a d'indiférentes, et il y en a qui sont utiles et instructives. [...]

[Parmi les premières, celles de Boccace et de La Fontaine, et même *La Princesse de Clèves*, car d'Argens n'ose pas ranger parmi les nouvelles indifférentes cette œuvre où la vertu de l'héroïne n'est sauvée que par un effort dont une femme ordinaire est bien incapable.]

La troisiéme Classe comprend les Nouvelles utiles et instructives. Personne ne disconviendra, que ce ne soient celles qui méritent d'être préférées, toutes choses égales d'ailleurs. Supposons deux Romans ou deux Nouvelles, où tout est ingénieusement inventé, où l'intrigue est bien conduite, où le dénoûment est heureux. Celui de ces deux Ouvrages où se trouve une instruction morale, qui peut contribuer à rendre le Lecteur

---

1. Voir tome I, pp. 220-221.
2. Réfutation de Lenglet du Fresnoy.

plus sage et plus vertueux, mérite sans doute la préférence. Il n'y a point à balancer là-dessus. Mais il faut que l'instruction y soit menagée avec une certaine économie, que l'on seme la morale, et qu'elle sorte, pour ainsi dire, du fond du sujet. Cet art manque au Roman intitulé Gusman d'Alfarache. L'Auteur saisit toutes les occasions de moraliser. Il faut au contraire que la morale se tire plûtôt des actions qui sont dépeintes, et de la conduite des personnages, que non pas de la réfléxion de l'Auteur[1]. Il doit se persuader, que ceux qui ont envie de s'instruire des devoirs de l'honnête homme, et d'étudier à fond les principes du juste et de l'injuste, ont d'autres livres que le sien pour les y apprendre. On ne cherche dans un Roman, dans une Nouvelle, qu'un amusement agréable. [...]

Si j'avois un ami qui se fût mis en tête d'écrire un Roman ou une Nouvelle, voici les conseils que je lui donnerois :

Il faut que votre intrigue soit neuve, et intéressante; que les incidens épisodiques soient assez beaux, pour ne pas faire murmurer un Lecteur, de ce qu'ils interrompent une narration qui lui plaît, et dont il brûle de voir la suite; que le dénouëment soit amené naturellement et sans machine; qu'il soit le même que le Lecteur souhaitoit dans le cours de sa lecture; et, s'il se peut, qu'il soit produit du fond même des obstacles qui le retardoient; que tous les incidens soient vraisemblables; que les caractéres se soutiennent jusqu'à la fin; que votre style soit pur et châtié, et toujours proportionné au caractére et à l'état de la personne qui parle. Sur-tout, respectez la Religion et les bonnes mœurs. Si dans votre intrigue, il entre des actions de mauvais exemple, qu'elles y reçoivent un châtiment qui ôte l'envie de les imiter.

---

1. L'idée était déjà chez Du Plaisir, et même, encore auparavant, dans la *Préface d'Ibrahim* de SCUDÉRY.

texte 32 # Observations
## sur les Ecrits modernes (1735-1743)

L'abbé Desfontaines mourut en 1745; en 1757, l'abbé de la Porte publia, sous le titre d'*Esprit de l'abbé Desfontaines*, une anthologie en quatre volumes remarquablement faite, qui groupait par thèmes des extraits des trois périodiques auxquels avait collaboré Desfontaines. Les pages suivantes sont tirées des *Observations sur les Ecrits modernes*, la référence est donnée en marge par l'abbé de la Porte. Desfontaines passait pour un critique méchant et partial; il admirait Richardson et Fielding parce qu'ils imitaient la nature, mais il n'avait que mépris pour le roman français, qu'il fût ancien ou moderne, héroïque ou réaliste, romanesque ou satirique; ni d'Urfé, ni Marivaux, ni Prévost, ni Crébillon ne sont ici épargnés.

### Des Romans

Que le cœur des femmes est bon, qu'elles sont indulgentes! Ce sont elles qui donnent la vogue à des Livres, où l'on tourne presque toutes leurs pensées du côté du plaisir grossier, où l'on empoisonne toutes leurs actions, où l'on relève toutes leurs foiblesses, où leur sagesse est donnée pour l'effet de leur laideur, où leur piété est travestie en hypocrisie abominable, et corporisée par grace[1]; où les gestes les plus innocens, les moindres

---

1. On trouve en français « corporalisé » (Bossuet) et « corporifié » (terme de théologie, selon Littré), mais « corporisé » semble un néologisme. Desfontaines veut dire ironiquement que les romanciers, avec bonne grâce, prêtent à la piété féminine des mobiles matériels ou la représentent dans ses manifestations physiques les plus équivoques.

regards d'une jeune fille sont interprêtés en mauvaise part; où enfin le cœur de toutes les femmes, malignement anatomisé, n'offre aux yeux du Lecteur que de la corruption et de la turpitude. Que les femmes sont peu sensibles sur l'honneur de leur sexe, et qu'il est aisé de les éblouir !

Tome I des Observ., p. 335.

Peut-être que tant de fictions ingénieuses et intéressantes que notre Nation a produites depuis un siécle, nous font aujourd'hui regarder la plûpart des anciens Romans, comme des inventions insipides, peu dignes de nous amuser. Il est certain que la réputation de plusieurs Ouvrages autrefois estimés, a beaucoup déchû, par l'accroissement des lumières, et par la perfection du goût. On ne peut lire aujourd'hui l'Astrée de Durfé, qui a fait les délices de nos Peres. C'est en vain qu'on a essayé depuis de donner à ce Roman un air plus moderne. Ces vieux Ouvrages rajeunis sont encore plus dégoutans. Ils ressemblent à de vieilles femmes frisées et parées.

Tome II des Observ., p. 91.

Tandis que nos Auteurs Comiques, abandonnant l'imitation de la vie bourgeoise, objet naturel de la Comédie, se plaisent à faire voir sur le Théâtre ce qui n'a jamais été vû dans le monde, et rappellent dans ce siécle éclairé le goût de *Melite*, de *la Place Royale*, de *la Veuve*[1], dont leurs Ouvrages ne different que par un stile plus épuré, et par un plus Larmoyant Comique; tandis que négligeant de marcher sur les traces de Plaute, de Terence, de Moliere et de Regnard, ils oublient que la Comédie est un Spectacle destiné à représenter le ridicule réel qui est dans la société, et non à feindre des vertus et des défauts métaphisiques, pour attendrir les Spectateurs, nos Romanciers, voyant, pour ainsi dire, la Place abandonnée, laissent-là les grandes avantures, les idées héroïques, les intrigues délicatement noüées, la peinture des passions nobles, leurs ressorts et leurs effets; ils ne s'amusent plus à choisir pour leurs Héros des personnes d'un rang distingué : ils s'attachent aux mœurs bourgeoises, et prennent leurs Héros partout. Ils les tirent même quelquefois de la lie du Peuple, sans craindre de s'encanailler. Ils vous peignent sans façon les mœurs, et vous rapportent tout au long les élégans entretiens d'un Cocher de fiacre, d'une Lingere, d'une Fille de boutique [2] : cela les accommode mieux apparemment, que les mœurs des personnes de condition, et fournit plus à leur esprit. Il ne seroit peut-être pas impossible de voir bientôt figurer, dans quelque nouveau Roman, un vil Savoyard, auquel on feroit décrotter quelque lambeau de Métaphysique. Le Roman Bourgeois de Furetiere a été long-tems regardé comme un Ouvrage d'un genre isolé et peu estimable : ce genre est enfin devenu à la mode.

Tome III des Observ., p. 228.

J'ai toujours pensé que les Romans pouvoient devenir très-utiles aux mœurs et à la société, si on ne s'y proposoit que d'instruire sous le voile de la fiction, de former le cœur, et de polir l'esprit des jeunes gens. Mais doit-on se flatter de produire cet effet, lorsqu'on n'offre à un Lecteur oisif que des situations ténébreuses et forcées, des Héros dont les caractères et les avantures sont toujours hors du vraisemblable, des événemens extraor-

---

1. Comédies de Pierre Corneille.
2. Allusion à l'épisode qui termine la seconde partie de *La Vie de Marianne*.

dinaires et tragiques, qui déchirent le cœur, des avantures dans le Serrail, des rencontres d'Amans captifs en Barbarie, des enlévemens criminels, des voyages bizarres dans des Pays imaginaires, des nœuds et des dénouemens contraires à la raison; le tout néanmoins écrit d'un style vif et séduisant, qui fait regarder l'Auteur comme un homme d'esprit, mais qu'on plaint d'être réduit à faire un pareil usage de ses talens. Un bon Roman doit être le tableau de la vie humaine, et l'on devroit y avoir principalement en vûe de censurer les vices et les ridicules.

Tome IV des *Observ.*, p. 49.

La multitude des Romans est devenue dangereuse aux Lettres, et insupportable aux gens de bon goût. Il ne faut pas s'imaginer cependant, que toutes sortes de fictions soient condamnées. Il en est qui servent beaucoup pour la culture de l'esprit et des mœurs, pour la science du monde, pour la connoissance du cœur, le vice n'y est pas toujours revêtu de couleurs séduisantes; quelquefois la vertu y est parée de tous ses attraits. Il en est où l'on enseigne aux jeunes personnes du sexe à prévenir, ou à combattre un panchant dangereux; à se défier d'elles-mêmes, et de ceux qui leur font la cour; et aux jeunes hommes à se bien conduire, pour n'être ni les dupes, ni les martyrs de leurs inclinations; à ne point abuser des avantages de la naissance, de la richesse, des talens, et à estimer peu tout ce qui n'est pas vertu et raison. Voilà les principaux fruits qu'on peut retirer de la lecture d'un fort petit nombre de Romans, dictés par la sagesse, par l'esprit délicat et par le bon goût. La jeunesse s'y amuse en se formant le jugement, l'esprit et le langage.

Tome XV des *Observ.*, p. 289.

Le plus grand défaut des Romans ordinaires, de ceux qu'on a la bonté de lire, est de paroître trop Romans; jusques-là que leurs Auteurs font souvent la sottise d'en avertir leurs Lecteurs à la tête de l'Ouvrage. Quelle illusion prétendent-ils faire après cela? Cependant l'illusion est essentielle à un Livre de fiction. C'est un grand art, de sçavoir éviter l'apparence de l'art.

Dans certains Romans à la mode, le Lecteur est agréablement promené dans des galeries ornées de portraits satyriques, ou de tableaux licentieux. On nous accable d'une foule d'Acteurs qui se succédent sur la scène, et dont le fatal mérite consiste à immoler à leur impudence un grand nombre de foibles vertus. Le caractére qui y brille et qui s'y fait admirer, ne jouit de cet honneur, que par le contraste de cent prostituées. Ce n'est plus par la difficulté des conquêtes, mais par leur multitude, que le Héros prétend relever sa gloire; on fait même ensorte que ces victoires multipliées honorent moins le Héros qui triomphe, que les Héroïnes qui cédent. Comme si un Ouvrage de fiction ne devoit pas toujours tendre à la correction des mœurs. Le système est changé; on butte [1] à la corruption. Dans quelques Romans mêmes, les actions les plus lâches et les plus basses, comme l'ingratitude, la friponnerie et la trahison, sont représentées sous d'aimables couleurs.

Tome XXIX des *Observ.*, p. 205.

---

1. On tend, on vise à.

Un Roman bienfait et bien écrit, qui ne blesse point l'honnêteté des mœurs, qui ne roule point sur une fade galanterie, qui renferme une morale fine en action, ou qui réjouit le Lecteur par des images plaisantes et des saillies comiques, est vraiment un Ouvrage digne d'un Homme de Lettres, comme un Poëme épique, une Tragédie, une Comédie, un Opéra. Mais il est à craindre que ces sortes de Livres ne se multiplient trop, parce que dans la foule il doit nécessairement s'en glisser de bien mauvais. Après tout, s'ils ne sont point contraires aux bonnes mœurs, quelques médiocres qu'ils soient, ils me paroissent moins condamnables que tant d'autres Livres qu'on publie sur la Chronologie, la Géographie, l'Histoire, les Antiquités, la Physique, la Médecine, etc. Livres remplis souvent de sottises et de bévûes, qui ne servent qu'à fomenter l'ignorance et à semer l'erreur. Les Romans médiocres tombent promptement dans l'oubli. Tels qu'ils sont, ils peuvent amuser des esprits peu délicats; ils servent à endormir les Dames; et ils se voyent enfin honnêtement métamorphosés en papillotes par leurs Femmes de chambres, après s'en être [1] aussi amusées. Ainsi va le commerce, ainsi se fait la consommation de toutes les marchandises; les bons Livres consomment peu de papier.

Tome XXXI des *Observ.*, p. 228.

---

1. Après qu'elles s'en sont... (construction correcte).

texte 33   Lettres Amusantes et Critiques
sur les Romans en général Anglois et François,
tant anciens que modernes (1743)

En 1743 la curiosité pour le roman anglais commence à naître, et les premières traductions de Richardson et de Fielding vont susciter une assez vive opposition; sur l'inter-
prétation qu'Aubert donne de *Pamela*, voir tome I, p. 429. La suprématie que la France
s'attribue dans le genre romanesque n'est donc pas encore menacée, mais le genre lui-même
est toujours méprisé dans l'opinion et peut-être victime d'interdictions légales (voir tome I,
p. 325), dont Aubert semble ici se faire l'écho. Si les arguments par lesquels il défend les
romans lui viennent de Huet, le ton d'indulgence mondaine sur lequel il les énonce montre
qu'il est encore loin de deviner quelle importance va bientôt prendre le genre romanesque
comme premier moyen d'expression de l'âme moderne. Sur les *Lettres Amusantes et Critiques*
[...], voir tome I, p. 328.

## Premiere Lettre

Nos faiseurs de *Romans* sont en assez grand nombre. Ces ouvrages sont si fort du
goût des François, que je croirois volontiers, qu'il y a plus d'Auteurs de ce genre, que de
tout autre. Toutes les semaines on voit de nouveaux *Romans* qui paroissent, et de
nouveaux Romanciers qui s'annoncent.

Est-ce une gloire pour notre Nation? La vôtre, Madame[1], qui n'a que des *Méditatifs*, des *Amateurs* des sciences sublimes, semble reprocher à la nôtre les aimables rêveries dont elle s'occupe. J'avoue qu'en Angleterre on ne voit que des *Traducteurs*, et peu de *Faiseurs de Romans*. Les hommes trop affairés ne se sentent pas assez d'enjouement dans l'esprit.

Mais vos Dames Angloises s'en font une agréable occupation [...].

Les Dames depuis quelque tems font en Angleterre pour amuser les hommes ce que nous faisons en France pour amuser les Dames. Cependant vos Anglois ne méprisent pas les *Romans*. Vous en avez plusieurs qui regardent l'art de les faire comme une espèce d'étude, qui plaît, amuse, instruit, et à laquelle on peut innocemment s'appliquer [...].

Paris, où vous vivez depuis plusieurs années, et qui par les agrémens et les douceurs que l'on vous y fait trouver, vous paroît une autre Londres, est rempli d'Ecrivains qui sçavent faire autre chose que des *Romans*. Parmi nos Auteurs, les uns nous instruisent, les autres nous amusent. Nous donnons une partie du jour aux Ouvrages sérieux, et ceux qui nous divertissent n'ont que quelques momens dérobés au sommeil. L'esprit occupé de différentes affaires ou fatigué par l'étude a besoin de ce délassement. L'homme en charge comme l'homme d'épée, tous aiment à lire des *Romans*.

Depuis près d'un siécle on y voit tant d'Art et d'élégance, que les plus beaux des autres Nations n'égalent pas les moindres des nôtres. *Astrée, Cassandre, Gilblas*, plusieurs autres en différens genres, tant anciens que modernes, sont aussi connus chez vous, que chez nous. La grande liberté, avec laquelle les François vivent avec votre sexe, leur donne l'avantage de faire des *Romans*, où ils excellent pour la plûpart, et mieux, je le puis dire, que vos Anglois, les Espagnols, et les Italiens; et ce sont cette politesse, cet enjouement qu'on leur connoît, ces airs respectueux, qu'ils apportent auprès des Dames, qui en leur apprenant la maniere de les attaquer, leur inspirent mille agréables fictions, dans lesquelles on trouve un art enchanteur, dont l'attrait peut faire beaucoup d'impression.

Mais un grand nombre de Dames Françoises, plus maîtresses de leur cœur que nous ne le sommes du nôtre, accoutumées à nous voir, à nous parler, à nous entendre, ont moins à craindre de nos poursuites. Leur insensibilité, qui souvent naît de nos attentions trop marquées, ne les quitte pas en lisant des *Romans*, dont la lecture ne pourroit leur plaire s'ils n'étoient travaillés avec soin.

De tous tems (je ne sçais, Madame, si c'est parmi vous comme parmi nous) on a crié contre les *Romans*. Aux yeux de quelques *Dévots*, que le seul nom de *Roman* effarouche, ces sortes d'Ouvrages passent pour altérer la dévotion, pour inspirer des passions déréglées, et pour corrompre les mœurs. Les ames foibles, qui comme le dit M. Huet,

---

1. La destinataire des *Lettres Amusantes et Critiques* est une Anglaise.

s'empoisonnent de tout, et se font un venin de tout, trouveront les mêmes écueils dans l'Histoire remplie de traits pernicieux, et dans la Fable, où les crimes sont autorisés par les exemples même des Dieux.

Les *Romans*, quand ils sont bien faits, et conformes aux règles que le bon sens a dû prescrire, loin d'être l'école du libertinage, font voir la vertu couronnée, et le vice puni.

Si l'on y traite dans quelques uns l'amour d'une maniere délicate et insinuante, c'est une passion dont la jeunesse doit connoître les dangers pour les éviter. Les *Romans* sont encore des Précepteurs muets [1], qui enseignent la maniere de se comporter dans le monde. On y peut puiser d'agréables Leçons, et ce n'est pas trop que cet agréable amusement soit toléré, quand, je le répéte, on n'y trouve rien de contraire aux bonnes mœurs.

Cependant il y a de jeunes personnes, auxquelles il est dangereux de permettre de trop bonne heure la lecture de ces livres. C'est à celles qui sont chargées du soin de leur éducation, d'examiner ce qui leur convient, et de ne leur présenter que l'agréable avec l'utile, quand il est tems.

On se plaint aujourd'hui qu'il paroît trop de *Romans*. Que ne font point de sages Magistrats pour en arrêter le cours? Ils y réussiroient, si le goût s'en perdoit parmi ceux qui le lisent. Un Auteur n'ayant plus le débit de ses *fictions amusantes*, deviendroit un Ecrivain utile. Votre sexe, les trois quarts du nôtre ne lisent que des *Romans* : en faut-il d'avantage et pour encourager ces Auteurs galans, et pour en augmenter le nombre?

Tel est capable de faire un *Roman*, qui pourroit donner des preuves d'une belle érudition; mais qui n'a le tems, ni la volonté, ni souvent les ressources pour s'appliquer à des études sérieuses. Un bon nombre de Livres choisis, nulle inquiétude sur les besoins de la vie, sont des conditions nécessaires à l'homme de Lettres pour travailler avec tranquillité, comme avec succès.

On en voit, Madame, en Angleterre, comme en France, qui faute d'un *Mécéne* sont contraints d'ensevelir leurs talens, ou de n'en faire paroître qu'un léger échantillon dans quelques petits Ouvrages, qui sont quelquefois plus les enfans de la douleur que de la satisfaction. D'ailleurs une imagination vive et féconde peut sans beaucoup de travail enfanter un *Roman*, dont l'Auteur est souvent mieux recompensé, qu'il ne le seroit d'un Ouvrage sérieux, mais plus utile au public, et sur lequel il auroit blanchi plusieurs années.

Les François (c'est une réfléxion que j'ai souvent faite), les François, qui passent pour le peuple le plus galant de l'Europe, aiment tous la lecture des *Romans*, et tous ne voudroient pas passer pour Auteurs des Romans. Un *Sçavant* qui dans le particulier s'en amuse, croiroit donner des preuves d'ignorance, et laisser une idée désavantageuse de son mérite, si son nom paroissoit à la tête d'une agréable fiction.

---

1. Cette expression était déjà textuellement dans la *Lettre à Segrais* de HUET.

Mais par quel caprice l'art de faire des *Romans, Art* que l'on porte aujourd'hui à sa perfection, ne peut-il faire honneur à tous ces grands hommes, dont les uns sont occupés à nous donner l'Histoire de tous les tems, et les autres la Mythologie de tous les peuples?

Je vois dans les siécles passés des hommes de tous les ordres, des femmes, et des filles aussi recommandables par leur naissance que par leurs vertus, qui n'ont rien perdu de leur réputation pour avoir fait des *Romans*. L'Histoire ancienne nous fournit des Philosophes, des Prêteurs Romains, et des Empereurs, qui s'y sont appliqués. Cette façon d'écrire si poliment n'a point deshonoré de sages Magistrats, dont la mémoire est en vénération parmi nous.

Cependant cette même façon d'écrire si poliment, et avec tant d'invention, et d'esprit, a suscité (vous ne l'ignorez pas) des ennemis et des envieux au grand Auteur du Telemaque.

En Angleterre, on est plus judicieux. Si l'Art de faire des *Romans* est un amusement, dont il semble que votre sexe se soit emparé, vos Sçavans ne refusent pas leur approbation et leur estime à ceux et à celles qui s'y livrent, ou qui se contentent de traduire d'entre les nôtres ceux qui méritent de l'être [...].

Votre jugement sur la nature de ces Ouvrages me fait décider avec hardiesse que tout homme, de quelque état qu'il soit, peut faire des *Romans*, s'il en est capable, et que tout *Roman* peut paroître au grand jour, quand il est ecrit avec goût.

# texte 34   Entretiens sur les Romans (1755)

L'abbé Jaquin s'attache à réfuter tous les arguments favorables à la littérature romanesque, dont les plus importants remontent à Huet. Sa critique n'est guère pénétrante et ne fait guère avancer le lecteur dans la connaissance du genre. Nous le citons pourtant, parce que son incompréhension et sa mauvaise volonté sont partagées, à des degrés divers, par tous ceux que La Chesnaye des Bois appelait « nos anti-romanciers ».

Voir tome I, pp. 328-329.

### Entretien premier sur l'origine des Romans

L'Abbé.

[...] Le Roman diffère de l'Histoire, du Poeme épique et de la Fable simple. L'Historien a, ou du moins doit avoir pour but la vérité : la fiction est celui du Romancier.

La Comtesse.

On trouve cependant des Romans, dont les héros sont connus dans l'Histoire : tels sont les *Cleopâtres*, les *Cyrus*, les *Pharamonds*, les *Philippes-Augustes*, les *Henri IV*, les *Elizabeths d'Angleterre*, et une infinité d'autres.

L'Abbé.

Je ne puis en disconvenir; mais quoique ces héros soient connus, quoiqu'il y ait même quelquefois dans ces ouvrages quelque chose de vrai, l'abondance de la fiction les fait cependant rentrer dans la classe des Romans; et c'est ce qui arrive toutes les fois que le faux l'emporte sur la vérité. [...]

La Comtesse.

Je ne serai pas si complaisante, pour vous accorder autant de différence entre le Roman et le Poëme épique. Je vous prendrai par vos propres paroles; et je vous avoue, que je ne serai pas fâchée, de vous trouver en contradiction avec vous-même.

Ressouvenez-vous, qu'en parlant il n'y a qu'un instant des Romans écrits en Vers, vous nous donniez l'*Arioste* pour modèle. De plus M. de Voltaire, dans son Siécle de Louis XIV, ne fait pas lui-même difficulté de placer le *Tasse* au nombre des Romanciers, quoique l'on ait toujours regardé *La Jerusalem délivrée*, comme un Poëme épique.

L'Abbé.

La différence contre laquelle vous prenez parti, sans doute, Madame, est si grande et si visible, qu'elle ne peut vous échapper.

Malgré les Approbateurs outrés, M. de Fenelon sentoit bien qu'il ne suffisoit pas de mettre des rimes à son Roman, pour en faire un Poëme épique. Qui oseroit avancer, qu'en ôtant la mesure à l'*Enéïde* et la rime à la *Henriade*, on en feroit de purs Romans? Le Poëme épique demande un sujet noble, du sublime, des expressions hardies.

Le Roman se renferme dans le simple, et n'admet pas la même élévation.

Le Poëme épique permet moins d'évenemens, exclut des circonstances trop légéres.

Le Roman s'étend d'avantage, admet de longues digressions.

On fait naître le Héros dans le Roman, et on le conduit pas à pas jusqu'à la conclusion.

Le Poëme épique ne s'arrête qu'aux traits frappans.

« Loin ces Rimeurs craintifs, dont l'esprit flegmatique,
Garde dans ses fureurs un ordre didactique [1] »

Enfin le Poëme héroïque, semblable à un tourbillon, transporte, enleve l'ame.

---

[1]. Boileau (note de Jaquin).

Le Romancier au contraire ne cherche qu'à toucher le cœur et à l'amolir.

Dans la Henriade, si Henri IV, arraché du sein voluptueux de la belle d'Estrées par un regard du sage Mornay, vole à la victoire,

« Il s'éloigne, il revient, il part désesperé » [1].

Mais si dans la Zayde de M. de *Ségrais, Consalve* est sur le point de quitter sa Maîtresse, que de monologues!

LA COMTESSE.

Vos réfléxions, Monsieur, me paroissent justes; mais détruisent-elles mes remarques?

L'ABBÉ.

Elles sont spécieuses, Madame, vos remarques : il est cependant facile de vous ôter jusqu'au moindre scrupule.

D'abord, pour ce qui regarde l'*Arioste*, jamais aucun Ecrivain, si vous en exceptez quelques Italiens aveugles adorateurs de ce Poëte, n'a placé cette fiction au nombre des Poëmes épiques. L'*Europe*, dit M. de Voltaire, *ne mettra jamais l'Arioste en parallèle avec un Poëte épique*, (C'est du Tasse dont il est parlé en cet endroit) *que lorsqu'on placera l'Enéïde avec le Roman comique et Calot à côté du Corrége*. En effet on chercheroit en vain dans l'*Arioste* ces caractères de grandeur et de sublimité, que nous venons d'assigner comme l'essence du Poëme épique.

Ce n'est donc pas moi, Madame, qu'il faut accuser de contradiction; mais, le croiriez-vous? *M. de Voltaire*, sur l'autorité de qui je viens d'appuyer ma justification, ne vous a trompé que par une opposition réelle avec lui-même. Je me rappelle que dans le tableau du *Siécle de Louis le Grand*, il place *le Tasse* au rang des Romanciers : il ne se ressouvenoit pas, sans doute pour lors, d'avoir, dans son Essai sur le Poëme épique, composé un chapitre [2] exprès, pour ranger cet Ecrivain au nombre des Poëtes épiques.

LE CHEVALIER.

Pour moi, Monsieur, j'ai toujours confondu les Fables avec les Romans : comme eux ne sont-elles pas en effet des fictions agréables et utiles.

L'ABBÉ.

Vous définissez à merveille les Fables : il ne vous reste plus qu'à remarquer ce qui les distingue des Romans.

---

1. *Henriade,* chant IX (note de Jaquin).
2. Chapitre VII (note de Jaquin).

La Fable ne garde presque jamais de vrai-semblance.

Au contraire la vrai-semblance est, ou du moins doit être, l'ame des Romans.

Dans les Fables, ce sont ordinairement des animaux, des arbres qui sont les acteurs.

Les Romans ne connoissent pour héros que les hommes, ou les divinités du Paganisme.

Tout ouvrage doit avoir une fin : celle du Roman, fondée sur le précepte d'Horace, doit être de plaire et d'instruire, en mêlant l'agréable à l'utile.

LA COMTESSE.

Je triomphe par avance de cet aveu; et je sçaurai plus d'une fois vous le rappeller.

L'ABBÉ.

Je n'examine pas à présent, Madame, si ces sortes d'écrits remplissent cette fin, c'est-à-dire, si sous l'appat du plaisir, ils cherchent toujours à *faire voir,* pour me servir de l'expression de M. Huet [1], *la vertu couronnée et le vice châtié.* Mon intention est seulement de montrer ce que l'on entend par un Roman. [...]

LA COMTESSE.

Croyez-vous, Monsieur l'Abbé, que toutes les Dames de ce siécle, s'accommodassent aisément d'une formule aussi longue et aussi ennuyeuse?

L'ABBÉ.

Non, sans doute, et c'est pour cela, que nos Romanciers modernes, toujours complaisans pour le beau sexe, dont ils attendent presque toute leur gloire, ont adopté une autre méthode. Il est fort commun de voir aujourd'hui commencer les Romans, par où finissent ceux de l'autre siécle. Avant la moindre aventure, *le Chevalier des Grieux* [2] n'a plus rien à desirer de *Manon l'Escot.* Les Dames vertueuses, placées entre la coquetterie et le libertinage, sçavent éviter ces deux écueils. La Romancie eut pour premiers réformateurs Mrs *d'Urfé, La Calprenède, Gomberville, Desmarets, Scudery,* et la sœur de ce dernier. Alors *l'Astrée, Cassandre, Cleopatre, l'Ariane, le Grand Cyrus, l'illustre Bassa,* et la *Clélie,* attirèrent tous les regards, et fixèrent tous les suffrages.

---

1. *Origine des Romans* (note de Jaquin).
2. *Suite des Mémoires d'un Homme de qualité* (note de Jaquin).

LA COMTESSE.

N'avoient-ils pas de quoi réussir?

L'ABBÉ.

Vous aurez, Madame, de la peine à m'en faire convenir. Ce goût pour les soupirs des Héros langoureusement amoureux, se conserva pendant quelque tems; mais les *Ségrais*, les *La Fayette*, les *M...*, les *P...*, les *C...* [1] firent bientôt oublier sinon les noms de leurs Maîtres, du moins leurs ennuyeuses productions. *La Zayde, la Princesse de Cleves, la Paysanne parvenue, les Memoires de M. de Meilcour, et Cleveland*, furent reçus avec autant d'avidité, que d'éloges. Insensiblement cette sorte de décence et de vraisemblance, que ces derniers Romanciers gardèrent, parut à charge à cette foule de foibles Ecrivains qui les suivirent; l'art Romanesque devint pour eux un travail au-dessus de leurs forces. Guidés par leur seule imagination, ils inondèrent bien-tôt les boutiques et nos cheminées de brochures croquées, d'aventures gigantesques, de *Mémoires secrets*, d'*Anecdotes curieuses*, ou deshonorèrent leurs plumes par des écrits, qui ne respirent que l'impiété et le libertinage.

LA COMTESSE.

Il est étonnant que dans un Royaume, qui en matière de politesse semble donner la loi à toute l'Europe, on imprime, on lise, on vante des ouvrages dont les gens les moins accoûtumés à rougir, n'osent prononcer les noms sans horreur.

L'ABBÉ.

Voilà où ne conduit que trop surement cette dangereuse manie d'écrire, et de donner au Public tout ce qu'on imagine. [...] Il en est pourtant parmi nos derniers Romanciers qui méritent une attention particulière.

LE CHEVALIER.

L'admirable production de Monsieur de Fenelon, ne trouvera probablement en vous qu'un approbateur zélé.

L'ABBÉ.

Ce n'est pas ici, Monsieur, le lieu d'examiner si Monsieur l'Archevêque de Cambrai n'auroit pas dû préférer l'histoire à la fiction, pour insinuer ses maximes de politique et de sagesse. Le héros de son Roman en auroit-il moins plû? N'auroit-il pas même mieux instruit, sans le naufrage, qui le jetta sur l'Isle enchantée, dans laquelle son innocence pensa échouer? Quel fruit en effet croyez-vous qu'une jeune personne puisse retirer de cette image séduisante, de la passion de l'infortunee *Calypso* et des tendres sentimens de la jeune *Eucharis* pour ce héros.

---

1. Comprendre : les Marivaux, les Prévost, les Crébillon. *Memoires de M. de Meilcour* est le sous-titre des *Egarements du cœur et de l'esprit*, de Crébillon.

N'est-il donc pas à craindre que la vive peinture de ces traits ardens n'enflamme le cœur d'un feu, qui ne brûle jamais impunément. *Télémaque* est au reste le modèle d'un bon Roman. Il efface l'antiquité, et fait disparoître tout ce qui a brillé depuis. [...]

L'Abbé.

[...] Je ne vous parlerai pas de ceux, dont les noms seuls, comme vous le disiez tout à l'heure, Madame, allarment la vertu, et font horreur. Puissent-ils, ces ouvrages de ténébres être aussi promptement oubliés, qu'ils méritent d'être méprisés et proscrits!

Enfin, depuis quelques années, nous n'avons pas vu un Roman passable. *Les Lettres de Madame de Graffigny* sont peut-être le seul ouvrage de ce genre qu'on puisse citer. [1]

La Comtesse.

Elles sont pleines de sentiment.

L'Abbé.

Il n'y en a même que trop, Madame.

Pour satisfaire le Public inconstant et frivole dans ses goûts, il a donc fallu lui donner des traductions. Vous vous souvenez encore sans doute, Madame, de ces fameuses Lettres, dont vous épousâtes il y a quelques années si vivement la defense : Avois-je donc tort de prophetiser que le Roman de *Paméla* seroit bien-tôt oublié? vous en étiez idolâtre pour lors; et cependant, sans votre petite chienne, que vous appellâtes de ce nom, vous en resteroit-il encore quelqu'idee? Il en fut de même il y a trois ans de *Tom-Jones* et de *Clarice*. Il en sera des Romans de nos jours comme de ceux de l'antiquité : un très petit nombre passera à la postérité, et il n'en survivra que trop, pour apprendre à nos descendans jusqu'où nous avons poussé les égaremens de l'esprit et du cœur! [...]

### Entretien second sur l'inutilité des Romans

La Comtesse.

[...] Mais enfin, si je demeure d'accord de tous les avantages que l'Histoire a sur la Romancie, convenez du moins qu'il y a, dans ce dernier genre, des ouvrages pleins de goût et de délicatesse, et dans lesquels la pureté de la Langue brille dans tout son jour. Croyez-vous donc, Monsieur, que ces écrits ne soient d'aucune utilité pour la littérature, et qu'ils ne contribuent pas merveilleusement à former les jeunes gens?

---

1. *Lettres d'une Péruvienne*, par M^me de Graffigny. Voir tome I, pp. 382-383.

L'Abbé.

Outre qu'il en est très peu de ce nombre, et que ceux-là même ne sont pas exempts des dangers dont nous parlerons une autre fois, en sont-ils moins inutiles pour les belles Lettres? Quoi! Madame, voudriez-vous donc regarder la Romancie comme une des causes auxquelles nous devons cette heureuse révolution, qui nous fit secouer le joug, sous lequel les Sciences gémirent si long temps? La seule lecture de ceux qui ont précédé ces jours fortunés, suffit pour prouver le contraire.

Le Chevalier.

Permettez-moi donc du moins, Monsieur, de vous demander quelle fut la cause d'un changement si fortuné.

L'Abbé.

C'est à la Poësie que nous en avons la premiére obligation [...]

[Jaquin rappelle alors le mot de Boileau sur Villon dans l'*Art poétique* et son éloge de Malherbe.]

Il est vrai que les Romans, sans influer dans cette révolution, y gagnèrent. A proportion que les ressorts de l'esprit se développèrent, ces sortes d'ouvrages approchèrent de leur perfection.

La Comtesse.

Je crois bien, Monsieur, que la Romancie n'a pas beaucoup contribué à nous faire sortir des ténèbres de ces siécles d'ignorance : Cependant, je ne sçaurois me persuader qu'elle ne serve infiniment à perpétuer cette délicatesse, qui fait le partage de notre Nation. Du nombre de nos Romans, il en est de si jolis, de si bien écrits, que je ne sçaurois leur refuser cette gloire.

L'Abbé.

Quels sont, Madame, les bons Ecrivains que ces *jolis Livres* ont formés? Le nombre, je pense, n'en est pas grand. Au contraire, ne les voyez-vous pas tous, ces Auteurs sensés, lorsqu'ils ont occasion de parler de ces sortes de fictions, déplorer la fureur de notre siécle de ne s'occuper que de ces ouvrages frivoles?

Ces petits bijoux, ces jolis riens peuvent bien courir dans un Salon, ou orner la toilette des Dames; mais jamais ils ne pénétreront dans le cabinet des Sçavans.

La Comtesse.

Ils servent du moins à donner le goût de la lecture, par l'attrait qui en est inséparable.

129

L'Abbé.

Il faut convenir que c'est à cet amusement frivole, que ces personnes, qu'on appelle dans le monde *gens d'esprit*, doivent un certain jargon, qui les fait valoir, et que sans eux, ils n'auroient peut-être jamais rien lû. Quelle ressource en effet pour ces visites froides, ces cercles ennuyeux, que la brochure de la semaine, la Piéce *du jour!*

Mais sont-ce donc là les temples du Goût? et les décisions des Petits-Maîtres doivent-elles être regardées comme ses oracles?

Prenez garde d'ailleurs, Madame, que pour peu que l'on soit prévenu en faveur des Romans, il est aisé de se tromper dans le jugement qu'on en porte. Comme l'on en attend peu, on est surpris d'y trouver quelque chose. Pour peu même qu'ils ne blessent pas visiblement les élémens de la Langue et les règles de la bienséance, on se sent porté à en faire l'éloge.

> « Dans un Roman frivole aisément tout s'excuse;
> C'est assez qu'en courant la fiction amuse. [1] »

Ce qui séduit les partisans de la Romancie, c'est qu'ils cherchent à s'amuser, et non pas à profiter, ou à examiner.

La Comtesse.

Que faut-il donc faire, Monsieur, pour ne pas se laisser surprendre dans le choix des Livres?

L'Abbé.

Vous reconnoîtrez un bon ouvrage, un ouvrage de goût, enfin un ouvrage solide et utile, lorsqu'après l'avoir lû, vous sentirez un nouveau plaisir en le lisant une seconde fois. M. le Chevalier sçait son Boileau par cœur : je suis cependant certain qu'il goûte encore tous les jours un nouveau charme en se le rappellant. Aussi ce Poëte est-il plein d'élégance, de finesse, d'exactitude, et comme il le dit lui-même, son vers

> « [...] Dit toujours quelque chose. [1] »

Les Romans ont-ils cet avantage? On les dévore d'abord : en a-t-on commencé la lecture, on ne peut la quitter. Mais peut-on les lire une seconde fois? Vous-même, Madame, quelqu'amatrice que vous soyez de ces ouvrages, avez-vous jamais eu ce courage? ... Vous ne répondez pas? ... Permettez-moi donc de regarder votre silence comme un témoin irréprochable, qui dépose contre la Romancie.

---

1. Boileau (note de Jaquin).

Tout homme qui veut se distinguer dans la Littérature, sans oublier les Anciens, doit se familiariser avec nos bons Poëtes et nos bons Orateurs : c'est là; c'est dans ces sources fécondes qu'il puisera le goût des des sciences.

LE CHEVALIER.

Il me semble, ma tante, que vous désesperez de pouvoir établir l'utilité de la Romancie.

LA COMTESSE.

J'ai encore une ressource. Je crois même que M. l'Abbé est trop équitable pour disputer aux Romans le droit de s'élever contre les ridicules du siécle : les peintures qu'ils nous en présentent sont enjouées, agréables, et par-là plus propres à corriger. Le Méchant, le Petit-Maître, la Coquette, la Précieuse ne peuvent s'y meconnoître. N'est-ce pas là une gloire solide, et un avantage marqué?

L'ABBÉ.

Si la Romancie pouvoit opérer ce prodige, elle ne feroit que réparer des défauts dont elle est la principale cause.

Les Livres de Chevalerie firent tourner la tête à nos peres, sur-tout aux Espagnols : les Ouvrages de *La Calprenede*, et de $M^{lle}$ *de Scudery*, produisirent les Précieuses. Présentement ces petites brochures frivoles, voluptueuses et impies qui paroissent tous les jours, augmentent la légéreté de la Nation, le libertinage et l'irréligion.

Voilà, Madame, le fruit des Romans. Si quelques-uns nous reprochent nos ridicules, ils n'en ont pas moins leurs inconveniens, plus la peinture approche du naturel, plus elle amuse le Lecteur; mais comme il ne cherche pas à s'instruire dans ces sortes d'ouvrages, il n'imagine pas que l'Auteur ait eu l'intention de le corriger : on se divertit du portrait, sans s'appercevoir qu'on rit souvent à ses propres dépens : on en cherche l'application dans les personnes de sa connoissance; et bien loin de reconnoître ses propres ridicules, on travaille à en donner aux autres.

LA COMTESSE.

La malignité seule des hommes empêche l'effet de la censure : ce n'est donc pas la faute des Romans, s'ils ne corrigent pas. N'ont-ils pas même cela de commun avec les Sermons? Les Prédicateurs les plus zélés se chargent bien de reprocher aux fidèles leurs vices; mais n'y auroit-il pas de l'injustice à vouloir les rendre responsables du succès [1] ?

---

1. Du résultat.

L'ABBÉ.

Les Sermons, Madame, sont par eux-mêmes établis pour enseigner la vérité, et pour corriger les mœurs. C'est dans cette vüe qu'on va, ou du moins, qu'on doit aller les écouter; et malheur à celui qui n'y porte qu'un esprit de curiosité et de satyre.

Il n'en est pas de même des Romans. Leur principal but est d'amuser. C'est dans cette intention qu'on les achète, et l'on n'a pas d'autre objet en les lisant. On a beau y voir des ridicules décriés; on regarde ces portraits comme des traits amusans, dans la peinture desquels l'Auteur s'est égayé, et non pas comme des leçons dont on devroit profiter.

De plus, ces ouvrages sont ordinairement remplis de tant de peintures dangereuses, qu'on risque souvent d'y prendre bien de mauvaises impressions, en cherchant à corriger quelques légers vices de société. Qui voudroit, par exemple, en lisant *les Egaremens du cœur et de l'esprit*, éviter la grossière timidité de *M. de Meilcour*, pourroit aisément donner dans l'impudence de *M. de Versac*.

LA COMTESSE.

Il est un milieu entre ces deux caractères.

L'ABBÉ.

C'est ce juste milieu, qui se trouve rarement dans les Romans. [...]

[Et Jaquin renvoie le Chevalier à La Bruyère et au *Traité du vrai Mérite*, de Le Maître de Claville.]

LE CHEVALIER.

Je reconnois présentement avec vous l'inutilité des Romans : je ne sçaurois trop me féliciter d'avoir appris aujourd'hui à ne pas prodiguer un bien aussi précieux que le temps, et à ne le pas employer à une lecture aussi stérile.

Une chose cependant que je ne conçois pas, c'est de voir presque tout le monde rechercher ces ouvrages avec empressement, les lire avec avidité, et en faire l'éloge avec excès. Personne ne fait donc, Monsieur, les réflexions qui viennent de faire la matière de notre entretien?

L'ABBÉ.

N'êtes-vous pas surpris de voir nos Dames faire pendant toute une journée des nœuds, pour les jetter au feu le soir? On lit un Roman, comme on fait des nœuds : une oisiveté entière déplaît : on veut avoir l'air de faire quelque chose. Avec plusieurs petits riens de cette nature, on parvient admirablement à remplir les vuides du temps.

texte 35         **Pharsamon**
# ou les Nouvelles Folies romanesques (1712)

Cliton — c'est le nom romanesque du paysan Colin —, évoquant son enfance rustique, a raconté comment il était allé voler des pommes dans un verger avec son jeune maître. Marivaux interrompt le récit par des réflexions ironiques, comme le faisaient Scarron et Furetière et comme le fera Diderot. Son réalisme s'aide encore de la plaisanterie, mais en 1734, en tête de la seconde partie de *La vie de Marianne,* on retrouvera le même refus de la littérature en forme (« Si vous me prenez pour un auteur, vous vous trompez », dit ici Marivaux; « Marianne n'a aucune forme d'ouvrage présente à l'esprit. Ce n'est point un auteur, c'est une femme qui pense [...] », dira-t-il en 1734), et le même plaidoyer en faveur des réalités et des personnages humbles (« Il y a des gens qui croient au-dessous d'eux de jeter un regard sur ce que l'opinion a traité d'ignoble; mais ceux qui sont un peu plus philosophes, qui sont un peu moins dupes des distinctions que l'orgueil a mis dans les choses de ce monde, ces gens-là ne seront pas fâchés de voir ce que c'est que l'homme dans un cocher, et ce que c'est que la femme dans une petite marchande », écrira alors Marivaux).

Écrit en 1712, *Pharsamon* ne fut publié qu'en 1737; l'édition des *Œuvres Complètes* de 1781, dont nous reproduisons le texte, l'intitule *Le Don Quichotte moderne.*

Ah! L'ennuyant personnage que votre Cliton quand il parle trop long-temps, dit un sérieux Lecteur à qui les pommes ont fait mal au cœur! et que je sçais bon gré à la compagnie qui vous épargne le reste de sa vie! Ecoutez, sieur Lecteur, je pourrois prendre

133

le parti de défendre l'histoire de mon écuyer [1], et vous soutenir qu'elle est excellente. Quoi! vous dirois-je, parce qu'il y a des pommes, des moineaux et des enfants qui se divertissent, vous concluez de-là qu'elle est ennuyante : ce ne sont point les choses qui font le mal d'un récit; et l'historien le plus grave, en racontant la décadence d'un empire, en rangeant en bataille cent-mille hommes de part et d'autre, et en fesant triompher l'un, tandis qu'il décrit la défaite de l'autre, ce grave historien, dis-je, n'ennuie quelque-fois pas moins que le pourroit faire le simple récit de deux enfants qui jouent les yeux bandés à s'attraper l'un l'autre. La maniere de raconter est toujours l'unique cause du plaisir ou de l'ennui qu'un récit inspire; et la naïveté de ces deux enfants bien écrite, et d'une maniere proportionnée aux sujets qu'on expose, ne divertira pas moins l'esprit, qu'un beau récit d'une histoire grande et tragique est capable de l'élever : une pomme n'est rien; des moineaux ne sont que des moineaux; mais chaque chose, dans la petitesse de son sujet, est susceptible de beautés, d'agréments; il n'y a plus que l'espece de diffé-rente; et il est faux de dire qu'une paysanne, de quelques traits qu'elle soit pourvue, n'est point belle et capable de plaire, parce qu'elle n'est pas environnée du faste qui suit une belle et grande Princesse.

Mais, Lecteur, je ne prends point le parti de vous dire que vous avez tort d'être ennuyé, ou du moins je veux faire semblant de ne le point prendre; ce peut être ma faute, ce peut être la vôtre, voilà tout ce que je puis répondre, et cela est bien modeste; mais quand même il seroit certain que Cliton est un fade historien, je dirai que Cliton, par-ci, par-là, est amusant, et que cela lui suffit, comme à bien d'autres qui sont flattés d'un peu de succès, pour avoir droit de dire quelquefois mal. S'il étoit toujours plaisant, il seroit trop égal : on s'accoutumeroit à sa plaisanterie ou à sa vraie naïveté; on ne la senti-roit plus; et prix pour prix, il vaut mieux qu'il hasarde du bon ou du mauvais, pour que les traits qui peuvent lui échapper ne deviennent point si familiers.

Où en sommes-nous? C'est un grand embarras que de répondre à tous les goûts, et que de les contenter tous! Mais parbleu! arrive ce qui pourra; si vous me prenez pour un auteur, vous vous trompez : je me divertis; à la bonne-heure, si je vous divertis quelquefois aussi; n'allez pas, benin Lecteur, vous choquer de ce trait de vivacité : par exemple, il n'est pas pour vous, vous êtes un bon esprit, et vous me prenez pour ce que je vaux; je n'en fais point le fin avec vous, je ne suis pas auteur; je passe mon temps à vous conter des fagots, cela vaut encore mieux que de le passer à ne rien faire : conti-nuons.

---

1. Le maître de Colin, ayant perdu l'esprit pour avoir lu trop de romans, s'est fait chevalier errant sous le nom de Pharsamon et emmène avec lui Colin comme écuyer sous le nom de Cliton.

*Abbé PRÉVOST*

---

texte 36     # Le Doyen de Killerine (1735)

Prévost ne songe pas à réhabiliter le roman. Sans préciser à quel genre appartiennent ses œuvres, il avoue qu'il a choisi le plus facile et le plus lucratif. Quant à la valeur morale de son récit, elle est garantie d'abord par l'authenticité des aventures, ensuite par le dessein qui donne à l'œuvre son unité et en rend toutes les parties solidaires; les deux arguments, sans être absolument contradictoires, ne sont pas du même ordre, mais un romancier de 1735 ne saurait reconnaître qu'il écrit des romans.

### PRÉFACE

Malgré les déclamations qu'on entend tous les jours contre le goût du siécle, je ne vois pas que les bons Ecrivains manquent de succès. N'a-t-on pas rendu justice ces dernières années aux bons Ouvrages dans tous les genres? [...]

Oui, dira quelqu'un; mais on nommeroit aussi aisément quantité de mauvaises productions qui se sont fait applaudir; et le bon goût consiste également à discerner les bons et les mauvais ouvrages.

Je conviens des applaudissemens injustes qu'on donne quelquefois à de fort mauvais Livres; mais je demande à quel titre ils les obtiennent? S'il est vrai qu'on prétende y reconnoître un mérite réel et des qualités estimables qui n'y sont pas, il faut passer condamnation sur une erreur si honteuse, et déplorer en effet la perte du bon goût. Mais si les uns ne plaisent que par le misérable agrément de la médisance et de la satyre, d'autres par la licence avec laquelle on y fait la guerre aux mœurs ou à la Religion, il est clair qu'il faut s'en prendre moins à la dépravation du goût qu'à celle du cœur; et plaindre seulement la légéreté et la malignité des hommes, qui est à peu près la même dans tous les siécles.

Heureux sans doute l'Ecrivain qui plaît! Mais c'est lorsqu'il n'a point à rougir de la voie qu'il choisit pour plaire. Autrement j'ose le comparer aux Ministres des honteux plaisirs : ceux qui les emploient et qui aiment leurs services, ne les regardent pas moins comme des infâmes.

Si l'Ouvrage que j'abandonne à la Presse n'a pas de quoi satisfaire le bon goût que je reconnois dans notre siécle, j'aurai du moins la satisfaction d'avoir mieux aimé renoncé aux applaudissemens, que de les chercher par des voies que je condamne. L'état de ma fortune ne me permettant point de choisir pour sujet de mon travail tout ce qui demande du temps et de la tranquillité, je me réduis à ce qui se présente à ma plume, de plus simple, de plus honnête, et de plus agréable. Ces trois caractères s'accommodent fort bien à ma situation; le premier, parce qu'il abrége mes peines; le second, parce qu'il convient à ma profession et à mes principes; et le dernier, parce que facilitant le débit de l'Ouvrage, il répond à la principale vue qui me le fait entreprendre.

Ils se trouvent tous trois si parfaitement réunis dans cette Histoire, que je ne puis trop m'applaudir du hazard qui m'en a fait tomber les matériaux entre les mains. Le compte que j'en pourrois rendre à mes Lecteurs n'auroit rien de fort intéressant pour eux. Il suffit de leur apprendre que l'indulgence avec laquelle on a reçu de moi quelques Ouvrages de la même espèce, a fait croire aux Héritiers des illustres Frères dont on va lire les aventures, que je pouvois retoucher avantageusement leur Manuscrit. Ils ont exigé que la plupart des noms propres demeurent inconnus, et c'est presque l'unique loi qu'ils m'aient imposée. J'ai usé d'ailleurs de la liberté qu'ils m'ont laissée de retrancher certains détails domestiques, que la différence de nos usages auroit fait trouver ennuyeux, et peut-être ridicules.

Je n'ai rien épargné avec tant de respect que la Morale. Ce n'est pas dans une première Partie qu'on peut prendre une juste idée du dessein de l'Auteur; mais ayant cru le saisir en lisant l'ouvrage entier, j'ai conçu que le Doyen de Killerine s'étoit proposé de réunir dans l'Histoire de sa Famille toutes les régles de Religion qui peuvent s'accorder avec les usages et les maximes du Monde, pour faire connoître jusqu'à quel point un Chrétien peut se livrer au monde, et à quelles bornes il doit s'arrêter. Une entreprise de cette nature deviendroit peut-être importante, si l'exécution répondoit à la grandeur du projet. Quoiqu'il soit, dis-je, impossible d'en juger parfaitement par la lecture d'un seul Volume, on ne laissera pas de remarquer dans le caractère du Doyen, et dans celui de ses Frères et de sa Sœur, des ouvertures qui feront entrevoir ce qu'on peut attendre de la suite. [...]

Croira-t-on qu'un but si sérieux puisse rendre mon sujet susceptible de l'agrément que j'ai fait espérer? Il y auroit de la témérité à l'assurer d'un certain ton. Cependant le fond de la matière me paroît si riche, que je ne crains pas d'exhorter encore mes Lecteurs à l'espérance.

Les Ouvrages que j'ai publiés dans le même genre auroient peut-être beaucoup moins promis, si j'eusse commencé par annoncer leur but. Soit que je l'aie manqué néanmoins, ou que je l'aie rempli, il est certain qu'il n'en est pas sorti un de ma plume qui n'ait été composé dans des vues aussi sérieuses que ce genre d'écrire peut les admettre. Le Cleveland, par exemple, dans lequel on m'a reproché fort injustement d'avoir donné quelqu'atteinte à la Religion, étoit fait au contraire pour en montrer la nécessité, autant du moins qu'un Ouvrage d'imagination peut y servir; et j'ai eu la satisfaction de forcer mon accusateur à le confesser, aussi-tôt qu'il eut lû ma Réponse. [...]

texte 37 ## Les Egarements du cœur
et de l'esprit (1736)

Contre le roman romanesque, roman des héros invraisemblables; pour le roman de « l'homme tel qu'il est ». Crébillon réclame une réforme du roman, mais il n'est pas encore réaliste : c'est un psychologue plus qu'un peintre des mœurs.
Voir tome I, p. 372.

### Préface

Les Préfaces, pour la plus grande partie, ne semblent faites que pour en imposer au Lecteur. Je méprise trop cet usage pour le suivre. L'unique dessein que j'aie dans celle-ci, est d'annoncer le but de ces Mémoires, soit qu'on doive les regarder comme un ouvrage purement d'imagination, ou que les aventures qu'ils contiennent soient réelles.

L'homme qui écrit ne peut avoir que deux objets, l'utile et l'amusant. Peu d'Auteurs sont parvenus à les réunir. Celui qui instruit, ou dédaigne d'amuser, ou n'en a pas le talent; et celui qui amuse, n'a pas assez de force pour instruire : ce qui fait nécessairement que l'un est toujours sec, et que l'autre est toujours frivole.

Le Roman, si méprisé des personnes sensées, et souvent avec justice, seroit peut-être celui de tous les genres qu'on pourroit rendre le plus utile, s'il étoit bien manié, si, au lieu de le remplir de situations ténébreuses et forcées, de Héros dont les caracteres et les aventures sont toujours hors du vraisemblable, on le rendoit, comme la Comédie, le tableau de la vie humaine, et qu'on y censurât les vices et les ridicules.

Le Lecteur n'y trouveroit plus, à la vérité, ces événemens extraordinaires et tragiques qui enlevent l'imagination, et déchirent le cœur; plus de Héros qui ne passât les Mers que pour y être, à point nommé, pris des Turcs; plus d'aventures dans le Serrail, de Sultane soustraite à la vigilance des Eunuques, par quelque tour d'adresse surprenant; plus de morts imprévues, et infiniment moins de souterrains. Le fait, préparé avec art, seroit rendu avec naturel. On ne pécheroit plus contre les convenances et la raison. Le sentiment ne seroit point outré; l'homme enfin verroit l'homme tel qu'il est ; on l'éblouiroit moins, mais on l'instruiroit davantage.

J'avoue que beaucoup de Lecteurs, qui ne sont point touchés des choses simples, n'approuveroient point qu'on dépouillât le Roman des puérilités fastueuses qui le leur rendent cher; mais ce ne seroit point à mon sens une raison de ne le point réformer. Chaque siecle, chaque année même, amene un nouveau goût. Nous voyons les Auteurs qui n'écrivent que pour la mode, victime de leur lâche complaisance, tomber en même tems qu'elle dans un éternel oubli. Le vrai seul subsiste toujours; et si la cabale se déclare contre lui, si elle l'a quelquefois obscurci, elle n'est jamais parvenue à le détruire. Tout Auteur retenu par la crainte basse de ne pas plaire assez à son siecle, passe rarement aux siecles à venir.

Il est vrai que ces Romans, qui ont pour but de peindre les hommes tels qu'il sont, sont sujets, outre leur trop grande simplicité, à des inconvéniens. Il est des Lecteurs fins qui ne lisent jamais que pour faire des applications, n'estiment un Livre qu'autant qu'ils croient y trouver de quoi déshonorer quelqu'un, et y mettent par-tout leur malignité et leur fiel. Ne seroit-ce pas que ces gens si déliés, à la pénétration desquels rien n'échappe, de quelque voile qu'on ait prétendu le couvrir, se rendent dans le fond assez de justice pour craindre qu'on ne leur attribuât le ridicule qu'ils ont apperçu, s'ils ne se hâtoient de le jetter sur les autres. Delà vient cependant que quelquefois un Auteur est accusé de s'être déchaîné contre des personnes qu'il respecte ou qu'il ne connaît point, et qu'il passe pour dangereux, quand il n'y a que ses Lecteurs qui le soient.

Quoi qu'il en puisse être, je ne connois rien qui doive, ni qui puisse empêcher un Auteur de puiser ses caracteres et ses portraits dans le sein de la Nature. Les applications n'ont qu'un tems; ou l'on se lasse d'en faire, ou elles sont si futiles qu'elles tombent d'elles-mêmes. D'ailleurs, où ne trouve-t-on point matiere à ces ingénieux rapports? La fiction la plus déréglée, et le traité de morale le plus sage, souvent les fournissent également, et je ne connois jusqu'ici que les Livres qui traitent de Sciences abstraites, qui en soient exempts.

Que l'on peigne des Petits-Maîtres et des Prudes, ce ne seront ni Messieurs tels ni Mesdames telles que l'on n'aura jamais vus, auxquels on aura pensé; mais il me paroît tout simple que si les uns sont Petits-Maîtres, et que les autres soient Prudes, il y ait, dans ces portraits, des choses qui tiennent à eux : il est sûr qu'ils seroient manqués, s'ils ne ressembloient à personne; mais il ne doit pas s'ensuivre, de la fureur qu'on a de se reconnoître mutuellement, qu'on puisse être, avec toute sorte d'impunité, vicieux ou ridicule. On est même d'ordinaire si peu certain des Personnages qu'on a démasqués, que si, dans un quartier de Paris, vous entendez s'écrier : *Ah! qu'on reconnoît bien là la Marquise!* vous entendez dire dans un autre : *Je ne croyois pas qu'on pût si bien attraper la Comtesse!* et qu'il arrivera qu'à la Cour on aura deviné une troisiéme personne, qui ne sera pas plus réelle que les deux premieres. [...]

# texte 38  Les Heureux Orphelins (1754)

C'est un libertin qui parle, le comte de Chester, mais par sa voix Crébillon justifie le roman psychologique tel qu'il l'entend; le libertinage permet en effet les vues les plus pénétrantes et les plus sceptiques sur l'âme humaine. Crébillon ne veut ni raconter des événements grandioses du passé, ni peindre l'ensemble de la société de son temps. Contemporain, son objet est aussi très limité, encore plus limité que celui de Marivaux, mais il lui attribue une portée morale très grande.

## Lettre Troisieme

### HISTOIRE SECRETTE DU COMTE DE CHESTER [...]

Si quelqu'autre que vous, mon cher Duc, lisoit mon histoire, et qu'elle tombât, par exemple, entre les mains de ces gens qui, pour toutes connoissances, n'ont que des préjugés, il seroit étonné, sans doute, que je trouvasse dans les événemens d'une vie aussi frivole que la mienne, à ses respectables yeux, de quoi en composer une, et de ce que même j'oserois faire souvenir que j'ai vécu. En effet, qu'y verroit-il? des femmes cherchées et poursuivies sans amour et sans desirs, avec la plus grande ardeur, et prises uniquement pour être quittées; un homme, toujours dans la plus grande agitation pour la chose du monde qui paroît devoir occuper le moins, dès qu'elle n'intéresse pas le cœur; des regards discutés avec le détail le plus étendu; de simples mines devenues un sujet de spéculation, et traitées sérieusement, et avec autant de profondeur que pourroient l'être des faits de la plus grande importance; une analyse exacte jusqu'au ridicule, du cœur, des caprices ou des petits motifs d'une femme; un amas de méprisables ruses, ou d'atroces perfidies; en un mot, les mémoires d'un fat; digne objet, assurément de l'attention publique!

Mais sans compter qu'un objet, quel qu'il soit, n'a d'importance que celle qu'on lui donne, et que la vanité, l'intérêt et le préjugé, réglent seuls le prix des choses, ce même homme qui, parce que j'aurois le malheur d'être son contemporain, n'auroit que du mépris pour tout ce que j'aurois à lui raconter, croiroit ne pouvoir jamais assez payer un livre qui l'instruiroit de quelques particularités galantes de la vie de quelque Romain, fameux ou non, et qui seroit du siecle d'Auguste. Eh quoi! les choses changent-elles donc de nature par l'éloignement; et comment se peut-il que ce qui, s'il avoit vécu du tems de ce Romain, ne lui auroit paru que frivole, devienne enfin pour lui un objet si intéressant? Verrons-nous toujours les hommes, non contens d'être la dupe du siecle où ils vivent, l'être encore des siecles où ils n'ont pas vécu? Mais n'interrogeons pas leur raison; nous sommes trop sûrs que leur vanité seule nous répondroit. Cependant, est-il décidé que l'on ne voudra jamais étudier les hommes, que dans ceux qui n'existent plus; et savoir ce qu'ils ont été, n'est-ce pas pour nous une curiosité aussi inutile, et presque aussi déplacée que le seroit celle de vouloir apprendre ce qu'ils seront après nous? Il n'est pas douteux, à ce que je crois du moins, qu'il ne nous fût bien plus nécessaire de connoître ceux avec lesquels nous sommes obligés de vivre; mais il est bien moins aisé de pénétrer ce qu'ils sont capables de faire, qu'il ne l'est de savoir ce qu'ils ont fait. Il n'y a personne qui ne puisse lire; et la Nature n'a pas donné à tout le monde de quoi percer la profondeur du cœur humain; sans doute, elle a bien fait. Comme il y auroit pour nous un tourment perpétuel, attaché à la connoissance précise de l'instant qui doit terminer nos jours, ce n'en seroit pas un moindre pour nous que de savoir à quel point les objets de notre estime, de notre amitié, de notre amour, sont souvent indignes de tout ce qu'ils nous inspirent. Cette sorte de prescience ne préviendroit pas en nous ces passions, et ne nous les rendroit que plus douloureuses, par la certitude qu'elle nous donneroit, que le sentiment le plus cher à notre cœur, ne peut un jour en devenir que le supplice.

Je veux donc que ce soit un bonheur pour les hommes, que de ne pouvoir jamais parvenir à un si haut degré de connoissance, et qu'il est important pour le bonheur de l'humanité, qu'ils se croient réciproquement des vertus. Cela n'empêche pas qu'il ne nous soit recommandé, et par la raison même, d'apprendre à les connoître; et j'ose soutenir qu'une histoire qui ne contient que les minutes de leurs erreurs, est plus utile pour cela que toute autre. Mais, me dira-t-on, le beau sujet de réflexion que des femmes! Eh quoi! sont-elles donc si peu de chose à nos yeux; influent-elles si peu sur notre vie, que nous devions regarder comme perdu, ou mal employé le tems que nous mettons à approfondir leur ame? Qui peut donc mieux que cette étude, garantir notre cœur du trouble qu'elles y excitent, et nous apprendre à ne nous pas faire un objet de passion, de ce que la Nature, toujours plus sage que nous, a voulu sans doute qui ne fût pour nous qu'un plaisir? Les femmes, de leur côté, instruites des pieges que nous leur tendons, apprenant par une histoire du genre de la mienne, combien peu elles doivent compter sur notre cœur; à quel point il nous est aisé de feindre de l'amour; le peu que sont pour nous, nos sermens, et tout ce qu'elles risquent à les croire, en deviendroient nécessairement moins crédules, en seroient plus estimables, et de-là même plus heureuses.

Mais quand on voudroit bien convenir que mon histoire, considérée de ce côté, pourroit être utile, on ne m'en blâmeroit pas moins du peu de consistance des faits qui la composent. Les hommes, ceux-mêmes auxquels par leur état ces récits importent le moins, aiment les grands événemens; c'est-à-dire, ce qui leur paroît tel; car que l'on décompose ces grands événemens, on ne les trouvera presque jamais, que le résumé d'une infinité de petites circonstances, plus puériles les unes que les autres aux yeux de la raison, ou quelquefois, le résultat que l'on devoit le moins attendre de toutes les mesures que l'on avoit prises, et du récit desquelles on a vastement ennuyé le Lecteur.

Cela se peut : mais du moins, on lui a présenté des objets dignes de l'occuper ; une grande révolution, le bouleversement d'un Empire, la fondation d'un autre, des guerres cruelles, d'importantes négociations, etc. Il faut en convenir, tout cela est fort beau ; mais mon histoire est aussi fort belle. Vous ne me montrez que l'extérieur de l'homme, ou ne m'offrez, pour percer plus loin, que des conjectures que je puis, si je veux, ne pas adopter, et qui, quelque fines qu'elles puissent être, n'en sont peut-être pas mieux fondées. Moi, c'est le cœur que je développe, son délire particulier, le manége de la vanité, de la fausseté dans la plus intéressante des passions que j'expose à vos yeux. Cela peut, à la vérité, n'être pas utile à tous les hommes ; mais, soyez amant, je cesserai de vous paroître si frivole : craignez de l'être, vous me devrez encore plus d'estime et de reconnoissance ; repentez-vous de l'avoir été, en vous retraçant vos erreurs, je vous affermis dans un repentir qui ne peut que vous sauver des malheurs, ou des ridicules, peut-être tous les deux ; et si vous n'avez été qu'un fat, ou si, comme moi, vous en êtes un, par mon exemple je vous corrige de l'être, je vous console de l'avoir été ; ou, ce que vous aimerez mieux, peut-être, et qui peut en effet vous être plus nécessaire, ou plus agréable, j'encourage votre fatuité par mes succès, et vous la rends plus utile par mes préceptes. [...]

*J.-B. JOURDAN*

# texte 39   Le Guerrier philosophe (1744)

A la psychologie analytique, qui définit et classe les « passions de l'âme » et conçoit les caractères comme des entités composites permanentes, reconnaissables à la raison, succède vers le milieu du XVIIIe siècle une psychologie dynamique, selon laquelle l'être intérieur, loin de se plier à des catégories préétablies et d'illustrer une classification des facultés, se manifeste par ce qu'il fait, ce qu'il ressent, ce qu'il désire, et se découvre en s'éprouvant. Cette psychologie se généralise avec la diffusion des romans anglais. Aux yeux d'un défenseur de *l'histoire* ou de la *nouvelle* à la française comme Jourdan, les contradictions des personnages romanesques nouveaux paraissent scandaleuses; il n'y voit que le caprice, l'ignorance ou l'immoralité des romanciers, surtout quand cette psychologie s'appuie sur un réalisme beaucoup plus direct et beaucoup plus « bas » que celui que permettait notre tradition. Qu'aurait dit Jourdan, s'il avait eu à commenter *Clarisse* et non *Pamela!* Sur l'opposition des deux psychologies et des deux romans, voir tome I, pp. 428-429, et sur la façon dont cette opposition est traduite dans *Les Liaisons dangereuses, ibid.*, pp. 481-482.

### Préface

Ce n'est que depuis un certain nombre d'années, que l'on est dans l'usage de donner les Mémoires d'un Particulier; autrefois l'Histoire avoit des bornes plus resserrées : elle ne rouloit que sur des évenemens, qui pouvoient interesser des Roïaumes, des Provinces, de grandes Villes, des Rois, des Princes, ou des Héros; et tout sujet, qui n'étoit pas au moins Ministre ou Général d'Armée, se couvroit de ridicule en voulant amuser le

143

public de ses Avantures; il étoit permis à peine de mettre sous ses yeux la vie d'un homme célèbre, dont les lumieres ont éclairé l'Univers [...].

[Le public désormais est indifférent à ce genre d'histoires qui n'intéresse guère que les gens de lettres.]

On étoit tellement prévenu qu'il falloit un grand nom à la tête d'une Histoire, que jusques dans les Ouvrages de fiction, dans presque tout ce qu'on appelle Romans ou Livres de tendresse, un Auteur n'eût osé prendre son Héros que dans le sang roïal. L'on est revenu de ce préjugé petit à petit, et le Public aime à voir la peinture de la vie civile dans des Memoires bien rédigés [...].

[L'auteur définit ici le but de l'Histoire dont les réflexions générales s'adressent au petit nombre des dirigeants. Quant aux réflexions particulières, elles se trouvent bien mieux dans les Biographies.]

Au lieu que, dans des Memoires bien faits de la vie d'un Particulier, tout s'y rencontre à la fois; l'Auteur y mêle l'utile à l'agréable, et trouve le secret d'amuser en instruisant : mille petits détails découvrent les secrets ressorts qui nous font agir et qui excitent nos passions, et chacun y voit dans les autres ses défauts et ses travers. Le Petit-Maître y rit de la Coquette; celle-ci se mocque de la Prude, et tous les trois ouvrent les yeux ensuite sur leurs propres ridicules; le Prodigue après avoir taxé l'Avare de folie, est forcé de faire un retour sur lui-même à la vûë d'un dissipateur reduit à la plus affreuse misere; la chûte d'un ambitieux, le mauvais sort d'un libertin, le châtiment d'un fourbe, le mépris général que l'on conçoit d'une femme galante, la malheureuse situation d'une fille abandonnée, suite funeste de sa crédulité, le ridicule d'un vieillard amoureux, qui devient la risée publique; tous ces caracteres développés avec art, présentent au Lecteur un miroir fidèle de ses égaremens; il se condamne en secret, il goûte des reflexions qui viennent à son secours pour le rendre meilleur, et s'il n'écoute pas entierement sa raison, du moins reçoit-il dans son cœur une semence de vertu qui, par la suite, doit produire necessairement un bon effet. C'est encore les Ouvrages de cette nature qui servent à polir nos mœurs et notre esprit. Mais j'entends déjà les gens austeres se récrier : Quoi! désormais il nous faudra donc étudier la morale dans des Livres tissus d'avantures extraordinaires. Et pourquoi non, Messieurs? si ces Livres sont composés avec goût et avec jugement, les jeunes personnes en tireront tout autant d'avantages que de la lecture de ces Auteurs célebres, qui font mon admiration à la vérité, mais que je voudrois voir moins déchaînés contre la nature humaine. (Hélas! nous naissons avec une antipathie assez grande les uns pour les autres, sans que l'on s'attache encore à nous rendre odieux par des portraits bien souvent trop chargés.) Ces Auteurs nous peignent l'homme avec des couleurs monstrueuses, et nous le font haïr jusques dans ses vertus; les autres nous le représentent avec des foiblesses, et nous le font plaindre jusques dans ses vices même; lesquels méritent la préférence? N'est-il pas plus flatteur pour notre amour propre de croire qu'un penchant funeste est de moitié avec nous dans les fautes que nous commettons, que d'être forcés de penser que nous sommes méchans de gaïeté de cœur? Il nous en reste du moins l'espoir d'être plaints, et ce système fomente une compassion mutuelle qui devient un lien d'amitié entre tous les hommes. Voilà, je le répete, l'effet que doit opérer dans notre ame l'Histoire des foiblesses humaines, si j'ose m'exprimer ainsi; les leçons qui viennent à la suite nous frappent d'autant plus, qu'elles semblent n'être amenées qu'à l'occasion de fautes qui nous sont étrangeres. Mais dans un Livre tel que ceux de la B*, de P* et de la R* [1], comme la morale qu'ils contiennent est adressée à tous les hommes en général, et que par conséquent elle tombe en particulier sur moi, je me révolte contre de telles maximes; je trouve mauvais que l'on me dise crûment que je suis un ambitieux, un avare, un libertin, un fat, etc. Je ressemble à ce malade [2] qui veut guérir, et qui ne pouvant surmonter sa répugnance pour les remedes, se laisse tromper par le mélange gracieux de quelque chose de doux qui corrige l'amertume de sa médecine. Ou pour me servir d'une comparaison peut-être plus juste, les Livres dont nous parlons, font à peu près le même effet sur moi que fait sur l'esprit d'un jeune Prince une peine que l'on impose en sa présence à un enfant de son âge pour une faute qu'il a commise lui-même. Le Prince qui se sent coupable fait ses petites réflexions, et par un instinct naturel à tout ce qui pense, il est plus réservé à l'avenir.

Ces idées paroîtront sans doute un paradoxe aux yeux de certains Lecteurs; je les hazarde avec d'autant plus de crainte que je heurte peut-être de front le sentiment de ce qu'il y a de plus respectable dans la Société; mais aussi n'est-on pas un peu trop rigide à l'égard des Ouvrages que je défends? Quand la vertu en est la baze, qu'elle y triomphe et que le vice est puni, il me semble que ces sortes de lectures ne sçauroient être pernicieuses.

A présent il est juste que je rende compte au public du Livre que je lui présente : Une famille illustre m'ayant chargé de rediger les *Memoires de M. le Duc de* **, je les donne sous le nom du *Guerrier philosophe* [...].

[Suit la description du personnage central et celle des personnages féminins du roman.]

Pour les caracteres, j'aurois pu me dispenser de les rendre soutenus; ce n'est plus la mode, quoi qu'en die un grand Maître de l'antiquité [3]. Depuis qu'il nous est venu de nouvelles regles d'Angleterre pour la conduite de ces sortes d'Ouvrages, nous pouvons sans craindre la critique, donner à nos Personnages des qualités opposées, peindre nos Héros tout à la fois avares et prodigues, doux et coleres, orgueilleux et rampans, capricieux et raisonnables, selon qu'ils se présenteront pour le moment à notre imagination; il faut avouer que cela devient d'un très grand secours. Le vice même, pourvû qu'il sauve les apparences, trouvera grace aux yeux des Lecteurs; n'importe qu'il y paroisse avec des vûës cachées d'ambition, qu'il couvre un fonds de vanité sous le voile trompeur d'une humilité affectée, enfin, que la plus fine dissimulation lui serve de regle pour arriver à son but. N'importe, ils prendront pour vertu ce qui n'en est que le masque; il ne sera pas même nécessaire de pousser trop loin la pudeur; on pourra la concilier avec les plaisirs, à l'aide d'un évanouissement on sortira d'embarras. J'ai vû des femmes se plaindre de la rigoureuse contrainte que la bienséance leur impose vis-à-vis d'un

---

1. Lire : *La Bruyère, Pascal, La Rochefoucauld.*
2. Une note de l'auteur fait remarquer que la comparaison se trouve déjà chez Plutarque. Qu'elle vienne de Lucrèce, de Plutarque ou de Montaigne, elle est reprise par presque tous les apologistes du roman.
3. Horace, dont l'*Art poétique* est cité en note par l'auteur.

amant aimé. Eh ! Mesdames, évanouissez-vous, rien n'est si commode. Pamela, cette vertueuse fille, vous en donne l'exemple. Quelle douceur de mettre sa gloire à couvert dans le sein de la volupté !

Si nous voulons aussi nous exercer sur des sujets comiques; ce ne sera plus dores-navant Servantés, Scaron [1] et Le Sage qui nous serviront de modele; leurs Livres, pleins de saillies fines et toujours neuves, assaisonnés d'une morale enveloppée sous des idées simples et naturelles, leurs Livres, dis-je, où brille par tout la plus belle et la plus riche imagination, sont d'un genre trop difficile à imiter. Oh ! que nous trouverons bien mieux notre compte *dans les charmantes Avantures de Joseph Andrews, traduites par une plume élégante;* avec le moindre génie nous composerons des Volumes. Un Curé par exemple, qui abandonne ses Ouailles à leurs propres consciences, et qui va courir le monde avec deux de ses jeunes Paroissiens, dont il favorise les amours, sera le fonds de notre action principale; une vieille extravagante d'un caractere qu'on ne sçauroit bien définir, en sera le nœud; et si ce n'est pas assez, nous mettrons sur la scéne un Gentillâtre ruiné, qui par le moïen de ses insipides confessions préparera notre dénouëment; nous semerons ensuite dans tout l'Ouvrage des maximes triviales, et quelques mauvaises plaisanteries, et de l'ensemble de tout ce galimatias, il naîtra un Livre admirable, que nous donnerons au public, pour être d'un genre singulier, et renfermer un *comique neuf échappé au divin Moliere.* Vous me demandez peut-être, cher Lecteur, si le public le lira. Oüi, s'il faut en croire les *défunctes* Observations de cet Aristarque moderne, que la République en pleurs ne cesse de regreter chaque jour [2].

Mais insensiblement je me suis trop étendu, et je sens bien que je passe les bornes d'une Préface. Je finis donc par deux mots sur la guerre d'Italie, dont on verra presque tout le détail dans ces Mémoires. J'espere que ceux même sous les yeux de qui se sont passés tous ces évenemens en seront satisfaits, et n'y trouveront rien qui sente la fiction. Quant au ton dont je me suis servi pour écrire cet Ouvrage, je déclare que c'est plutôt la noble simplicité de Madame de Villedieu que je me suis attaché d'imiter, que le style *manieré* de nos Ecrivains à la mode. Heureux si j'ai réussi; quoi qu'il en soit, l'on ne me verra point ici à genoux [etc.].

---

1. Lire : *Cervantès, Scarron.*
2. Il s'agit de l'abbé Desfontaines, traducteur des *Aventures de Joseph Andrews* et auteur des *Observations sur les Écrits modernes.*

texte 40      # Le Financier (1755)

Mouhy entreprend de réfuter l'abbé Jaquin et de réhabiliter le genre romanesque : le roman a sur la sensibilité une action moins forte que la tragédie ou l'opéra; n'importe quel livre peut avoir un effet dangereux sur un esprit et un cœur disposés au mal; trop de sévérité dégoûte de la morale, trop d'interdictions ne font qu'exciter la curiosité.

Les arguments de Mouhy sont sans originalité, et il est un peu trop pressé de passer condamnation sur ce qu'il appelle « les romans méprisables ». Mais quand il fait l'éloge du génie créateur, il revendique pour le romancier la dignité que revendiquaient deux cents ans auparavant les poètes contre les pédants et les regratteurs de syllabes.

Sur Mouhy, voir tome I, p. 329 et pp. 374-375.

Préface ou Essais
pour servir de Réponse a un Ouvrage intitulé
« Entretiens sur les Romans », par M. l'Abbé J.

Proscrivons sans miséricorde (je suis le premier à le desirer) tous ces Ouvrages licencieux et indécens, qui ne tendent qu'à corrompre l'innocence, qu'à faire rougir la pudeur, qu'à faire succomber la vertu et triompher le vice, qu'à former des Ecoles pour les passions, pour la débauche et le libertinage; qu'ils soient condamnés à jamais; qu'on en punisse sévérement les infâmes Auteurs; qu'on ne fasse aucune grâce aux Imprimeurs, et qu'on couvre même d'opprobre ceux qui en font un honteux trafic :

mais qu'on ne confonde point ces Ecrits odieux, et ceux qui les composent, avec ces Ouvrages remplis de mœurs, où le vice est toujours puni, et la vertu récompensée; où les Auteurs bons citoyens, et jaloux de rendre utiles leurs veilles, se sont attachés à nourrir l'Esprit de leur lecteur des maximes les plus saines : au lieu de les mêler indistinctement dans la Classe de ces Ecrivains justement proscrits, qu'on excite leur émulation, et qu'on accorde même des Prix à ceux qui auront rendu le plus ingénieusement un trait de Morale, plutôt qu'à ceux qui auront mieux débrouillé un fait douteux ou inutile de l'Histoire.

En tenant cette conduite, on parviendroit sûrement à corriger l'abus; puisqu'il est impossible d'empêcher que la Jeunesse lise des Ouvrages frivoles, qu'on s'attache à les épurer. Les Romans construits sur un plan si louable deviendroient alors un délassement convenable, et peut-être nécessaire; ils auroient même une sorte d'avantage sur l'Histoire, où l'on ne voit que trop souvent la vertu devenir la triste victime de la méchanceté et de l'injustice, le vice sur le faîte de la fortune, l'honnête homme dans les souffrances et le scélérat opulent et accrédité, la modestie, le savoir, les talens gémissans dans l'humiliation, tandis que l'impudence, l'ignorance, la calomnie, l'intrigue, s'emparent des faveurs qui devoient être le prix des premiers.

Ces mêmes Livres d'imagination si sévérement proscrits, et tels qu'on les demande, ne seroient-ils pas aussi préférables à ceux de Philosophie et de Morale, hérissés pour la plupart d'une érudition pédantesque, de réfléxions décharnées, de raisonnemens abstraits, de citations fatiguantes? Le Roman au contraire (j'entens toujours celui qui sera écrit sur le modèle que je viens de proposer) rassemble tous les charmes de l'Histoire et l'utilité de la Morale; il unit l'exemple au précepte, le sentiment à la réfléxion, l'expérience au raisonnement. Il présente à chaque page la Morale sous les traits séduisans de l'action, et il fait même aimer la vertu à ceux qui s'en écartent le plus. [...]

Si tout ce que je viens d'avancer ici peut être démontré par l'expérience, quelles productions de la Littérature oseroient disputer le pas à celles qui produiroient des effets si salutaires? Un Docteur hérissé d'une érudition classique n'aura-t-il pas bonne grâce de fronder les traits heureux d'une imagination réglée par des vuës aussi louables? Mais ceux même qui feignent de mépriser ces Ouvrages de génie, qui se croyent fort au-dessus de ces Ecrivains prétendus frivoles, parce qu'ils ont la mémoire chargée des pensées des autres, ne parlent ainsi sans doute que par le dépit secret de ne pouvoir produire de si gracieuses, et cependant de si solides bagatelles, de ne pas être doués de ce génie créateur qu'ils ambitionnent en secret, et pour lequel ils céderoient volontiers leur Grec, leur Latin, et tout leur prétendu savoir, si un pareil échange pouvoit avoir lieu. C'est ce génie en effet qui a toujours tenu le premier rang dans l'Empire Littéraire, et qui le conserve encore. Quoiqu'en puissent dire ceux à qui il a été refusé, c'est à lui que l'on doit les découvertes et les progrés des beaux Arts : c'est lui qui a formé les immenses Bibliothèques d'Athènes, d'Alexandrie, de Rome, de la France et de l'Allemagne. Qu'ont fait la plupart des Ecrivains de siécle en siécle? Que font encore aujourd'hui ceux qui ont le plus de réputation, et que l'on a admiré davantage? Ils répétent, ils imitent, ils commentent, ils transforment ce que ces génies créateurs ont imaginé, pensé et écrit avant eux. Ils donnent une autre tournure à leurs pensées originales, et se les approprient; ils présentent sous de nouvelles faces ce qui a déjà été offert sous mille formes diverses [1] [...]. Ainsi de tous les autres genres de la Littérature et des Arts, où les Modernes les plus célèbres n'ont pas toujours créé, et où ils ont fait rarement autre chose que d'imiter les Créateurs, et de suivre leurs traces, plus ou moins près. M. l'Abbé J... auroit-il songé lui-même à écrire contre les Romans, si le célèbre M. Huet et le fameux Pere Porée ne lui en avoient fourni l'idée et les matériaux?

Pour travailler comme fait le plus grand nombre, il ne faut que du goût, de l'application : parcourir des Livres dans le genre que l'on a choisi, et profiter de la connoissance des gens à talens; mais pour produire ces Ouvrages immortels marqués au vrai coin du génie, qui font passer les noms de leurs Auteurs à la postérité la plus reculée, qui lui transmettent la gloire et l'esprit d'une Nation, il faut du génie et de l'invention : mais c'est-là un don du Ciel qui ne s'acquiert point par l'étude, et qui fait seul la différence des Originaux et des Copies. Heureux ceux qui n'en font usage que pour le bien de la société, pour la correction des mœurs, pour la perfection des Arts, pour la gloire de leur Souverain, de leur Patrie, et de la République des Lettres : loin d'être confondus dans la proscription générale qu'en fait M. l'Abbé J... ils méritent plutôt l'estime de leurs Concitoyens, l'encouragement et l'approbation des Sages, et enfin l'honneur de contribuer à épurer le cœur, à éclairer l'esprit de leur siécle.

---

1. Mouhy donne alors une série d'exemples de ces créateurs ou imitateurs de génie, poètes épiques (Homère, Virgile), auteurs dramatiques (Sophocle, Corneille, Aristophane, Molière; on notera l'absence de Racine), philosophes, moralistes, peintres, sculpteurs, architectes; mais, naturellement, il ne cite aucun romancier !

texte 41                    # Zélaskim (1765)

Puisque Prévost, Duclos, Crébillon — on pourrait ajouter Marivaux et Rousseau — n'ont pas assumé la défense du genre romanesque, Béliard s'en charge! Il témoigne à la fois de l'immense succès des romans auprès du public et du mépris dans lequel continuait d'être tenu le genre lui-même sur le plan littéraire. Béliard, banal quand il reprend l'argumentation des théoriciens antérieurs (le roman est utile, il comporte des règles, il est supérieur à l'histoire, etc.), avance, sans se soucier de se contredire, des idées hardies et dangereuses quand il parle en romancier : il revendique le droit à l'extraordinaire, sacrifie tout à l'intérêt et autorise le romancier à « entasser avantures sur avantures » plutôt que d'être correct et ennuyeux. Mais il n'a pas l'imagination d'un Prévost ou d'un Sade, et l'œuvre à laquelle par sa *Préface* cet avocat du romanesque pur entend préparer son lecteur, *Zélaskim, Histoire Américaine*, est l'un des romans les plus ridicules qui aient été écrits au xviiie siècle.

### Préface ou Discours pour servir a la défense des Romans

A l'exemple de presque tous les Ouvrages de Littérature, celui à l'occasion duquel cette Préface est faite, sera précisément le sujet sur lequel je parlerai le moins. On ne sçait que trop que tout ce qu'un Auteur a pu dire en faveur de son Ouvrage, n'a jamais changé le jugement du Public. Ainsi je consacre ce discours à relever l'honneur de la carriere que je cours; à démontrer l'injustice et la fausseté du préjugé qui ravale les Romans au dernier rang de la Littérature. Préjugé trop rebatu par une multitude d'esprits minces échassés sur un air de raison pour cacher leur petitesse réelle : éternels échos de quelques génies du premier ordre dont les talens supérieurs sont une espece d'excuse du mépris qu'ils affectent pour ces sortes de productions. [...]

Il faut convenir qu'on est bien mal récompensé des travaux et des veilles qu'on consacre à l'amusement du Public, dans l'espérance de se faire un peu de réputation. Avec quelques mauvaises plaisanteries sur le déreglement prétendu de l'esprit des Auteurs de Romans, on a trouvé imprimé quelque part, que ces Ouvrages étoient des productions frivoles, sans mérite et sans difficulté, et sur ce fondement, il n'est point d'épais Artisan, de Sénateur subalterne des comptoirs de la Rue Saint Honoré, qui ne veuillent afficher le mépris et bégayer le persiflage, qu'ils viennent d'y apprendre, contre l'Auteur et contre l'Ouvrage dont ils ont souvent dévoré la lecture. Phrases toujours les mêmes, qui, à force d'être rebatues, ont passé jusques dans la bouche de gens dont l'érudition bornée à leurs heures[1], ne leur auroit jamais permis de les sçavoir : si, semblables à ces oiseaux qu'on instruit à parler, frappés par la fréquence des mêmes sons, ils ne les eussent retenues comme beaucoup d'autres, sans trop sçavoir ce qu'elles veulent dire. Point d'esprit si lourd et si mince, qui n'ayant eu de ressource pour cacher toute sa nullité, que de se décorer d'une écorce de Mathématique ou de Philosophie, n'affecte de ne lire aucun de ces Ouvrages. [...] Mais quelle espérance peut-il rester de les défendre quand le préjugé qui les opprime a poussé ses racines jusques dans l'esprit de ce sexe enchanteur pour qui seul ils semblent avoir été inventés, et qui après en avoir dévoré delicieusement la lecture, paie le plaisir qu'elle lui a fait, par une affectation de dédain auquel il croit son honneur engagé.

Qui le croiroit cependant si le nombre des Lecteurs, si celui des Acheteurs est la marque la moins incertaine des agrémens d'un Ouvrage et du plaisir qu'il fait, que ceux-ci sont bien vangés de tant de railleries et de dédains affectés! Malgré tant de mépris, malgré l'espéce de ridicule que le préjugé attache à ces sortes de lectures, point de Livres si universellement lus, point d'Ouvrages si rapidement débités. Cependant dira-t-on, ils rampent toujours eux et leurs Auteurs dans les dernieres classes de la Littérature, comment cela se fait-il? Parce que le plus grand nombre de leurs Lecteurs, apostats du sentiment, si j'ose m'exprimer ainsi, et esclaves d'un préjugé où ils croient leur vanité intéressée, vont par quelques mauvaises plaisanteries, renier publiquement dans les cercles où ils s'assemblent, le plaisir et les agrémens qu'ils ont trouvé dans ces Ouvrages, les émotions délicieuses qu'ils leur ont fait éprouver, et même les larmes qu'ils y ont sécrettement répandues; semblables à ces prétendus esprits forts, qui, convaincus intérieurement à chaque instant du jour, par tous les objets qui frappent leurs yeux, de l'existence d'un Etre Suprême, vont par l'effet d'une vanité aussi méprisable que criminelle, afficher publiquement l'Athéisme, et faire trahir à leurs bouches les sentimens de leur cœur. Mais enfin ce préjugé existe et tant qu'il existera les choses resteront comme elles sont. C'est donc lui qu'il faut combattre, et dont il faut tâcher de montrer toute l'injustice et la fausseté. D'où vient cette cause est elle restée dans de si foibles mains? Pourquoi faut il que son malheur ait voulu la priver de la plume victorieuse des Prévost, des Duclos, des Crébillon et de plusieurs autres que ce siecle a produit, dont la force et l'éloquence lui promettoient un triomphe assuré. Mon zéle seul et le desir de vanger l'injustice et l'ingratitude dont on paie les travaux de tant de gens

---

1. Leur livre d'heures.

de mérite, est mon titre et mon soutien ; puissent-t-ils me tenir lieu de talens. Mais quand le succès ne répondroit pas à mon attente, cela ne prouveroit autre chose que la foiblesse du Défenseur, et non celle de la cause. [...]

Les grands fondemens du préjugé qu'il s'agit de détruire, roulent sur trois points principaux, que les Romans sont comme je l'ai déjà dit, *frivoles, sans difficultés*, et par conséquent, *sans mérite. Frivoles*, parce qu'ils ne sont d'aucune utilité ; *sans difficultés*, parce qu'ils ne sont qu'un assemblage d'avantures sans bons sens et sans vraisemblances ; *sans mérite*, parce qu'ils ne sont ni utiles ni *difficiles*. Je sçais que trop que, comme le nombre des mauvais Ouvrages en tous genres est toujours beaucoup supérieur aux bons, plusieurs peuvent se trouver dans le cas d'être frivoles et sans mérite, pour sans difficultés, je le nie entiérement, et j'espere le prouver bientôt. [...]

Si les Romans eussent été aussi connus dans la Gréce, du tems d'Aristote, qu'ils l'ont été peu de tems après, et qu'il en eût placé les regles avec honneur dans ses Ouvrages, comme celles des différens genres de Poësies, cette vénération accrue et respectée de siecle en siecle, auroit passé jusqu'à nous, sans qu'il se fût trouvé quelqu'un d'assez téméraire pour oser s'y opposer ; et de même que les Poëmes dramatiques pour lesquels il s'étoit contenté de prescrire le plaisir des Spectateurs, lorsque les Romans auroient plu aux Lecteurs, on n'auroit point pensé à leur faire une quérelle de n'être qu'amusans. Et quoiqu'ici où la perfection du Théâtre a été portée au plus haut point, en enchérissant sur les préceptes du Législateur Grec, on ait exigé une utilité morale dans la contexture de ces Poëmes ; on en pourroit citer un grand nombre très-bien reçûs du Public, où on seroit fort embarrassé de trouver quelque profit à faire pour la perfection des mœurs. Ils sont donc frivoles, comme on prétend que sont les Romans. Pourquoi donc mettre tant de différence entre le rang et l'honneur qu'on accorde à leurs Auteurs ? C'est, dira-t-on, que ces choses sont un défaut dans les Poëmes, et une qualité inséparable des Romans[1]. Mais si je démontre que le but de celui ci est le même pour l'utilité de la morale que l'autre, et qu'il ne s'en trouve pas plus qui en soient entiérement destitués que de ceux-là ; quelle objection pourra-t-on me faire encore ? [...]

[Suit une citation assez longue de Huet sur la fin principale des romans, qui est l'instruction [2].]

Je demande s'il est quelque espece d'utilités différentes qu'on exige de plus des Poëmes dramatiques, et qu'on puisse se flatter d'y rencontrer ? Je sçais bien qu'il peut s'en trouver qui manquent leur but, mais ce sont des imperfections particulieres qui ne doivent jamais tomber sur le général, et que les Romans partagent avec tous les autres genres d'Ouvrages dans lesquels il est impossible de n'en pas trouver quelques uns faits en dépit des regles et du bon sens ; mais en général on y rencontrera ces regles principales exactement observées. Qu'on parcourre les Romans d'intrigue et d'intérêt des bons Auteurs et même des médiocres, les Zaïde, les Princesse de Cleves, les Mémoires d'un Homme de Qualité, Cleveland, le Doyen de Killerine, Mariane, le Paysan, la Paysane parvenue, la Baronne de Luz, les Lettres Péruviennes[3] et cent autres dont la liste seroit

---

1. Béliard veut dire que les poèmes dramatiques ont, par définition, une utilité morale, et que les romans, par définition, n'en ont pas.
2. Voir ci-dessus, p. 62 *sqq.*
3. Romans de Mme de Lafayette, Prévost, Marivaux, Mouhy, Duclos, Mme de Graffigny.

ennuyeuse, on verra par-tout, avec les usages du monde, les exemples de la plus belle politesse, des sentimens les plus généreux et les plus délicats; avec les Peintures les plus odieuses du vice, les plus beaux éloges de la vertu; le premier en horreur et puni, la derniere triomphante et récompensée. Quelle utilité, quels avantages se trouvent-ils de plus dans les Ouvrages dramatiques; dans les Comiques même, car les Tragiques par le rapport trop éloigné qu'ils ont avec nous et nos mœurs, sont bien loin d'en renfermer autant. Pourquoi donc, je le répete encore, tant de différence entre le Roman et le Poëme? Pourquoi tant d'estime pour l'un et tant de mépris pour l'autre, si c'est sur le degré d'utilité qu'on doit assigner les rangs?

A l'égard de ces Romans allégoriques qui doivent leur naissance à ce siécle-ci, tels que Tanzaï, le Sopha, Angola, Zulmis[1] et plusieurs autres, comme l'utilité qu'ils renferment est mélée avec des descriptions voluptueuses et séduisantes, je conviens que la lecture en peut devenir dangereuse pour de certaines gens; quoique je pense qu'il y ait bien peu de personnes, qui, portées naturellement à la vertu, puissent en être détournées par ces descriptions et encore moins, qui, portées naturellement au vice, puissent en être garanties par des préceptes de morale. Mais bien loin que je convienne que ces Livres soient dans le cas de la frivolité qu'on veut leur reprocher, de quelle utilité ne devroit pas être pour des gens qui ne seroient pas susceptibles du libertinage à la premiere impression, et qui seroient au contraire capables de prendre les choses sous le véritable point de vûe où l'Auteur prétend les donner; de quelle utilité ne seroient pas, dis-je, des peintures si frappantes et si vraies du ridicule des amours ou plutôt du libertinage de nos petits Maîtres et de nos petites Maîtresses; de l'affectation du langage et du néologisme de leurs conversations qui, sous une apparence d'esprit, en cache une misere si réelle; quel profit ne pourroit-on pas tirer de la description si naturelle et si ressemblante de l'extravagance des Modes, de la dissolution de leur conduite, de leurs plaisirs et de la frivolité de leurs occupations? Rien de plus propre à corriger les originaux de ces Portraits, s'ils pouvoient l'être; rien de plus capable d'empêcher la multiplicité des copies, si la vanité de se tenir dans ce prétendu bon ton, au-delà duquel ils croyent tout ridicule, n'y retenoit les uns et n'y entraînoit les autres, malgré tous les préceptes et la morale. [...]

Combien de gens d'ailleurs à qui des occupations sérieuses et indispensables, ne permettent d'employer le peu de tems qu'ils ont à perdre, qu'à des lectures d'amusement capables de les délasser d'un travail nécessaire! Combien de femmes, et d'hommes même qu'une répugnance invincible éloigne à jamais de tout ce qui pourroit avoir l'air d'étude, n'ont que ce moyen d'adoucir leurs mœurs, de se former les sentimens, de s'instruire des usages, de la politesse, et d'apprendre une infinité d'anecdotes littéraires, ou historiques dont ces ouvrages, sous une apparence de délassement et de frivolité, offrent une ample moisson à retenir.

En voilà plus qu'il ne faut sans doute pour établir incontestablement l'utilité qu'on peut retirer de la lecture des Romans et les laver entiérement de ce reproche de frivolité qui, ayant passé de bouche en bouche, sans examen, a jetté de si profondes racines dans tous les esprits. Il ne me reste plus qu'à démontrer qu'ils sont encore plus éloignés

---

1. Romans de Crébillon, La Morlière et Voisenon.

d'être sans difficultés; car ces deux objections levées, la troisieme tombe d'elle-même, puisqu'il est absolument absurde qu'un Ouvrage utile, et dont l'exécution renferme autant de difficultés que presque et peut-être tous les autres, puisse être sans mérite. Cette conséquence me paroît si claire et si sûre que je croirois faire affront à mes Lecteurs si j'ajoutois un mot pour le prouver davantage. [...]

[Une œuvre est plus ou moins difficile selon qu'elle comporte plus ou moins d'imagination, d'adresse dans le plan, d'intérêt, de style, de pensée et d'érudition. Cette dernière, Béliard la juge inutile chez le romancier, contrairement aux théoriciens de l'époque baroque. Mais tous les autres caractères se trouvent dans le roman plus que dans tout autre genre littéraire.]

Les Romans sont si incontestablement le triomphe de l'imagination, elle leur est si nécessaire, leurs Auteurs doivent la posséder à un point si superieur à tous les autres que je n'en parlerois point, si je n'avois à les justifier du déréglement et de la folie qu'on leur reproche; reproche fondé comme celui de frivolité, sur quelques plaisanteries adoptées sans examen. *Dans ces Livres*, dit-on, *c'est une confusion d'avantures entassées les unes sur les autres sans vraisemblance, où les Héros sont à tout moment délivrés des plus grands dangers par des gens amenés là exprès par le plus grand bonheur.* Pitoyables objections qui ont passé de bouche en bouche sans augmentation ni diminution. Un des trois Romans que j'ai nommés de l'Abbé Prevost a plus d'imagination lui seul que dix Tragédies, et sort moins des regles de la vraisemblance, que la moitié des Poëmes dramatiques.

Se peut-il qu'il faille être obligé de rappeller à des hommes raisonnables, qu'il seroit absurde à un Auteur de faire un Ouvrage où il n'y auroit que des choses ordinaires et unies, telles qu'elles pourroient arriver à tout moment à tout le monde! Quel intérêt pourroit-on y trouver? De qui pourroit-on espérer d'être lu? Qui est-ce qui ne sent pas l'absolue nécessité, sur tout après la quantité qu'on a de ces sortes d'Ouvrages, de mettre les Héros dans les positions les plus singulieres, de leur faire éprouver les avantures les plus extraordinaires? Les dernieres limites de la vraisemblance est tout ce qui reste à parcourir, l'impossible doit être la seule barriere qui puisse arrêter. *Toutes les Héroïnes des Romans sont des beautés, tous leurs Amans sont des modéles de vertus et de sentimens, tout ce qui leur arrive est extraordinaire*, entends-je dire tous les jours. Quel prodige! Est-ce dans le médiocre ou le petit qu'on doit prendre ses portraits? N'est-ce pas toujours dans son beau qu'on doit peindre la nature et chercher ses modéles? N'est-il pas des belles, ne voit-on pas des gens vertueux, n'arrive-t-il pas tous les jours des choses qui paroissent incroyables? Et pourquoi ne pas toujours supposer de tous les Romans qu'on lit, qu'ils sont la vie de quelques-uns de ces gens-là, qu'ils renferment des avantures à peu-près pareilles à quelques-unes de ces choses-là; que sans cela on n'en auroit point fait un Livre? Faire imprimer sa vie est une chose fort extraordinaire, pour l'avoir mérité, il faut donc qu'elle contienne des choses extraordinaires, tout porte à s'y attendre, pourquoi donc en être surpris? et qu'on ne s'imagine pas que cette nécessité de choses surprenantes et peu communes soit un malheur attaché à la condition des Romans, les Piéces de Théatre sont dans le même cas [...].

Je me suis peut-être trop étendu sur cet article, j'en demande pardon : Mais comme il m'a toujours paru celui sur lequel on fondoit les plus grands reproches et le sujet des plus fortes railleries, j'ai cru ne pouvoir trop l'éclaircir et en faire voir la fausseté.

Je passerai légérement sur les autres difficultés littéraires inséparables du Roman. Qui est-ce qui pourroit lui disputer la nécessité de l'intérêt, tant des situations que des détails? C'est ce qui leur est absolument propre, et sans lequel ils ne pourroient se soutenir. C'est pour en avoir été privé que tant ont été oubliés si vite. Aucun genre d'Ouvrage où il faille autant de chaleur, d'action, de pathétique dans les discours et dans les situations. La premiere chose qu'on demande d'un Roman, c'est, s'il est intéressant; la seconde, s'il est bien écrit : l'intérêt fait passer la médiocrité du style, le meilleur style soutient bien difficilement la froideur. Il n'y a point à hésiter, tout Auteur qui ne se sent pas sûr de sa maniere d'écrire, doit entasser avantures sur avantures, quand elles auroient l'air romanesque, pourvu qu'elles produisent de la chaleur et de l'intérêt, tout est pardonné. La qualité la plus essentielle de tout Ouvrage, et sur-tout d'un Roman, est de ne point ennuyer; ce n'est que par les faits qu'on peut l'éviter dans une classe moyenne, et souvent dans les premieres. Voilà pourquoi le Sopha, Tanzaï, si bien écrits d'ailleurs, laissent appercevoir des longueurs. Voilà pourquoi Cléveland, avec un si beau style, si plein de chaleur et d'intérêt dans les premiers tomes, languit quand il passe le tems à philosopher dans les derniers. Combien donc ne doivent pas être en garde les Auteurs ordinaires, si de pareils gens n'ont pu l'éviter. L'intérêt qu'il faut au Théatre n'est pas comparable à celui qu'il faut dans un Roman; par la difficulté infiniment plus grande, je ne sçaurois trop le répéter, d'émouvoir par la lecture que par l'action du Théatre.

Si la difficulté du plan et de l'ordonnance croît en raison de la quantité de ressorts qu'il faut mettre en action et de la longueur du tems qu'il faut les soutenir, comme c'est un principe incontestable, on sent assez combien celle du plan d'un Roman doit être plus grande que celle que demande tout autre Ouvrage. La quantité d'événemens et la longueur d'une Piéce de Théatre ont tant de différence avec ce qu'en exige le Roman, que je me crois dispensé d'en faire la comparaison. Le seul Poëme Epique peut en approcher. Que sur la grande vénération qu'on a pour l'un et la foible réputation de l'autre, cette comparaison ne paroisse point ridicule. Il ne s'agit point ici de juger des choses sur l'idée extérieure qu'on s'en est faite les uns d'après les autres, sans rien examiner, mais d'après une juste analyse de leurs parties, et sur ce qu'elles sont réellement; nous sommes dans un siécle de Philosophie où les noms et les préjugés n'en doivent plus imposer sur ces sortes de choses.

Avec une quantité plus considérable d'événemens, [...] [1] le Roman exige autant de sagesse dans le plan et de régularité dans l'ordonnance; mais restraint à l'exacte vraisemblance, il faut que le nœud s'en fasse et s'en défasse par des incidens naturels, sans Dieux et sans machines; avantages bien considérables dont le Poëme est en pleine possession, et qui met quelque différence entre la difficulté du plan de l'un et de l'autre.

Avec la peinture des hommes et des passions, des vertus et des vices dans le Grand, commune à tous deux, le Roman entre dans les détails, et y ajoute encore celle des mœurs de son siécle, des ridicules et de la frivolité des modes; avantages bien plus considérables qu'ils ne paroissent. [...]

---

1. Nous modifions une phrase incompréhensible du texte original.

texte 42      # L'Ecole des Pères (1776)

Après Camus (*Dilude de Pétronille*, voir ci-dessus texte 10), après Montesquieu *(Lettres Persanes)*, Restif raconte à son tour la visite fictive d'une bibliothèque, prétexte à faire connaître ses propres idées littéraires. Les arguments avancés ici pour la défense du roman ne sont pas nouveaux, et Restif ne prend la peine ni de les approfondir, ni de les adapter à la production de son époque ; l'essentiel pour lui est qu'une lecture attendrisse le cœur : seule une littérature vivante en est capable, et c'est le privilège du roman. Au passage, Restif condamne les « avantures extraordinaires » : Sade adoptera l'attitude opposée.

Nous employâmes ainsi une partie de la matinée à visiter ses livres. Je ne tardai pas à connaître, par sa conversation, que j'avais eu le bonheur de rencontrer un homme d'un esprit solide. Je ne pus m'empêcher de lui témoigner ma surprise de trouver dans sa bibliothèque une quantité prodigieuse de Romans. Voici ce qu'il me répondit : — J'ai beaucoup moins de Romans que d'autres ouvrages, proportion gardée du nombre que l'on en publie chaque année. Je sais qu'on nomme notre siécle, le siécle de la bagatelle et des colifichets : mais je regarde cette accusation comme destituée de fondement ; et je ne ressemble pas à certaines personnes, qui admettent en preuve la quantité de Romans qui paraissent : cette fureur d'écrire marque une abondance d'esprit et beaucoup d'instruction ; elle annonce que le goût est épuré, et que celui de la lecture et des amusemens qui ont trait à l'esprit, a succédé à l'ivrognerie, aux plaisirs de la table, aux petites intrigues, à mille vices, en un mot. En effet, notre siècle est si peu celui de la bagatelle, qu'on peut dire qu'il ne fut aucun temps, où le goût des choses solides se soit si généralement emparé de tout le monde et des femmes même : elles se font un crime de l'inoccupation : on en voit, parmi celles de la première qualité, nourrir leurs enfans, pratiquer à l'envi mille vertus inconnues à nos ancêtres; elles dédaignent une Brochure, qui n'offre que des avantures extraordinaires, sans aucun but moral : les Romans uniquement tendres sont dévorés, il est vrai, parce que le sentiment qu'ils expriment et qu'ils peignent si bien, est le plus délicieux de tous, et qu'on aimera toujours ce qui l'excite ou le fait renaître. Je suis bien loin de regarder ces sortes de livres comme dangereux ou inutiles : en attendrissant le cœur, ils produisent le même effet que la chaleur sur une boule de cire, qui par elle devient capable de recevoir la forme qu'on veut lui donner; la dureté n'a jamais rendu les hommes vertueux : voyez la différence de nos mœurs avec celles des siècles de barbarie; notre aménité, nous la devons aux Sciences et aux Lettres : les Romans instructifs et tendres, tels que *Télémaque, Astrée, la Princesse de Clèves, les Mémoires d'un Homme de qualité, le Doyen de Killerine, Hippolyte Comte Duglas, les Illustres Françaises, Marianne, presque tous les ouvrages de madame de Villedieu; les Lettres Péruviennes, de Fanny, de Catesby, de Sancerre*, etc., ces Romans n'inspireront jamais aux jeunes-gens que des sentimens honnêtes, généreux, respectueux sans fadeur, tendres sans faiblesse. Je n'ignore pas qu'il y a des Romans nuisibles, et des livres infâmes, qui peignent moins la volupté que le libertinage. Il serait à desirer que ces livres n'eussent jamais existé. En général, s'il se rencontre des Romans pernicieux et condannables, dans les autres genres de littérature il se trouve également des livres dont la lecture est dangereuse. Sans parler de ceux où règne le fanatisme, des libelles diffamatoires, des ouvrages des Casuistes, et des Constitutions de certains Ordres; qu'un jeune-homme ouvre l'histoire : quels exemples vont passer sous ses yeux! quel horrible ramas des folies, des cruautés, des perfidies des hommes! [...]

[Suit une évocation des crimes qu'on peut lire chez les historiens.]

Quel tableau, dis-je, lui vont offrir des Hommes, tantôt tyrannisant leurs Semblables, et tantôt inhumainement, ou lâchement punis de leurs cruautés? Non, ma Fille ne connaîtra jamais ces horreurs; elle n'en verra jamais le détail dans les Historiens qui les raportent; ces images affreuses et sanglantes terniraient sa candeur native : elle ne croit pas encore que le genre-humain puisse se ravaler jusque-là; il faut la laisser longtemps dans cette heureuse ignorance. Mais quel mal peut faire à ma Fille un Roman moral, élégamment écrit, sagement composé, où les images sont douces et châtiées, qui lui peint un amour légitime, et lui dit qu'il la rendra heureuse pour toujours dans les bras d'un tendre Epous [1]? Parce qu'il y a de mauvais Romans, qui enseignent à tromper les Pères et les Maris, il ne faut pas en conclure que tous les Ouvrages de ce genre sont

---

1. « Les Romans écrits dans le bon goût, sont peut-être la dernière instruction qu'il reste à donner à une Nation assez corrompue, pour que toute autre lui soit inutile. Je voudrais alors que la composition de ces sortes d'Écrits ne fût permise qu'à des honnêtes-gens, mais sensibles, dont le cœur se peignît dans leurs écrits, à des Auteurs qui ne fussent pas audessus des faiblesses de l'humanité, qui ne montrassent pas tout d'un-coup la vertu dans le ciel, hors de la portée des hommes : mais qui la leur fissent aimer, en la peignant d'abord moins austère, et puis du sein du vice, les y sussent conduire insensiblement. » *Encyclop.* au mot ROMANS (note de Restif; l'auteur de l'article *Roman* a emprunté ce passage à la Préface dialoguée de *La Nouvelle Héloïse*).

également contraires aux bonnes-mœurs, ou du-moins inutiles [1]; c'est montrer de la passion, et ne rien prouver. Le célèbre Évêque d'Avranches (M. Huet) définit les Romans : *une fiction écrite en prose avec art, pour le plaisir et l'instruction des lecteurs.* Je demande si, lorsqu'un Roman remplit ce but, il n'est pas un livre estimable, utile et digne d'être lu? Or combien s'en trouve-t-il qui font aimer la vertu, et qui plaisent en instruisant? On citera toujours *Télémaque, Dom Quichotte, les Mémoires du Marquis de\*\*\** ou *le nouveau Télémaque* [2], *Gilblas, la Nouvelle-Héloïse,* etc.

Je pourrais appuyer les fictions ingénieuses qui tendent à corriger les mœurs, sur les exemples les plus sacrés. Beaucoup de savans Personages ont avancé que les Histoires de JOB, de TOBIE, de JUDITH et d'ESTHER, étaient de pieus Romans, composés pour l'édification des Israélites. Nous trouvons dans l'Evangile des paraboles, qui ne sont autre chose que des fictions courtes, propres à rendre une vérité plus sensible [3]. Il faut être bien injuste, pour regarder comme inutile, ou comme dangereus, un Livre, qui, par des exemples bien plus frapans que les plus beaus discours, montre le vice puni, la vertu recompensée, la félicité la plus douce dans une union sainte, le vœu de la nature, le soutien des États. J'ai composé quelques Ouvrages dans ce genre; si je me déterminais à les donner au Public, et que de faus Zélés s'élevassent contr'eux, je me tairais, en gémissant sur l'aveugle prévention de tels Hommes, et j'attendrais que l'honnête Citoyen me rendît justice. Je suis bien éloigné de braver les scrupules des Persones vertueuses et timorées, dont la délicatesse s'alarme facilement. Persone peut-être ne les respecte plûs que moi : Cependant n'est-il pas d'innocens plaisirs, et ceux de la lecture, qui sont de ce nombre, sont-ils plûs que d'autres contraires à la Religion?

---

1. *Entretiens sur les Romans par l'Abbé J\*\** [= l'abbé Jaquin. Voir ci-dessus, texte 34]. J'attaque ici particulièrement cet Auteur, qui fait lui-même une fiction froide et languissante pour combattre les fictions. Il traite de partial le jugement d'une Dame qui préfère le siècle de Louis XIV à celui d'Auguste : c'est montrer une saine critique. Il nomme licences impures les innocentes et naïves fictions du Roman de la Rose. Il a raison de blâmer l'Arioste de dire que la Vierge secourt Vénus; mais lorsqu'il dit que par la lecture des Romans, on trouve l'art de ne rien faire en faisant quelque chose; lorsqu'il les regarde comme incapables d'élever l'esprit et de le porter jusqu'à son divin Auteur; je conclus qu'il n'a jamais lu que les plus mauvais de ces Ouvrages, ou qu'il est le plus injuste de tous les Hommes. Les Romanciers, ajoute-t-il, en déplorant la faiblesse de l'esprit humain, écrivirent seuls dans les siècles d'ignorance : ailleurs il se plaindra qu'aujourd'hui, que l'ignorance est détruite, il y a plûs de Romans que jamais. Les Romans sont inutiles, continue l'Abbé J\*\*, *chez les Italiens et les Espagnols; ces peuples font du mariage un dur esclavage; les Dames n'y font point partie de la société : aussi les galans ne s'amusent-ils point-là aux formalités d'un amour méthodique : ils profitent du temps.* Que dit cela contre les Romans tendres? ou plutôt, ne serait-il pas à souhaiter, pour l'honneur de l'humanité, que la lecture de beaucoup de ces jolis Ouvrages, changeât ces mœurs dures et qui se ressentent de l'ancienne barbarie? Je m'écrierai toujours : O heureuse France, heureuse Angleterre, où le genre humain tout entier est traité d'une manière digne de lui! Cependant, je serais fâché de paraître le défenseur de tous les Romans. *Clélie, Cyrus, Polexandre, Pharamond,* etc. sont des livres ennuyeux : les *Anecdotes,* les *Histoires secrètes* révoltent par l'incertitude qu'elles jètent sur l'histoire : ce fatras d'historiettes traduites de l'*Espagnol,* qui n'enseignent qu'une galanterie indécente, est insipide : enfin quelques ouvrages d'*Ovide, Catulle, Pétrone, Rabelais, Brantôme, Manon l'Escaut, Angola, le Sopha, Tanzaï, le Tombeau philosophique,* et toutes nos Brochures libres, ne sont point des livres faits pour la jeunesse. [...] [note de Restif. On aura reconnu parmi les œuvres citées celles de Prévost, La Morlière et Crébillon. *Le Tombeau philosophique, ou histoire du Marquis de \*\*\** est de J.-F. de Bastide, 1751].

2. Roman de l'abbé Lambert.

3. Vieil argument, qui se trouvait déjà chez Fancan; voir ci-dessus, texte 11.

Mais (continua le Comte) n'alez pas croire que ce que je vous ai dit des horreurs qui se rencontrent dans l'Histoire, me fasse interdire cette lecture à mon Fils : bien-loin de-là, je veus qu'il la possède parfaitement; et que sa Sœur même en lise un Abregé, qui ne lui laisse rien ignorer de considérable. Ne vous figurez pas non-plûs que je permette à ma Fille la lecture des Romans tendres avant que son esprit soit formé : il faut éviter de développer les passions tant que la raison n'est pas assés forte pour les gouverner, et d'attendrir le cœur, avant qu'il préfère la vertu à la volupté. Mais lorsqu'on s'aperçoit, que d'elle-même la nature fait éclore les désirs inquiets, c'est le temps de mettre entre les mains de la Jeunesse les livres, qui, sans réprouver l'amour et ses douceurs, enseignent à ne les envisager que dans une union tendre et légitime; de ces livres, qui montrent les suites funestes d'une passion trop écoutée : ils élèveront dans le cœur d'une jeune-personne cette noble fierté que la nature ne donne pas, et qui la soutient contre les attaques de son amant et sa propre faiblesse. D'autres ouvrages de morale qui heurtent de front toutes les passions, ne feraient aucune impression sur son esprit qu'ils décourageraient. De même, lorsque mon fils sera formé par l'étude et par la lecture des ouvrages qu'on nomme solides, je crois qu'il sera nécessaire d'adoucir, par celle de quelques fictions tendres, qui lui peindront un amant fidèle, un époux vertueux, cette férocité, cette dureté que l'Histoire pourrait lui avoir communiquée. Je ne connais pas de livre plus propre à produire cet effet que les ouvrages de madame *Riccoboni, la Nouvelle-Héloïse,* et le dernier tome d'*Émile.* Voilà, monsieur, quel est mon sentiment. [...]

texte 43     # Les Françaises (1786)

La définition du roman réaliste tel que le XIXᵉ siècle le pratiquera de Balzac à Zola s'élabore progressivement à la fin du XVIIIᵉ siècle. Sur la confusion du fictif et du réel chez Restif, voir tome I, pp. 489-493. Nous citons le texte publié par H. BACHELIN, *L'Œuvre de Restif de la Bretonne,* tome II, Paris, 1930, pp. 347-362.

### LES ROMANS [1]

Les romans sont-ils utiles?

Pour répondre à cette question, il faut la poser d'une manière plus claire et demander : est-il possible de présenter la morale aux hommes sous la forme historique, avec le puissant excitatif de l'exemple, du touchant, de l'attendrissant, si l'on veut les porter à la suite [2]? Voilà le véritable état de la question. L'exposition seule la décide. Rien de plus utile, pour l'instruction des hommes, que l'histoire vraie, ou simulée. Mais que dis-je! simulée? Elle est toujours vraie dans les romans naturels comme ceux

---

1. Cet article est de M. Marivet-Coustenay, compatriote de l'auteur (note de Restif. L'article est en réalité de Restif lui-même).
2. Comprendre : à suivre cette morale.

de Jean-Jacques, de Richardson, de Marmontel et de la Bretone; n'a t-on pas reconnu tous les héros de ce dernier lors même qu'il ne les connaissait pas? Ne s'est-il pas lui-même surpris en prophétie lorsqu'il voyait arriver postérieurement les faits qu'il avait décrits? Personne n'a voulu croire que la Julie et la Claire de Jean-Jacques fussent des êtres imaginaires; tout le monde s'est écrié : Jean-Jacques nous a peint celles qu'il a vues et que peut-être il a aimées. Tous les romans des hommes que je viens de citer sont donc historiques. Et c'est, comme je le disais, la manière la plus efficace d'instruire les hommes que de les instruire par l'histoire; il n'en est aucune autre qui la vaille. Qu'est-ce qu'un moraliste qui vous détaille séchement vos devoirs? C'est un pédant maladroit qui veut que vous le croyiez sur sa parole lorsqu'il ne vous dit que des vérités souvent métaphysiques. Qu'est-ce qu'un romancier? C'est un moraliste qui ne vous dit pas impérieusement : faites ceci! faites cela! mais un adroit Nestor qui vous expose ce qu'ont fait d'autres hommes, d'autres femmes, dont il vous retrace la conduite, en bien ou en mal, souvent des deux manières à la fois. Le romancier tient la carte à la main et vous montre la route. Les moralistes ne vous donnent que des sons qui ne peignent que faiblement à l'esprit et qui sont oubliés dès qu'on cesse de les entendre.

Jeunes personnes, ce ne sont pas les romans qui sont condamnables, mais les mauvais romans, comme ce n'est pas le discours qu'il faut blâmer, mais les mauvais discours. Rien de plus utile que les leçons des romans tels que *Paméla, Eloïse, les Illustres françaises, Gil Blas, le Père avare* [1], *les Lettres de Roselle* [2], *Manon Lescot, le Paysan perverti, les Contemporaines* [3] ; ces romans sont autant au-dessus de l'apologue que leurs personnages surpassent ceux d'Esope, de Phèdre et de La Fontaine. Que les cagots ne viennent donc plus déclamer contre les romans; qu'ils distinguent les ouvrages : qu'ils ne les englobent pas, comme ils le font journellement par une odieuse mauvaise foi, qu'ils distinguent entre pièce de théâtre et pièce de théâtre; peut-on apparier *la Gouvernante* de Lachaussée avec *les Trois Cousines* de Dancourt? L'une est une pièce morale, admirable, intéressante, l'autre une farce à pointes ordurières, sans morale, ou en ayant une très mauvaise; englober ces deux pièces et les condamner toutes deux comme des comédies, c'est choquer le bon sens. Mais certains moralistes font gloire d'insulter au bon sens et à la raison. Ce sont les ouvrages qui doivent se faire à eux-mêmes leur propre sort, et non leur dénomination, souvent insignifiante et trop vague. Pour justifier les bons romans, il suffit de les définir. « Qu'est-ce qu'un bon roman? C'est un ouvrage d'imagination, en partie fondé sur la réalité, ne sortant jamais de la classe des possibles, dans lequel on se propose de tracer l'histoire des sentiments et de la conduite d'un héros ou d'une héroïne, d'une manière capable d'instruire doublement le lecteur : par ses vertus, par ses succès, par ses chutes, par ses imprudences et par ses malheurs. C'est un ouvrage où l'auteur met une morale vivante, d'autant plus instructive qu'elle joint l'exemple au précepte. » Tels sont les bons romans. Qu'est-ce qu'un mauvais livre? « C'est un ouvrage où la saine morale est tournée en ridicule, où les héros mâles et femelles se livrent au vice, à la débauche, avec une sorte de bonheur séduisant parce que le coupable auteur a soin de cacher adroitement leurs remords;

---

1. *Le Père avare ou les malheurs de l'éducation, contenant une idée de ceux de la colonie de l'île de C\*\*\**, Paris, 1770, 3 volumes. L'auteur est inconnu; l'était-il pour Restif?
2. Roman de M^me Élie de Beaumont (1764).
3. Ces deux dernières œuvres sont de Restif.

c'est un ouvrage qui excite au vice, à l'impureté qui outrage la nature, aux crimes de toute espèce. » Jeunes personnes, c'est d'après cette double définition que vous pourrez à l'avenir juger les livres estimables et condamnables, et non sur une simple dénomination générale. Un sot dévot trouve *Paméla* dans une maison. — Ah! ciel! s'écrie-t-il, Un roman! Et il condamne le livre. S'il parle à des esprits faibles, il le fait jeter au feu. Malheureux! tu as fait brûler un livre qui dit cent mille fois mieux que toi les plus excellentes choses. Tu as blasphémé la saine morale, tu viens de te rendre coupable du crime de profanation. O filles aimables, espoir de la génération future, ne vous laissez pas séduire par la sombre et dangereuse tourbe des cagots! Rapportez vous-en, pour vos lectures, à votre frère, à votre mère. Et vous, parents, consultez un honnête homme du monde, prudent, éclairé, sur les livres à mettre entre les mains de vos enfants. Méprisez les scrupules frivoles des bigots, et sachez fermement qu'un bon roman est le plus efficace des moralistes.

*Sébastien* MERCIER

texte 44      # Mon Bonnet de nuit (1784)

Ce bref article *Romans*, tiré du second volume de *Mon Bonnet de nuit*, montre à quel point l'opinion sur le genre romanesque a changé en peu de temps. Mercier n'a pas besoin de savantes démonstrations ni de mouvements d'éloquence; en quelques paragraphes, il donne du roman une définition qui aurait pu être reçue encore cent ans après : le roman est un document sur les mœurs, le goût et l'esprit public d'une époque; il répond aux aspirations les plus profondes de la sensibilité humaine; il peut même contribuer au progrès social et politique en décrivant des utopies. Il est un plus fidèle témoin des civilisations que l'histoire, et ni la tragédie ni l'épopée, dont personne n'eût contesté en théorie la supériorité cinquante ans auparavant, n'existent auprès de lui. Voir tome I, p. 420.

### ROMANS

Les romans, regardés comme frivoles par quelques personnes graves, mais qui ont la vue courte, sont la plus fidelle histoire des mœurs et des usages d'une nation. Le philosophe dédaignant quelquefois et à juste titre l'historien qui cherche à le tromper, va chercher les traces des vertus d'un peuple chez le romancier qui, tandis qu'il paroît livré tout entier à l'imagination, trace des tableaux plus voisins de la vérité que ces fictions honorées du nom d'histoire. Celle-ci d'ailleurs n'arrête les superbes regards que sur les rois, sur leurs entreprises particulieres, et sur les vastes et ténébreuses opérations de leur politique. Le roman moins altier embrasse la foule des individus, et suit la marche du caractere national. Il n'a pu même intéreser, dans le moment où il a paru, qu'en offrant sous un voile diaphane ou allégorique, une peinture réelle des faits et des personnes. Cette peinture doit être précieuse à l'observateur des mœurs anciennes et modernes, qui, sachant les comparer entr'elles, en tirera de nouvelles inductions sur la science importante du cœur de l'homme.

Un autre avantage, c'est le progrès des connoissances humaines, suivies et marquées dans l'historique de ces romans, parce qu'ils portent l'empreinte du siecle où ils ont été composés; on verra de quelle maniere les fables antiques ont voyagé, et chez quel peuple elles se sont naturalisées. Cette adoption est curieuse à examiner et démontre l'ascendant du merveilleux sur les têtes humaines qui semblent dédaigner l'exacte et froide vérité.

L'empire de la satire, dans tous les tems, s'est aussi répandu, comme le dit Juvenal, depuis le trône jusqu'à la taverne. Il y a eu des vices et des ridules à réprimer dans tous les états; et l'on pourroit facilement découvrir le degré plus ou moins grand de liberté civile dont ont joui les écrivains, dans le soin plus ou moins caché qu'ils ont pris pour déguiser ou exposer leurs portraits satiriques ou comiques.

Le génie de la composition, empreint dans différentes époques, ne serviroit pas moins par comparaison à jeter du jour sur les interminables disputes que le goût changeant des peuples amene presque à chaque siecle. On découvriroit combien le costume influe sur les idées et maîtrise les opinions : rapport intéressant, auquel la plume de l'historien ne touche presque jamais, tout occupé qu'il est de cette minutieuse exactitude qui concerne la date des batailles et celle de la naissance, du caractère passager et de la mort des rois.

Le romancier voit moins les maîtres de la terre, et apperçoit mieux la physionomie de la nation; ce sont tous ses traits qui, arrêtant son pinceau, le vivifient dans le plus grand détail. Aussi quelque chose d'animé et d'actif respire dans ces productions, tandis que tant d'histoires n'offrent qu'une espece d'ostéologie sans mouvement et sans graces.

Enfin l'amour, sentiment universel et aussi varié dans son principe et dans ses effets que la foule qui brûle de ses feux, se produit sous toutes les formes dans ces sortes d'ouvrages, et fait naître des événemens de tout genre. L'intérêt qui en résulte est immortel, parce qu'il est fondé sur la profonde sensibilité de l'homme, sur les combats qu'il éprouve, sur les plaisirs qu'il poursuit, et que cette tendance est indestructible au milieu des sables mouvans que soulevent les orages de la politique.

Il est encore une sorte de roman bien cher au philosophe; c'est celui qui offre en idée le plan de félicité publique et nationale : rêve consolateur, qui fait entrevoir obscurément que dans l'avenir les hommes pourront mettre en dépôt commun les lumieres de leur raison et le courage de leur ame, pour contrebalancer les maux de la nature et les fautes de leurs aïeux. L'ami des hommes respire en s'enfonçant dans ces ouvrages fantastiques, mais doux à parcourir. Il craint le moment où le songe disparoîtra; et du moins il se sent plus disposé à poursuivre dans la carriere de la vie, en pensant que lui ou ses enfans pourront recueillir le fruit de ces tableaux touchans et philosophiques.

163

Je n'ai pas bonne opinion, je le répete, de tout auteur qui dans sa jeunesse n'a pas fait un roman : il annonce par là même une sécheresse d'imagination, et une sorte de stérilité; car, pour former un roman, il faut de l'esprit, de l'usage du monde, la connoissance des passions; et nos versificateurs et nos tragédistes, nivelant des mots, n'ont rien de tout cela.

Un écrivain qui n'a pas su faire un roman, me paroît n'être point entré dans la carriere des lettres par l'impulsion du génie.

# texte 45 Essai sur les Romans considérés du côté moral (1787)

Au nom de l'utilité morale, Marmontel est sévère pour les romans qui ont paru avant les siens : les romans chevaleresques du Moyen Age trouvent grâce à ses yeux, parce qu'ils exaltaient le courage, la générosité et la vertu de nos vieux paladins; mais les romans héroïques du XVIIe siècle lui paraissent ridicules et efféminés; *La Princesse de Clèves* est un livre dangereux parce que le courage et la constance de l'héroïne sont hors de la nature (il aurait mieux valu qu'elle fût coupable et malheureuse, son exemple eût été pour son sexe « peut-être moins intéressant, mais certainement plus moral »); les œuvres qui peignent les vices modernes n'ont fait que les flatter; Prévost et Rousseau enfin ont mélangé le vice et la vertu, et leurs romans sont d'autant plus pernicieux qu'ils sont plus émouvants. C'est dans les romans anglais, *Tom Jones, Pamela, Clarisse*, que Marmontel juge que le vrai but du roman est atteint, et il parle d'eux avec une admiration éloquente. Il termine par les « romans politiques », le *Télémaque* de Fénelon (« c'est, de tous les livres, celui que j'aimerais le mieux avoir donné au monde »), la *Cyropédie* de Xénophon, et se demande à ce propos quels sont les rapports du roman et de l'histoire, et dans quelle mesure un écrivain a le droit de taire ou de changer la vérité historique pour l'édification morale de ses lecteurs. Sa réponse est bien celle que l'on pouvait attendre de l'auteur des *Contes moraux* (voir tome I, pp. 431-434 et 453-455).

[...] Après tout, il est plus indifférent qu'on ne pense pour le plus grand nombre des hommes, que ce soit bien réellement la vérité qui leur est transmise; et si on les consulte, on verra que l'utilité de l'exemple, l'importance de la leçon, l'intérêt de l'événement, sont ce qui les touche le plus.

La vérité historique a pour nous trois sortes d'attraits : l'un de curiosité pure, l'autre d'affection, et l'autre enfin d'utilité.

La curiosité pure est naturellement indiscrète, imprudente, et par là souvent dangereuse. C'est un désir inquiet d'apprendre, qui se termine au plaisir de savoir; et plus il y a d'avidité, moins il y a de discernement.

L'intérêt d'affection est quelquefois plus vif encore, mais n'est pas le même pour toute espèce de vérité. Il tient à l'exercice d'une autre faculté que celle de l'entendement, et ne s'attache qu'à des objets qui nous émeuvent comme nous voulons être émus. Or, l'ame, pour jouir de son émotion, se donne rarement la peine d'examiner si ce qui la remue est la vérité ou le mensonge. Ce qui lui est le plus analogue est ce qui lui est le plus cher.

Le troisième intérêt que présente l'histoire, est l'attrait de l'utilité. Celui-ci, lorsqu'il nous anime, nous rend sévères et attentifs à recueillir ce qui pour nous est vraiment digne de mémoire, à négliger ce qui ne l'est pas; et en cela notre prudence fait ce que l'Histoire aurait dû faire. Elle rebute ou laisse dans l'oubli ce que l'exemple a d'inutile ou de pernicieux, et ne conserve que ce qu'il y a de profitable : ainsi elle corrige les immoralités de la nature et de la fortune, le tort des bons et des mauvais succès, et l'erreur des événements. Mais cette prudence est peu connue, et encore moins pratiquée. Le plus sûr aurait donc été que dans l'histoire même la vérité eût déjà subi cet examen sévère; et que non-seulement ce qui n'est d'aucune conséquence pour l'avenir, mais ce qui peut avoir une dangereuse influence, fût retranché des souvenirs que l'histoire nous a transmis. Mais, comme je l'ai dit, cette curiosité que nous avons de tout connaître à tous périls, ne lui en a pas laissé la liberté; et c'est à la poésie et aux romans qu'est réservé cet avantage.

Jusque-là cependant cet avantage semble se réduire à dissimuler; et l'on demande s'il est permis de même d'inventer et de feindre? de quelle utilité peut être le mensonge? comment ce qui n'est pas, ce qui ne fut jamais, peut-il sérieusement être pris pour une leçon? Est-il possible à l'homme de s'interdire la faculté de discerner le vrai? et si pour son plaisir il se livre un moment aux illusions de la feinte, n'a-t-il pas toujours en lui-même un sentiment secret qui l'avertit que les songes qu'on lui fait faire n'ont aucune réalité? Sans doute il l'a, ce sentiment confus; et quand vient la réflexion, toute illusion est détruite. Que lui reste-t-il donc de cet enchantement? Ce qui lui reste est une vérité indestructible, inaltérable, qui se fixe dans l'ame, comme au fond d'un creuset, quand tout le reste est dissipé; et c'est en elle que consiste la moralité poétique, la moralité du roman.

Dès que la narration est d'accord avec elle-même, et vraisemblable dans tous les points, il ne s'agit plus d'examiner ce qu'elle a de réel, pour savoir ce qu'elle a d'utile. Le Protésilas d'Idoménée[1], le Séjan de Tibère, le Louvois de Louis XIV, nous sont égaux, si l'exemple est le même. Et en effet, soit l'histoire ou la fable, le fruit qu'elle

---

1. Dans le *Télémaque* de Fénelon.

présente à la réflexion n'est pas d'aimer ou de haïr, de fuir ou d'imiter, de souhaiter ou de craindre ce qui a été, mais ce qui peut être. Il ne s'agit pas du passé, mais de l'avenir. Or l'avenir n'est pas, il est possible; et c'est l'idée de ce possible qui nous frappe et qui nous instruit. Ce raisonnement même, *Dans telle circonstance, telle chose a été, donc telle chose en pareil cas doit être encore;* ce raisonnement, dis-je, n'a guère plus de force d'après la vérité que d'après une exacte et pleine vraisemblance. La persuasion ne tient pas exclusivement à la certitude; elle tient au besoin de croire, et l'homme sent qu'il a besoin de croire ce qu'il lui est bon de pratiquer.

Qui de nous a jamais contesté à l'histoire ses bons exemples et ses grandes leçons? On accuse Hérodote d'avoir été crédule en recueillant des fables; mais est-ce lorsqu'il nous instruit des bonnes lois ou des sages coutumes des Égyptiens et des Crétois, qu'on discute son témoignage? Lois de Minos et de Lycurgue, mœurs des Germains, discipline des Perses, coutumes des Égyptiens, tout cela, soumis à la critique, aurait peut-être bien de la peine à soutenir l'épreuve d'un sévère examen; et si l'on demandait sur quel témoignage Hérodote, Xénophon, Diodore, et Tacite, ont écrit des choses si éloignées de leur temps et de leur pays, dans quelles sources ils les ont puisées, et quels garants ils en avaient eux-mêmes, l'autorité de ces traditions se réduirait à peu de chose. Mais qu'importe la vérité, si la vraisemblance et la bonté s'y trouvent? Ce n'est qu'à la futilité, à la stérilité, à l'incohérence des fables, surtout à ce qu'il y a de pernicieux et d'insensé, que la saine raison refuse obstinément d'ajouter foi; et quand même ce qui a dû être n'a pas été réellement, s'il en résulte un avis utile, la possibilité devient une réalité future, qui donne de la consistance à l'exemple et à la leçon. Les caractères de Cyrus, de Sésostris, de Sémiramis, sont peut-être aussi fabuleux que ceux d'Idoménée, de Pygmalion, d'Astarbé[1]. Mais qu'importe, si l'on en tire des inductions frappantes et de graves enseignements?

> L'homme est de glace aux vérités;
> Il est de feu pour le mensonge,

a dit La Fontaine. J'ose penser différemment : car si la vérité nous touche d'aussi près et aussi sérieusement que le mensonge, nous l'aimons, nous la saisissons aussi avidement et plus avidement encore. Mais si elle nous est étrangère, elle nous est indifférente; et si elle nous est odieuse et nuisible, nous avons droit de lui préférer l'illusion qui nous console, la fiction qui nous instruit, le mensonge qui nous persuade d'être justes, nous encourage à être bons, et nous enseigne à être heureux.

---

1. Personnages de *Télémaque*.

texte 46 

# Délassemens
# de l'Homme Sensible (1789)

Ce *Dialogue entre un Critique et l'Auteur* ouvre le tome premier de la seconde année des *Délassemens de l'Homme Sensible*. L'auteur justifie ses *préambules* par l'argument rappelé au tome I [1] : « la morale *bavarde* est bien plus assurée de *faire effet* que celle qui se retranche dans le laconisme », et il invoque l'exemple de Bossuet, de J.-J. Rousseau, de La Fontaine dont les fables sont plus développées que celles d'Ésope. Les préceptes sont stériles et sans vie, ce sont les *tableaux dramatiques* qui gravent la morale dans le cœur humain. Baculard fait ensuite l'éloge du *genre sombre* : pratiquer le *genre sombre* n'est pas être misanthrope, c'est adapter ses leçons à l'aveuglement et à l'égoïsme des hommes, pour mieux les frapper. Mais ces leçons ne sont pas pessimistes : « Je voudrois leur persuader que les *vertus sont les vrais plaisirs*, leur faire sentir la valeur, la dignité de leur espèce ». Le passage qui suit reprend des thèmes déjà bien éculés : la morale est un remède qu'il faut enrober de miel; le roman futile, qui flatte le mauvais goût du public, est un genre méprisable; la fiction est supérieure à l'histoire parce qu'elle enseigne mieux la vertu... Mais ils sont traités sur le ton propre à cette fin du XVIIIe siècle. Baculard imite dans ce *Dialogue* fictif l'*Entretien sur les Romans* publié par Rousseau en guise de préface à *La Nouvelle Héloïse*. Nous avons supprimé quelques-unes des notes, que Baculard multiplie selon la manie de son temps.

---

1. Voir tome I, p. 436.

### DIALOGUE ENTRE UN CRITIQUE ET L'AUTEUR

[...]

LE CRITIQUE.

On ne sçauroit vous refuser une qualité : vous contribuez à nos amusemens.

L'AUTEUR.

J'ai le bonheur de vous amuser? La louange... est mesquine.

LE CRITIQUE.

Eh! sérieusement, vous auriez des prétentions plus élevées? N'est-ce pas un lot assez flatteur, que le don d'intéresser, de faire couler nos larmes?... On veut bien vous l'accorder.

L'AUTEUR.

Oui, j'ai des graces à rendre au ciel, de m'avoir favorisé de quelque sensibilité, d'avoir ajouté à ce partage, la faculté de la répandre, de la porter quelquefois dans le sein d'autrui : mais en conscience, me borneriez-vous à ce talent, qui est peu de chose? Que seroit effectivement un intérêt dépourvu de l'instruction? mon but vous auroit-il échappé? Je cherche à cacher le fruit sous la fleur; j'emprunte la voix du sentiment pour faire entendre celle du précepte, m'occupant toujours d'*emmieller la viande salubre à l'enfant ;* (vous me permettez de répéter les adages de notre bon vieux Montaigne). J'ai vu, en un mot, que le *dramatique*, lorsqu'on aspiroit à jouer le rôle d'instituteur, étoit l'unique ressort capable de mouvoir les hommes, et en conséquence, j'ai employé ce moyen pour présenter des vérités qui, offertes sous une autre forme, seroient reléguées parmi les déclamations, et les déclamations, vous le sçavez, ne different gueres des *œuvres mortes.* Avez-vous conçu le dessein de subjuger mon esprit? commencez à mettre mon cœur de votre parti, en l'attendrissant, en lui insinuant ces douces émotions qui préparent à la vertu, car la vertu est inséparable de la sensibilité; la logique, appuyée du sentiment, aura un empire irrésistible; faites, s'il est possible, couler mes pleurs, mais n'en restez point à ce faible succès : que ces pleurs soient *profitables*, et qu'ils fassent naître, qu'ils nourrissent, qu'ils étendent les progrès d'une utile morale! Voilà l'objet de mes esquisses littéraires : je ne sçais si je serai assez heureux pour y atteindre : j'obtiendrai du-moins le mérite de l'intention...

LE CRITIQUE.

Il est vrai que vos romans... Vous me quittez?

L'AUTEUR.

Mes romans... c'en est trop! Je sors, indigné!

LE CRITIQUE.

Arrêtez... je vous prie... un mot... de grâce!... qu'auroit cette expression qui dût vous effaroucher? Vos *Délassemens de l'homme sensible,* comme vos *Épreuves du Sentiment,* vos *Nouvelles historiques,* etc., etc. ne sont-ils pas une collection de petits romans?

L'AUTEUR.

J'ose vous le demander : de bonne-foi, votre projet seroit-il de m'insulter?... Comment! dans ces bagatelles, vous n'auriez apperçu que des *fictions romanesques* [1]? vous m'envisageriez comme un *auteur de romans?* Laissez cette façon de voir à de *beaux esprits* mutilés qui jugent des choses par les mots, et non des mots par les choses. Si vous ne saisissez point, dans ces essais, *l'histoire de l'homme,* le *desir de l'éclairer,* en le touchant, sur ses devoirs, sur ses obligations relatives, sur la *science de l'humanité,* la premiere sans contredit de toutes, et celle qu'on néglige le plus; si je ne cherche pas à lui faire aimer l'Être suprême, sa patrie, son maître, les auteurs de ses jours, ses semblables; si je ne réunis point tous les efforts pour le pénétrer de cet *amour de l'humanité,* la base des vertus, de toute existence policée, vous ne m'avez pas lu, non, vous ne m'avez pas lu; c'est-à-dire que vous me confondrez dans cette foule abjecte d'écrivains sans imagination, comme sans pudeur, jaloux de plaire à une société corrompue, par de vulgaires, ou d'obscenes tableaux, dont le mince mérite s'éteint avec la couleur fugitive du moment, qu'on peut nommer les honteux *proxénetes* du bon-esprit, et de l'ame?

Le CRITIQUE.

Vous êtes d'une singularité dont il y a peu d'exemples! Dites : de quel nom voudriez-vous qu'on décorât vos ouvrages?

L'AUTEUR.

De quel nom? Appellez-les *des ébauches philosophiques, des essais de morale en action, mémoires pour servir à l'histoire de l'homme, etc., etc.;* il vous est bien permis de me trouver un nombre infini de défauts, de me rabaisser au dernier degré de la littérature : je vous défie de

---

1. *Que des fictions romanesques.* Sans contredit, ces sortes de compositions sont la boue de la littérature : ôtez les *Mille et une nuit,* qui sont un modele parfait en ce genre, et quelques *imitations* qui les suivent de très-loin, le reste de ces extravagances est un barbouillage dénué d'imagination, d'agrémens, de sens, écrit en style de laquais, et fait pour être rejetté dans la fange d'où la fureur de tout compiler l'a retiré. Ces insipides absurdités sont aussi contraires au bon-goût qu'aux mœurs, car l'un ne se sépare gueres des autres : le vice de l'esprit a bientôt gagné l'ame; cependant nous avons eu des gens de lettres estimables qui ont prostitué leur talent à la création de pareilles inepties. Il n'y a que les Arabes, les seuls Arabes qui nous aient donné des ouvrages de mérite en ce genre : ils y ont répandu tout le charme d'une heureuse imagination (faculté qui nous manque), et à chaque instant, une foule de traits de morale s'échappent de ce délire agréable; les *Mille et une nuit* sur-tout nous en fournissent un nombre d'exemples : le conte du *Chamelier,* enrichi par le derviche, et toujours avide de nouveaux trésors, est un tableau le plus frappant des excès de la cupidité (note de Baculard).

me juger avec plus de sévérité que je me juge moi-même; si j'ai quelque motif de m'applaudir, c'est que je sens plus que personne, la difficulté de reculer la barriere des arts : mais, encore une fois, épargnez à mon oreille cette dénomination odieuse de *roman*, à moins que vous ne donniez ce nom proscrit à *Télémaque*, à *Clarisse*, à *Gil-Blas*, à *Tom-Jones*, etc. Alors, je me ferai l'honneur d'avoir avancé de quelques pas dans une carriere qu'ont parcourue avec tant d'éclat, les *Fénélon*, les *Richardson, le Sage, Fielding, etc.* Si ce sont-là des romans, combien de semblables romans sont-ils au-dessus de l'histoire !...

Le CRITIQUE.

Voilà encore une de vos manies! Vous n'avez point pour l'histoire [1] cette considération, ce respect...

L'AUTEUR.

Cela devient plaisant. Apprenez mon secret; je n'ai au monde de respect que pour la vérité, la seule vérité, et je n'imagine point qu'à ce titre vous ayez le front de me vanter votre histoire? Vous voulez absolument exciter ma mauvaise humeur, que je me répete jusqu'à satiété? oui, la lecture de l'histoire me souleve, me révolte à chaque page, et je regarde la plupart de ses auteurs du même œil que ces vils romanciers, auxquels il vous plaisoit de m'associer. Je ne vois que des compilations dégoûtantes de flatteries prostituées, de satyres calomnieuses, de faux jugemens, de mensonges punissables, l'humanité par-tout outragée, par-tout souffrante, foulée aux pieds, le vice par-tout comblé d'éloges,

---

1. *Pour l'histoire.* Nous voici arrivé à mon énorme péché. Non, sans doute, je n'ai nul respect, nulle considération pour l'histoire. Quand je chercherai inutilement des *historiens philosophes;* quand on aura le front d'écrire : *Mahomet-le-grand*, qu'on écrasera de la gloire de César, du destructeur de sa patrie, la *véritable grandeur* du citoyen Pompée; quand on ne me peindra point Cromwel, poursuivi par une indignation éternelle; quand on se sera plu à ramasser vingt volumes grossis de tous les crimes, de toutes les scélératesses dégoûtantes, et qu'on aura décoré cette abominable compilation du titre de *l'histoire du Bas-Empire;* quand on ne s'attachera point comme Tacite à poursuivre le vice sur le trône, à le saisir jusques dans l'obscurité infâme dont il cherche à s'envelopper : alors je foulerai à mes pieds l'histoire, je lui préférerai la *barbe bleue*, le *petit poucet, etc.* Encore une fois, offrez-moi la vérité; mais si le crime n'a pas été puni, qu'il ait joui d'un succès heureux, ne m'en exposez pas moins l'horreur qu'il doit inspirer : que je le voie aux prises avec le remords, se déchirant lui-même le sein! ne confondez point le voleur de grand-chemin avec le vrai héros, le tyran avec le roi; gardez-vous également et de la basse flatterie et de la satyre effrénée; n'agissez point comme l'historien Procope qui prostitue à Justinien des éloges exagérés, et qui, dans un autre ouvrage, l'accable des calomnies les plus atroces; qu'une sage discussion soit toujours le fil conducteur dans le labyrinthe, le cahos des événemens; jugez à froid ce que vous écrirez avec chaleur et intérêt; surtout, préservez-vous de l'*imbécille esprit de parti*, de ce fanatisme honteux qui dégrade et pervertit toujours l'opinion. A ces conditions, je me raccommoderai avec l'histoire, et comment prétendez-vous que j'ajoute quelque croyance à ces récits historiques? Tous les jours, tous les jours, je ne lis, je ne vois que des mensonges effrontés dans les papiers publics, dans les livres nouveaux, des éloges funéraires de gens méprisables, criminels, et précisément en contradiction avec ce qu'ils ont été, ce qu'ils ont fait, avec leurs caractères, leurs actions, la vérité qui s'efforce de percer à travers l'imposture, et que cette imposture étouffe, etc. Est-il possible qu'à de pareilles faussetés, l'honnête-homme ne s'indigne et ne sente toutes les difficultés, tous les obstacles qui s'opposent à la publication de l'histoire! (note de Baculard).

caressé, récompensé, le brigand appellé un héros, qui auroit dû, si l'on faisoit justice, finir ses jours à la *Greve*, ou à *Tyburn*, le bourreau, tout couvert de pleurs et de sang, érigé en *grand-homme*, le tyran comparé sans pudeur à un Dieu bienfaisant, les trois quarts de la terre abandonnés à un tas d'*hommes-tygres;* je le redirai jusqu'au dernier soupir : l'histoire, je ne parle point de ses absurdités grossieres, a causé une foule de maux irréparables : on n'y trouve nulle idée de la *vraie-grandeur.* Qu'un homme qui méritera de porter le nom de *philosophe* se leve, qu'il prenne la balance de la justice, le flambeau de la vérité, qu'il écrive les annales du monde, et je lirai son livre avec reconnoissance : il servira à mon instruction, il m'éclairera, me consolera; c'est à ces conditions que l'historien aura mon hommage, que je le placerai sur le trône de la littérature.

Le Critique.

Il me seroit aisé de vous répondre.

L'Auteur.

Et à moi de vous terrasser par des raisonnemens, ou plutôt par des faits : on ne détruit point des argumens semblables... Non, vous ne me persuaderez jamais que l'histoire puisse être de quelqu'utilité pour la plupart des hommes : il y a une si grande distance de ses colosses à nous autres humbles personnages! ses rapports sont si éloignés de ceux du simple citoyen! Au-lieu qu'à chaque instant je me retrouve dans Clarisse; qu'une jeune personne lise attentivement cet ouvrage immortel; elle apprendra qu'*il n'est point de démarches légeres dans les passions, qu'un seul pas suffit pour nous précipiter vers notre chûte;* et quels principes de conduite lui offriront les histoires grecque, romaine, celle de France? Le peu d'exemples instructifs que ces tableaux puissent exposer, sont noyés et disparaissent dans un nombre de faits opposés totalement à la science de la morale. J'ai osé le dire, parce-que je crois avoir *senti* la vérité : l'histoire n'est propre qu'à ceux qui ont le malheur d'être à la tête des gouvernemens : ils sont obligés d'être éclairés sur la nature de l'homme, de le découvrir, de le surprendre, de l'étudier dans ses attitudes les plus humiliantes, les plus dégradantes : mais ce n'est pas à moi que doit se révéler un secret qui doit être une espece de mystere religieux pour la multitude : il est nécessaire que, membre de la société, pour entretenir l'harmonie, pour le bien de cette même société, j'aime et j'estime la créature humaine : afin donc qu'elle m'inspire ce sentiment, montrez-la moi digne de l'exciter.

Le Critique.

Tout ceci exigeroit une très-ample discussion, et *non est hic locus.* Vous êtes endurci dans vos erreurs : continuez votre travail, puisque votre cœur paraît vous y appeler.

L'Auteur.

Pensez-vous que, sans cette inspiration, j'eusse eu le courage d'entrer dans la lice littéraire? [...]

# texte 47  Essai sur les fictions (1795)

M<sup>me</sup> de Staël définit ainsi le but de son *Essai* : « J'ai voulu seulement prouver que les romans qui peindroient la vie telle qu'elle est, avec finesse, éloquence, profondeur et moralité, seroient les plus utiles de tous les genres littéraires ». Après avoir écarté comme genres faux les « fictions merveilleuses » et les « fictions historiques », elle traite des « fictions où tout est à la fois inventé et imité; où rien n'est vrai, mais où tout est vraisemblable ». Parmi ces dernières, les tragédies font voir des êtres et des événements extraordinaires, les comédies excluent les développements et les détails qui donnent leur sens à l'action, les drames veulent frapper par des situations fortes : seuls « les romans modernes » offrent « cette utilité constante et détaillée qu'on peut retirer de la peinture de nos sentiments habituels ».

M<sup>me</sup> de Staël adopte sur le roman les idées de son temps quand elle l'oppose à l'histoire dont la leçon est trop générale, quand elle parle de la fiction comme d'un supplément à l'expérience, et quand elle associe étroitement sentiment et moralité. Elle semble bien, en particulier, s'inspirer de Baculard d'Arnaud pour qualifier de « dramatique » la morale du roman (voir tome I, p. 436). Si l'on admet l'opposition (qui n'a rien de tranché) entre roman d'observation et roman d'aventure, M<sup>me</sup> de Staël opte pour le premier, au contraire de Sade qui opte pour le second. Mais, assurant la continuité de la tradition française, de M<sup>me</sup> de La Fayette et de Prévost et Marivaux à Balzac, elle condamne le réalisme exhaustif et documentaire, elle exige un choix des détails expressifs, une composition dans les tableaux, une progression dans l'action; elle veut qu'à l'observation s'allie le sentiment, et elle n'entend pas seulement par là l'émotion qui entraîne le cœur à la vertu, mais l'essence même du romanesque, l'éternelle nostalgie de l'âme insatisfaite.

Mais dans les romans tels que ceux de Richardson et de Fielding, où l'on s'est proposé de cotoyer la vie en suivant exactement les gradations, les développemens, les inconséquences de l'histoire des hommes, et le retour constant néanmoins du résultat de l'expérience à la moralité des actions et aux avantages de la vertu, les événemens sont inventés : mais les sentimens sont tellement dans la nature, que le lecteur croit souvent qu'on s'adresse à lui avec le simple égard de changer les noms propres.

L'art d'écrire des romans n'a point la réputation qu'il mérite, parce qu'une foule de mauvais auteurs nous ont accablés de leurs fades productions dans ce genre, où la perfection exige le génie le plus relevé, mais où la médiocrité est à la portée de tout le monde. Cette innombrable quantité de fades romans a presque usé la passion même qu'ils ont peinte; et l'on a peur de retrouver dans sa propre histoire le moindre rapport avec les situations qu'ils décrivent. Il ne falloit pas moins que l'autorité des grands maîtres pour relever le genre, malgré les écrivains qui l'ont dégradé. D'autres auteurs l'ont encore plus avili, en y mêlant les tableaux dégoûtans du vice; et tandis que le premier avantage des fictions est de rassembler autour de l'homme tout ce qui, dans la nature, peut lui servir de leçon ou de modèle, on a imaginé qu'on tireroit une utilité quelconque des peintures odieuses des mauvaises mœurs : comme si elles pouvoient jamais laisser le cœur qui les repousse, dans une situation aussi pure que le cœur qui les auroit toujours ignorées. Mais un roman tel qu'on peut le concevoir, tel que nous en avons quelques modèles, est une des plus belles productions de l'esprit humain, une des plus influantes sur la morale des individus, qui doit former ensuite les mœurs publiques. Une raison motivée diminue cependant dans l'opinion générale l'estime qu'on devroit accorder au talent nécessaire pour écrire de bons romans, c'est qu'on les regarde comme uniquement consacrés à peindre l'amour, la plus violente, la plus universelle, la plus vraie de toutes les passions; mais celle qui, n'exerçant son influence que sur la jeunesse, n'inspire plus d'intérêt dans les autres époques de la vie [...]. (A partir d'un certain âge, les humains) sont entièrement livrés à d'autres objets, à d'autres passions; et c'est à ces nouveaux intérêts qu'il faudroit étendre les sujets des romans. Une carrière nouvelle s'ouvriroit alors, ce me semble, aux auteurs qui possèdent le talent de peindre, et savent attacher par la connoissance intime de tous les mouvemens du cœur humain. L'ambition, l'orgueil, l'avarice, la vanité pourroient être l'objet principal de romans, dont les incidens seroient plus neufs, et les situations aussi variées que celles qui naissent de l'amour [1]. Dira-t-on que ce tableau des passions des hommes existe dans l'histoire, et que c'est là qu'il vaut bien mieux l'aller chercher? Mais l'histoire n'atteint point à la vie des hommes privés, aux sentimens, aux caractères dont il n'est point résulté d'événemens publics; l'histoire n'agit point sur vous par un intérêt moral et soutenu;[...] La morale de l'histoire enfin ne sauroit être parfaitement évidente[...].

[M^me de Staël montre alors que « la moralité de l'histoire ne peut exister qu'en masse » et que ses exemples ont une valeur générale.]

Les romans, au contraire, peuvent peindre les caractères et les sentimens avec tant de force et de détails, qu'il n'est point de lecture qui doive produire une impression

---

1. Marmontel, Baculard d'Arnaud avaient déjà donné des exemples de ce genre de romans. Mais c'est le roman du XIX^e siècle qui remplira le mieux le vœu de M^me de Staël.

aussi profonde de haine pour le vice, et d'amour pour la vertu. La moralité des romans tient plus au développement des mouvemens intérieurs de l'âme qu'aux événemens qu'on y raconte : ce n'est pas la circonstance arbitraire que l'auteur invente pour punir le crime, dont on peut tirer une utile leçon ; mais c'est de la vérité des tableaux, de la gradation ou de l'enchaînement des fautes, de l'enthousiasme pour les sacrifices, de l'intérêt pour le malheur, qu'il reste des traces ineffaçables. Tout est si vrai-semblable dans de tels romans, qu'on se persuade aisément que tout peut arriver ainsi ; ce n'est pas l'histoire du passé, mais on diroit souvent que c'est celle de l'avenir[1]. L'on a prétendu que les romans donnoient une fausse idée de l'homme ; cela est vrai de tous ceux qui sont mauvais, comme des tableaux qui imitent mal la nature : mais lorsqu'ils sont bons, rien ne donne une connoissance aussi intime du cœur humain, que ces peintures de toutes les circonstances de la vie privée, et des impressions qu'elles font naître ; rien n'exerce autant la réflexion, qui trouve bien plus à découvrir dans les détails que dans les idées générales. Les mémoires atteindroient à ce but, si, de même que dans l'histoire, les hommes célèbres, les événemens publics, n'en étoient pas seuls le sujet. Les romans seroient inutiles, si la plupart des hommes avoient assez d'esprit et de bonne foi pour rendre un compte fidèle et caractérisé de ce qu'ils ont éprouvé dans le cours de la vie ; néanmoins, ces récits sincères ne réuniroient pas tous les avantages des romans, il faudroit ajouter à la vérité une sorte d'effet dramatique qui ne la dénature point, mais la fait ressortir en la resserrant : c'est un art du peintre, qui, loin d'altérer les objets, les représente d'une manière plus sensible. La nature peut souvent les montrer sur le même plan, les séparer de leurs contrastes ; mais c'est en la copiant trop servilement qu'on ne parviendroit point à la rendre. Le récit le plus exact est toujours une vérité d'imitation ; comme tableau, il exige une harmonie qui lui soit propre. Une histoire vraie, mais remarquable par les nuances, les sentimens et les caractères, ne pourroit intéresser sans le secours du talent nécessaire pour composer une fiction : mais en admirant ainsi le génie qui fait pénétrer dans les replis du cœur humain, il est impossible de supporter ces détails minutieux dont sont accablés les romans, même les plus célèbres. L'auteur croit qu'ils ajoutent à la vraisemblance du tableau, et ne voit pas que tout ce qui ralentit l'intérêt, détruit la seule vérité d'une fiction, l'impression qu'elle produit. Si l'on représentoit sur la scène tout ce qui se passe dans une chambre, l'illusion théâtrale seroit absolument détruite. Les romans ont aussi les convenances dramatiques ; il n'y a de nécessaire dans l'invention que ce qui peut ajouter à l'effet de ce qu'on invente. Si un regard, un mouvement, une circonstance inaperçue sert à peindre un caractère, à développer un sentiment, plus le moyen est simple, plus il y a de mérite à le saisir : mais le détail scrupuleux d'un événement ordinaire, loin d'accroître la vraisemblance, la diminue. Ramené à l'idée positive du vrai par des détails qui n'appartiennent qu'à lui, vous sortez de l'illusion, et vous êtes bientôt fatigué de ne trouver ni l'instruction de l'histoire, ni l'intérêt du roman.

Le don d'émouvoir est la grande puissance des fictions ; on peut rendre sensibles presque toutes les vérités morales, en les mettant en action. La vertu a une telle influence sur le bonheur ou le malheur de l'homme, qu'on peut faire dépendre d'elle la plupart des situations de la vie. Il y a des philosophes austères qui condamnent toutes les émotions et veulent que l'empire de la morale s'exerce par le seul énoncé de ses devoirs :

---

1. Une idée analogue est exprimée par Marmontel, voir *supra*, p. 167.

mais rien n'est moins adapté à la nature de l'homme en général qu'une telle opinion ; il faut animer la vertu pour qu'elle combatte avec avantage contre les passions ; il faut faire naître une sorte d'exaltation pour trouver du charme dans les sacrifices ; il faut enfin parer le malheur pour qu'on le préfère à tous les prestiges des séductions coupables ; et les fictions touchantes qui exercent l'âme à toutes les passions généreuses, lui en donnent l'habitude, et lui font prendre à son insu un engagement avec elle-même, qu'elle auroit honte de rétracter, si une situation semblable lui devenoit personnelle. Mais plus le don d'émouvoir a de puissance reelle, plus il importe d'en étendre l'influence aux passions de tous les âges, aux devoirs de toutes les situations. L'amour est l'objet principal des romans, et les caractères qui lui sont étrangers n'y sont placés que comme des accessoires. En suivant un autre plan, on découvriroit une multitude de sujets nouveaux. [...]

[Suivent alors des références à Fielding et à son *Tom Jones*, au *Caleb Williams* de Godwin, aux *Contes moraux* de Marmontel, à Sterne, au *Spectateur*, et à la littérature allemande.]

Mais un nouveau Richardson ne s'est point encore consacré à peindre les autres passions de l'homme dans un roman qui développât en entier [1] leurs progrès et leurs conséquences ; le succès d'un tel ouvrage ne pourroit naître que de la vérité des caractères, de la force des contrastes, de l'énergie des situations, et non de ce sentiment si facile à peindre, si aisément intéressant, et qui plaît aux femmes par ce qu'il rappelle, quand même il n'attacheroit pas par la grandeur ou la nouveauté de ses tableaux. Que de beautés ne pourroit-on pas trouver dans le Lovelace des ambitieux ! Quels développemens philosophiques, si l'on s'attachoit à approfondir, à analyser toutes les passions, comme l'amour l'a été dans les romans ! Et qu'on ne dise point que les livres de morale suffisent parfaitement à la connoissance de nos devoirs ; ils ne sauroient entrer dans toutes les nuances de la délicatesse, détailler toutes les ressources des passions. On peut extraire des bons romans une morale plus pure, plus relevée que d'aucun ouvrage didactique sur la vertu. [...]

[Mᵐᵉ de Staël nomme alors *Pamela* et *Clarisse*, *La Princesse de Clèves*, les *Mémoires du Comte de Comminge* (par Mᵐᵉ de Tencin), *Paul et Virginie*, les romans de Mᵐᵉ Riccoboni.]

Les romans ont le droit d'offrir la morale la plus austère, sans que le cœur en soit révolté ; ils ont captivé ce qui seul plaide avec succès pour l'indulgence, le sentiment ; et tandis que les livres de morale, dans leurs maximes rigoureuses, sont souvent combattus victorieusement par la pitié pour le malheur, ou l'intérêt pour la passion, les bons romans ont l'art de mettre cette émotion même de leur parti, et de la faire servir à leur but. [...]

---

1. Cette expression est presque textuellement celle qu'emploie l'Académie française pour définir le *Roman* dans son *Dictionnaire*, édition de 1798 : « Ouvrage ordinairement en prose, contenant des fictions qui représentent des aventures rares dans la vie et le développement entier des passions humaines ». Les académiciens ont ainsi réuni dans leur définition le roman d'aventures et le roman de mœurs, les deux grandes voies du genre romanesque.

Quand même les écrits purement philosophiques pourroient, comme les romans, prévoir et détailler toutes les nuances des actions, il resteroit toujours à la morale dramatique un grand avantage, c'est de pouvoir faire naître des mouvemens d'indignation, une exaltation d'âme, une douce mélancolie, effets divers des situations romanesques, et sorte de supplement à l'expérience : cette impression ressemble à celle des faits réels dont on auroit été le témoin; mais dirigée toujours vers le même but, elle égare moins la pensée que l'inconséquent tableau des événemens qui nous entourent. Enfin il est des hommes sur lesquels le devoir n'a point d'empire, et qu'on pourroit encore garantir du crime en développant en eux la faculté d'être attendris. [...]

[M<sup>me</sup> de Staël laisse alors entendre que les révolutionnaires n'auraient pas commis tant de « crimes » s'ils avaient lu assez de romans pour être sensibles à la pitié.]

Il y a des écrits tels que l'*Epitre d'Abeilard* par Pope, *Werther*, les *Lettres Portugaises*, etc. Il y a un ouvrage au monde, c'est *La Nouvelle Héloïse*, dont le principal mérite est l'éloquence de la passion; et quoique l'objet en soit souvent moral, ce qui en reste surtout c'est la toute-puissance du cœur. On ne peut classer une telle sorte de romans; il y a dans un siècle une âme, un génie qui sait y atteindre; ce ne peut être un genre, ce ne peut être un but : mais voudroit-on interdire ces miracles de la parole, ces impressions profondes qui satisfont à tous les mouvemens des caractères passionnés? Les lecteurs enthousiastes d'un semblable talent sont en très-petit nombre, et ces ouvrages font toujours du bien à ceux qui les admirent. Laissez en jouir les âmes ardentes et sensibles, elles ne peuvent faire entendre leur langue. Les sentimens dont elles sont agitées sont à peine compris; et sans cesse condamnées, elles se croiroient seules au monde, elles détesteroient bientôt leur propre nature qui les isole, si quelques ouvrages passionnés et mélancoliques ne leur faisoient pas entendre une voix dans le désert de la vie, ne leur faisoient pas trouver, dans la solitude, quelques rayons du bonheur qui leur échappe au milieu du monde. Ce plaisir de la retraite les repose des vains efforts de l'espérance trompée; et quand tout l'univers s'agite loin de l'être infortuné, un écrit éloquent et tendre reste auprès de lui comme l'ami le plus fidèle, et celui qui le connoît le mieux. Oui, il a raison le livre qui donne seulement un jour de distraction à la douleur, qui sert au meilleur des hommes. Sans doute on peut trouver des peines qui appartiennent aux défauts du caractère, mais il en est tant qui naissent ou de la supériorité de l'esprit ou de la sensibilité du cœur, tant qu'on supporteroit mieux si l'on avoit des qualités de moins! Avant de le connoître, je respecte le cœur qui souffre, je me plais aux fictions même dont le seul résultat seroit de le soulager en captivant son intérêt. Dans cette vie, qu'il faut passer plutôt que sentir, celui qui distrait l'homme de lui-même et des autres, qui suspend l'action des passions pour y substituer des jouissances indépendantes, seroit dispensateur du seul véritable bonheur dont la nature humaine soit susceptible, si l'influence de son talent pouvoit se perpétuer.

# texte 48    Idée sur les Romans (1800)

« On appelle roman, l'ouvrage fabuleux composé d'après les plus singulières aventures de la vie des hommes » — ainsi commence l'*Idée sur les Romans*. Sade réagit donc contre le roman réaliste; il veut que le roman « éblouisse », que le romancier entraîne le lecteur dans ses « élans ». Seules les circonstances extraordinaires révèlent le fond de la nature humaine et c'est de cet extraordinaire que le romancier doit se donner l'expérience. Comme Rousseau, Sade voit dans l'homme de la société polie, dans l'homme ordinaire, un être à la fois abâtardi et factice. On remarquera les métaphores « sadiques » de l'inceste (le romancier doit être l'amant de sa mère, la nature, et lui ouvrir le sein) et des freins rompus en vue du plaisir. Quant aux conseils techniques, ils rappellent ceux que donnaient les théoriciens de l'époque baroque; Sade ne condamne pas le roman à épisodes, il demande que la réalité soit embellie par l'imagination, il attend du romancier une connaissance documentaire de la géographie et des mœurs; comme Desmarets de Saint-Sorlin (voir texte 14), il pense que la liberté dont jouit le romancier dans l'invention lui crée des devoirs rigoureux en ce qui concerne l'expression. Ce qu'il dit des raisonnements s'applique à ses propres œuvres : quand ses personnages « moralisent », c'est qu'ils y sont contraints par les circonstances, c'est-à-dire que leurs dissertations sont de l'action et que sans elles leur sadisme ne serait pas accompli. Voir tome I, pp. 482-483 et 484-489.

Avant que d'entamer notre troisième et dernière question[1], *quelles sont les règles de l'art d'écrire le roman?* Nous devons ce me semble répondre à la perpétuelle objection de quelques esprits atrabilaires, qui pour se donner le vernis d'une morale, dont souvent leur cœur est bien loin, ne cessent de vous dire : *à quoi servent les romans?*

A quoi ils servent, hommes hypocrites et pervers; car vous seuls faites cette ridicule question; ils servent à vous peindre tels que vous êtes, orgueilleux individus qui voulez vous soustraire au pinceau, parce que vous en redoutez les effets; le roman étant, s'il est possible de s'exprimer ainsi, *le tableau des mœurs séculaires*, est aussi essentiel que l'histoire, au philosophe qui veut connaître l'homme; car le burin de l'une ne le peint que lorsqu'il se fait voir; et alors ce n'est plus lui; l'ambition, l'orgueil couvrent son front d'un masque qui ne nous représente que ces deux passions, et non l'homme; le pinceau du roman, au contraire, le saisit dans son intérieur... le prend quand il quitte ce masque, et l'esquisse bien plus intéressante, est en même temps bien plus vraie, voilà l'utilité des romans; froids censeurs qui ne les aimez pas, vous ressemblez à ce cul-de-jatte qui disait aussi, *et pourquoi fait-on des portraits?*

S'il est donc vrai que le roman soit utile, ne craignons point de tracer ici quelques-uns des principes que nous croyons nécessaires à porter ce genre à la perfection; je sens bien qu'il est difficile de remplir cette tâche sans donner des armes contre moi; ne deviens-je pas doublement coupable de n'avoir pas *bien fait*, si je prouve que je sais ce qu'il faut pour *faire bien*. Ah! laissons ces vaines considérations, qu'elles s'immolent à l'amour de l'art.

La connaissance la plus essentielle qu'il exige est bien certainement celle du cœur de l'homme. Or, cette connaissance importante, tous les bons esprits nous approuveront sans doute en affirmant qu'on ne l'acquiert que par des *malheurs* et par des *voyages;* il faut avoir vu des hommes de toutes les nations pour les bien connaître, et il faut avoir été leur victime pour savoir les apprécier; la main de l'infortune, en exaltant le caractère de celui qu'elle écrase, le met à la juste distance où il faut qu'il soit pour étudier les hommes, et il les voit de là comme le passager apperçoit les flots en fureur se briser contre l'écueil sur lequel l'a jeté la tempête; mais dans quelque situation que l'ait placé la nature ou le sort, s'il veut connaître les hommes, qu'il parle peu quand il est avec eux; on n'apprend rien quand on parle, on ne s'instruit qu'en écoutant; et voilà pourquoi les bavards ne sont communément que sots.

O toi qui veux parcourir cette épineuse carrière! ne perds pas de vue que le romancier est l'homme de la nature, elle l'a créé pour être son peintre; s'il ne devient pas l'amant de sa mère dès que celle-ci l'a mis au monde, qu'il n'écrive jamais, nous ne le lirons point; mais s'il éprouve cette soif ardente de tout peindre, s'il entr'ouvre avec frémissement le sein de la nature, pour y chercher son art et y puiser des modèles, s'il a la fièvre du talent, et l'enthousiasme du génie, qu'il suive la main qui le conduit, il a deviné l'homme, il le peindra; maîtrisé par son imagination, qu'il y cède, qu'il embel-

---

1. La première question concernait l'origine du mot « roman »; la seconde, l'origine du genre lui-même et son histoire.

lisse ce qu'il voit : le sot cueille une rose et l'effeuille, l'homme de génie la respire et la peint : voilà celui que nous lirons.

Mais en te conseillant d'embellir, je te défends de t'écarter de la vraisemblance : le lecteur a droit de se fâcher quand il s'apperçoit que l'on veut trop exiger de lui; il voit qu'on cherche à le rendre dupe; son amour-propre en souffre, il ne croit plus rien, dès qu'il soupçonne qu'on veut le tromper.

Contenu d'ailleurs par aucune digue, use à ton aise du droit de porter atteinte à toutes les anecdotes de l'histoire, quand la rupture de ce frein devient nécessaire aux plaisirs que tu nous prépares; encore une fois, on ne te demande point d'être vrai, mais seulement d'être vraisemblable; trop exiger de toi serait nuire aux jouissances que nous en attendons : ne remplace point cependant le vrai par l'impossible, et que ce que tu inventes soit bien dit; on ne te pardonne de mettre ton imagination à la place de la vérité que selon la clause expresse d'orner et d'éblouir. On n'a jamais le droit de mal dire, quand on peut dire tout ce qu'on veut; si tu n'écris comme R...[1] *que ce que tout le monde sait*, dusses-tu, comme lui nous donner quatre volumes par mois, ce n'est pas la peine de prendre la plume; personne ne te contraint au métier que tu fais; mais si tu l'entreprends, fais-le bien. Ne l'adopte pas surtout comme un secours à ton existence; ton travail se ressentirait de tes besoins, tu lui transmettrais ta faiblesse; il aurait la pâleur de la faim : d'autres métiers se présentent à toi; fais des souliers, et n'écris point des livres. Nous ne t'en estimerons pas moins, et comme tu ne nous ennuieras pas, nous t'aimerons peut-être davantage.

Une fois ton esquisse jetée, travaille ardemment à l'étendre, mais sans te resserrer dans les bornes qu'elle paraît d'abord te prescrire, tu deviendrais maigre et froid avec cette méthode; ce sont des élans que nous voulons de toi, et non pas des règles; dépasse tes plans, varie-les, augmente-les; ce n'est qu'en travaillant que les idées viennent. Pourquoi ne veux-tu pas que celle qui te presse quand tu composes, soit aussi bonne que celle dictée par ton esquisse? Je n'exige essentiellement de toi qu'une seule chose, c'est de soutenir l'intérêt jusqu'à la dernière page; tu manques le but, si tu coupes ton récit par des incidens, ou trop répétés, ou qui ne tiennent pas au sujet; que ceux que tu te permettras soient encore plus soignés que le fond : tu dois des dédommagemens au lecteur quand tu le forces de quitter ce qui l'intéresse, pour entamer un incident. Il peut te permettre de l'interrompre, mais il ne te pardonnera pas de l'ennuyer; que tes épisodes naissent toujours du fond du sujet et qu'ils y rentrent; si tu fais voyager tes héros, connais bien le pays où tu les mènes, porte la magie au point de m'identifier avec eux; songe que je me promène à leurs côtés, dans toutes les régions où tu les places; et que peut-être plus instruit que toi, je ne pardonnerai ni une invraisemblance de mœurs, ni un défaut de costume[2], encore moins une faute de géographie : comme personne ne te contraint à ces échappées, il faut que tes descriptions locales soient réelles, ou il faut que tu restes au coin de ton feu; c'est le seul cas dans tous tes ouvrages où l'on ne puisse tolérer l'invention, à moins que les pays où tu me transportes ne soient imaginaires, et, dans cette hypothèse encore, j'exigerai toujours du vraisemblable.

---

1. Restif de la Bretonne.
2. Costume, au sens d'aspect caractéristique des usages et des habitudes.

Evite l'affèterie de la morale; ce n'est pas dans un roman qu'on la cherche; si les personnages que ton plan nécessite, sont quelquefois contraints à raisonner, que ce soit toujours sans affectation, sans la prétention de le faire, ce n'est jamais l'auteur qui doit moraliser, c'est le personnage, et encore ne le lui permet-on, que quand il y est forcé par les circonstances.

Une fois au dénouement, qu'il soit naturel, jamais contraint, jamais machiné, mais toujours né des circonstances; je n'exige pas de toi comme les auteurs de l'*Encyclopédie*, qu'il soit *conforme au désir du lecteur*; quel plaisir lui reste-t-il quand il a tout deviné? le dénouement doit être tel, que les événements le préparent, que la vraisemblance l'exige, que l'imagination l'inspire; et qu'[1] avec ces principes que je charge ton esprit et ton goût d'étendre, si tu ne fais pas bien, au moins feras-tu mieux que nous. [...]

---

1. *Que* est à rapprocher de *si* pour former la locution, aujourd'hui désuète, *que si*.

# ANTHOLOGIE ROMANESQUE

texte I

# Le Roman de Thèbes
# (environ 1150)

La description vise à être exhaustive, toutes les parties qui constituent la tente sont passées en revue; on notera l'importance des matériaux précieux et le grand nombre des décorations figuratives. Voir tome I, p. 26 et pp. 32-33, et ci-dessus texte 2.
Le texte cité est celui de l'édition Léopold Constans, Paris, 1890.

[A. La Tente d'Adraste]

| | |
|---|---|
| Li trés* fu merveillos et granz | * tente |
| Et entailliez* a flors par panz : | * brodé |
| Ne fu de chanve ne de lin, | |
| Ainz fu de porpre* outremarin; | * fourrure |
| De porpre fu inde* et vermeille, | * violette |
| Et peint i ot mainte merveille. | |
| A compas* i fu mapamonde | * Avec art |
| Enlevee*, tote roonde, | * En relief |
| El pan davant desus l'entree, | |
| A or batu menu ovree*. | * ouvrée |
| Par cinc zones la mape dure* | * s'étend |

Si peintes com les fist nature :
Car les dous que sont deforaines*          * les deux zones extérieures
De glace sont et de neif* pleines,          * neige
Et orent inde la color,
Car auques tornent a freidor*,              * elles refroidissent assez
Et la chaude, qu'est el mé lou*             * au milieu
Cele est vermeille por le fou*.             * à cause du feu
Que por le fou, que por les neis,
N'abite rien en celes treis.
Entre chascune daerraine*                   * extrême
Et la chaude, qu'est meiloaine*,            * médiane
En ot une que fu tempree :
Devers gualerne* est habitee.               * nord-ouest
Iluec* sont les citez antives*              * Là        * anciennes
O* murs, o tors et o eschives* :            * Avec      * échauguettes
A or batu sont li torrel*                    * tourelles
Et li portail et li tornel*.                 * ponts tournants
Tuit li reaume* et tuit li rei              * Tous les royaumes
Sont iluec peint chascuns par sei,
Et li setante et dui language,
Et mer betee* et mer sauvage;               * gelée
Mer roge i est, faite a neiel*,             * nielle
Et li pas as fiz Israel*;                    * le passage des enfants
De Paradis li quatre flun*,                  * fleuves      [d'Israël
Ethna qui art* et giéte fun*.                * brûle    * fumée
Monstres i ot de mil maniéres,
Oiseaus volanz et bestes fiéres;
Et li nostre home i sont bien peint,
Cil d'Ethiope de neir* teint.                * noir
Oceanus[1] cort par l'ardant*,               * la zone équatoriale
Egeon[2] ses braz i espant.
Mapamonde fu si grant chose,
Qui l'esguarde pas ne repose :
Tant veit en mer et tant en terre,
En grant peine est de tot enquerre.
Esmeraudes, jaspes, sardones,
Berils, sardes et calcedones
Et jagonces* et crisolites                   * grenats
Et topaces et ametistes
Ot tant en l'or, qui l'avironent,
Contre soleil grant clarté donent.
De l'autre part, el destre pan,
Sont peint li doze meis de l'an :

_____

1. Le fleuve Océan, qui entourait le monde.
2. La mer Égée.

Estez i est o ses amors,
O ses beautez et o ses flors;
O ses colors i est estez;
Ivers i fait ses tempestez,
Qui vente et pluet et neige et gresle
Et ses orez* ensemble mesle.
Après i fist peindre li reis
Et les justices et les leis
Que menérent si ancessor*,
Qui de Grece furent seignor;
Des reis de Grece i fist l'estore,
Ceus qui sont digne de memore,
Les proeces et les estors*
Que chascuns d'eus fist en ses jors.
En la cortine* d'environ
Sont peint lepart, ors et leon*.
La liste* fu d'un paile* brun,
Onc ne veïstes meillor un,
Entailliee a menuz marreaus*
Et a pilers* et a quarreaus.
Colombe ot une en mé la boge*,
D'ivuére fu et teinte roge,
Que sostint l'aigle et l'escharboncle
Qui fu Flori* le rei, son oncle,
Que il conquist quant il prist Terse
Et il venqui les Turs de Perse.
Tant com li trés dure desoz*,
De bons tapiz fu jonchiez* toz;
Li paisson* qui tiénent le tréf*
Sont de color vermeil et bléf*;
Les cordes sont d'argent treciees
Et environ totes sachiees*.
Cinc cent chevalier tuit o* armes,
Et mil borgeis o granz jusarmes [1]
Le rei guardent quant il conseille*
Et quand il dort et quant il veille.

* vents

* ses ancêtres

* combats

* tapisserie
* léopards, ours et lions
* lisière          * draperie

* marquèterie
* piliers
* au milieu du tissu

* à Floris

* Tout l'espace intérieur
* recouvert    [de la tente
* Les mâts      * la tente
* bleu

* tendues
* avec

* tient conseil

[*Le Roman de Thèbes*, vers 3979 à 4068.]

## [B. Portrait et mort d'Atys]

Description analytique où l'auteur, tout en usant des traits conventionnels destinés
à donner l'image d'une beauté idéale, sait communiquer au lecteur le sentiment de la grâce

---

1. La guisarme est une sorte de hallebarde.

et de la vie. Le portrait est fait à un moment capital de l'action : Atys part pour le **combat**
singulier où il sera tué par Tydée. Voir tome I, p. 26.

| | |
|---|---|
| Ates* fu uns meschins* bien granz, | * Atys          * jeune **homme** |
| Et neporquant* n'ot que quinze anz. | * néanmoins |
| Cheveus ot un poi cres* et blons, | * frisés |
| Sor les espaules auques* lons, | * assez |
| Et ot son chief estreit bendé* | * sa tête étroitement serrée |
| D'une bende d'un vert cendé*. | * d'une soie verte |
| Les ueuz ot clérs, rianz et vairs, | |
| De gaieté pleins et despers* : | * vifs |
| Et ot la face assez plus blanche | |
| Que n'est la neif* desor la branche; | * la neige |
| Sor la blanchor, par grant conseil*, | * sagesse |
| Ot nature assis* del vermeil : | * posé |
| Ço est color que mout* m'agree, | * beaucoup |
| Blanchor de vermeil coloree. | |
| La face ot pleine et le menton : | |
| N'i ot ne barbe ne guernon*; | * favoris |
| Mout fu graisles par la ceinture | |
| Et ot bien grant la forcheüre*; | * Et il était bien **découplé** |
| D'un samit* fu vestuz en langes*, | * tissu de soie   * **vêtement de [dessous** |
| Et as poinz* ot estreites manches; | * aux poignets |
| Estreit chauciez* del meillor paile* | * culotté   * drap |
| Que l'on puet trover en Thessaile; | |
| Uns esporons* a or desus : | * Une paire d'éperons |
| Bien valeient mil souz et plus. | |
| Sor un cheval sist* de Castèle | * il était monté |
| Qui plus tost cort que arondèle, | |
| Espee ceinte, escu al col, | |
| Mais d'une rien le tiegn por fol*, | * Sur un point je le tiens **pour fou** |
| Que l'auberc [1] traist par legerie*, | * C'est d'avoir quitté son **haubert [par imprudence** |
| Car mout ot fait chevalerie : | |
| Issi* vueut champeier* defors | * Dans cet état   * **combattre** |
| Et par le champ monstrer son cors. | |
| Par le champ point* lance levee : | * pique des deux   [au sommet |
| Une enseigne ot en son fermee*, | * Elle avait une banderole **attachée** |
| Tydeüs trueve : nel revire*, | * il ne lui tourne pas le dos |
| Vers lui chevauche par grant ire. | |
| Tydeüs desarmé le vit : | |
| Guenchi li a* et si s'en rit; | * l'évita |

---

1. Le haubert est une cotte de mailles.

Desarmé et enfant le veit,
Pitié en ot et si ot dreit* :
« Ne m'en avient, » fait il, « vergoigne*,
« Se te guenchis d'este bosoigne*,
« Car en tei plusors choses vei
« Por quei ne vueil pas joindre o tei.
« Desmesuréement iés* beaus
« Et desarmez iés et toseaus*,
« Et si serras mout proz, ço crei,
« Quant* chevauchier osas vers mei :
« Por ço ne te vueil pas ocire,
« T'amie en avreit duel* et ire.
« Trop te hastes de porter lance :
« En autre jou* use t'enfance :
« En chambres iés oncore buens,
« De tei combatre n'est pas tens. »
Ates respont : « Or oi* folie :
« Ceste pitié est coardie*. »
A tant broche* : tal coup li done
Que Tydeüs tot en estone;
L'escu si li joste* a la temple*
Que bien li fait hurter ensemble.
Tydeüs veit que l'estuet joindre* :
En l'escu le cuide un poi poindre,
Mais ne pot amoier* sa main,
El pez le feri* tot a plein.
Cil chaï*, por le coup mortal,
Sor l'erbe fresche del cheval.
Tydeüs fait grant duel et plore :
« A! Deus, » fait il, « en com male hore
« Icest enfant encontrai hué!*
« Nel vousisse* por tot mon fué*,
« Que l'eüsse d'arme adesé*. »
A merveille l'en a pesé.
Ates de l'angoisse se pasme;
Quant il revint, forment* se blasme.
A celui pardone sa mort :
Bien sét qu'il n'i aveit nul tort :
« Ne plorer ja, » fait il, « amis :
« Jo meïsmes* me sué ocis,
« Mais iço m'est mout granz conforz
« Que par grant hardement sué morz;
« Ne sué pas ocis par guaraut*,
« Mais par celui qui cent en vaut.
« Et par celui pert jo la vie

* il avait raison
* honte
* Si je t'abandonne cette affaire

* tu es
* jouvenceau

* Puisque

* deuil

* jeu

* j'entends
* couardise
* Alors il pique des deux

* frappe          * tempe

* qu'il faut se mesurer avec lui

* retenir
* Il le frappa à la poitrine
* tomba

* aujourd'hui
* Je n'aurais pas voulu     * fief
* L'avoir touché de mes armes

* fortement

* Moi-même

* rustre

« Qui est flor de chevalerie. »
Tydeüs ses cheveus esrage*,
Por poi* de duel toz vis n'esrage*.
Sa lance giéte en me* la lande,
Al vif deable la comande ;
Son cheval ne voust* onc baillier,
Ainz le laisse tot estraier*.
Joste un fossé, en un vergier,
Érent cinc bacheler legier :
Tydeüs plorant les apèle,
D'Aton lor dit freide novèle :
« Portez, » fait il, « la enz cest cors,
« Que nel manjucent* chien ça fors. »
Et cil i sont tost acoru,
Si l'en portent sor son escu :
Grant est la plaie, forment saigne,
El sanc vermeil trestoz se baigne ;
Sa face, qu'aveit fresche et tendre,
Nen ot color ne mais que cendre.

* arrache
* Presque * devient enragé tout vif
* au milieu de

* voulut
* errer en liberté

* mangent [subjonctif]

[*Le Roman de Thèbes*, vers 6071 à 6172.]

## ANONYME

## texte II    Enéas (environ 1160)

Peinture d'une âme de jeune fille, avec ses craintes et ses élans; c'est l'une des toutes premières dans le roman français. Sur ce monologue délibératif, voir tome I, p. 33.

Le texte cité est celui de l'édition Salverda de Grave, Paris, 1929.

[LAVINE DÉCIDE D'AVOUER SON AMOUR A ENÉAS]

Set foiz s'est Lavine pasmee,
Ne pot durer* n'en repos estre.                    * résister
El s'an rala* a la fenestre,                        * s'en retourna
La ou amors l'avoit seisie;
La tente Enéas a choisie*,                          * observée
Molt volantiers la regarda,
Droit cele part son vis* torna.                     * visage
El n'en pooit son oil torner*;                      * détourner
Bien tost, s'ele poïst* voler,                      * si elle avait pu
Fust ele o* lui el paveillon;                       * avec
Ne pooit panser s'a lui non*                        * qu'à lui
Et redisoit al chief del tor* :                     * alternativement
« En fol leu ai torné m'amor;
Ja n'en quidai avoir corage;

191

car te repanz, si fai que sage*.                        * agis sagement
— Fole Lavine, aies mesure,
N'atorner pas a ce ta cure*,                            * Ne mets pas à cela ton soin
Ne te puisses d'amor partir*                            * dégager
Des que te voldras repentir.
— Qui puet amer an tel maniere
Ne retorner ansi ariere?
Puis que Amors m'a si saisie
Et qu'il me tient an sa baillie*,                       * puissance
Ne m'en loist* mie resortir                             * Il ne m'est pas permis
Ne a ma volanté partir.
Amors est molt de mal atrait*;                          * de méchante nature
Cui il prent, a enviz* lo lait*.                        * difficilement   * laisse
Trop l'ai laisié sor moi monter*,                       * prendre avantage
Ne m'en puis mie delivrer,
Quant que il vialt* puet de moi faire;                  * tout ce qu'il veut
Ne m'i gardai prou a l'atraire*,                        * Je n'ai pas pris garde à mon
Mais bien me redevroit legier*                          * soulager         [inclination
Et l'orgoillos alques pleissier*                        * faire un peu plier
Por cui ge sui an tel destroit*.                        * angoisse
Amors ne me fet mie droit,
Quant ge me plain et il* s'en rit;                      * Énée
Muir moi* et lui an est petit*.                         * Il me tue    * peu lui importe
Mais que sai ge de son pensé?
Se il nel m'a si tost mostré,
Se l'an puet il estre autretant,
Ou plus, que il ne fet sanblant [1];
Sages hom est, si atandra
Desi que* tens et leus vendra.                          * Jusqu'à ce que
Et ge quel la ferai, dolante?
A mon hués* est male l'atente                           * Pour moi
Ne puis mie tant consirrer*,                            * attendre
Ne mal sofrir ne doloser*,                              * m'affliger
Se ne voil longuement mal traire*.                      * endurer
— Comant lo voldras tu donc faire?
— Et ja li voil faire savoir.
— Quel mesage* porras avoir?                            * messager
— Ge ne quier nul autre de* moi.                        * que
— Iras i tu? — Oïl, par foi.
— A grant honte t'iert atorné*.                         * cela te sera imputé
— Cui chalt?* se faiz ma volenté,                       * A qui cela importe-t-il

---

1. Traduction approximative = S'il ne m'a pas tout de suite montré ce qu'il pense,
il peut n'en penser pas moins, et même plus qu'il n'en laisse voir.

Molt m'en ert pou que l'an an die*.
— Tol*, ne dire tel vilenie,
Que ja femme de ton parage
Anpraigne* a faire tel viltaige*
Qu'a home estrange aille parler
Por soi ofrir ne presenter.
Atant un po, ja t'avra il;
Tu seroies toz tens* plus vil,
Et il noalz t'an priseroit*
Enz an son cuer, quant il t'avroit.
— Que ferai donc? — Celerai li;
N'est biens que il lo sache issi.
— Et comant donc? — Un po atant,
Li termes ert prochenemant
Que la bataille an estera*,
Et se il voint*, il te prendra;
Donc i vendras* bien a tot tens;
Sofre un petit, si sera sens;
Et se il est morz et veincuz
Et Turnus soit a ce venuz
Qu'il te doie a feme prendre,
Sel pooit savoir ne antendre
Que eüsses cestui amé,
Toz tens t'avroit mes an vilté*.
— De cel n'ai ge nule paor,
Lui n'avrai ge ja a seignor;
Se Enéas i est conquis
Ou par mesavanture ocis,
Ocirrai moi, ge n'en sai plus;
Ja vive ne m'avra Turnus,
Por lui nel quier ge celer pas*
Que mes druz* ne soit Eneas;
O lui me tien, choisi l'en ai,
Ja mes d'amer ne li faudrai*.
Mais ge ne sai coment gel face,
Com ge porchaz* que il lo sace
Que* s'amor m'a an grant destroit*;
Car ainz que la bataille soit,
Li voil primes* faire savoir,
S'an ert plus fiers al mien espoir*;
Se de m'amor est a seür*,
Molt l'en trovera cil* plus dur,
Molt an prendra grant hardement,
S'il sot onques d'amor noiant*.
Por moi se devra molt haitier*,

* Tout ce qu'on dira me sera peu [de chose
* Retire ce mot

* Entreprenne          * honte

* dès lors
* il te jugerait plus mal

* se fera
* vainc
* tu y arriveras

* mépris

* Je ne veux pas cacher à cause [de lui
* mon ami

* cesserai

* Comment j'obtiendrai
* Car          * angoisse

* d'abord
* comme je l'espère
* assuré de
* l'autre (Turnus) [1]

* Si jamais il éprouve quelque [amour
* prendre courage

---

1. Mais, au vers suivant, le sujet est de nouveau Enéas.

193

S'il n'est de cel malvès mestier*
Dont la raïne le blestange*;
Se ce est voirs*, com puet se prenge*.
Savoir m'estuet*, si com ge cui*,
Qu'il m'amera se ge aing* lui.
Tot escrivrai an un brievet*,
Manderai li par un foillet*
Tot mon estre, tot mon corage;
Assez porchacerai mesage*
Par cui li trametrai l'escrit.
Il savra bien des qu'a petit*,
Ainz demain nuit* savra mon estre. »

* de cette mauvaise façon [1]
* l'accuse    [comme il pourra
* vrai         * qu'il s'arrange
* il me faut   * crois
* aime
* billet
* feuille de papier

* Je trouverai bien un messager

* d'ici peu
* Avant la nuit de demain

[*Enéas*, vers 8664 à 8774.]

---

1. La reine Amata avait fait courir des bruits calomnieux sur les mœurs d'Énée.

texte III      # Erec et Enide (1170)

Une des plus belles pages du roman médiéval, par le réalisme poétique et familier, la justesse de l'observation, l'intensité et la délicatesse du sentiment, le mystère laissé sur le dessein d'Erec : mais la tendresse qui règne dans tout le passage et le sourire du proverbe final rassurent le lecteur sur le dénouement. Voir tome I, p. 46.

Le texte cité est celui de l'édition Mario Roques, Paris, 1955.

[ENIDE PLEURE LA RÉCRÉANCE D'EREC]

Tant fu blasmez de totes genz,
De chevaliers et de sergenz,
Qu'Enyde l'oï antre dire
Que recreant\* aloit ses\* sire      \* renonçant par lâcheté     \* son
D'armes et de chevalerie :
Molt avoit changiee sa vie.
De ceste chose li pesa;
Mes sanblant fere n'an osa,
Que ses sire an mal nel preïst
Assez tost, s'ele le deïst.
Tant li fu la chose celee

Qu'il avint une matinee,
La ou il jurent* an un lit,                                               \* furent couchés
Qu'il orent eü maint delit*;                                              \* plaisir
Boche à boche antre braz gisoient,
Come cil qui molt s'antre amoient.
     Cil dormi et cele veilla;
De la parole li manbra*                                              \* lui souvint
Que disoient de son seignor
Par la contree li plusor.
Quant il l'an prist a sovenir,
De plorer ne se pot tenir;
Tel duel* en ot et tel pesance                                          \* douleur
Qu'il li avint par mescheance
Qu'ele dist lors une parole
Dom ele se tint puis por fole;
Mes ele n'i pansoit nul mal.
Son seignor a mont et a val
Comança tant a regarder;
Le cors vit bel et le vis cler,
Et plora de si grant ravine*                                       \* si abondamment
Que, plorant, desor la peitrine
An chieent* les lermes sor lui.                                      \* tombent
« Lasse, fet ele, con mar fui !*                                      \* quel malheur pour moi!
De mon païs que ving ça querre?
Bien me doit essorbir* la terre,                                    \* engloutir
Quant toz li miaudres* chevaliers,                                  \* le meilleur
Li plus hardiz et li plus fiers,
Qui onques fust ne cuens* ne rois,                                \* comte
Li plus lëax*, li plus cortois,                                    \* loyal
A del tot an tot relanquie*                                    \* abandonné
Por moi tote chevalerie.
Dons l'ai ge honi tot por voir*;                                  \* en vérité
Nel volsisse por nul* avoir. »                                  \* à aucun prix
     Lors li dist : « Amis, con mar fus* ! »                  \* quel malheur pour toi!
A tant se tot*, si ne dist plus.                                \* se tut
Et cil ne dormi pas formant,
La voiz oï tot an dormant;
De la parole s'esveilla
Et de ce molt se merveilla
Que si formant plorer la vit.
Puis li a demandé et dit :
« Dites moi, dolce amie chiere,
Por coi plorez an tel meniere?
De coi avez ire ne duel?
Certes, je le savrai, mon vuel*.                                  \* à ma volonté
Dites le moi, ma dolce amie,
Gardez nel me celez vos mie,
Por qu'avez dit que mar i fui?

Por moi fu dit, non por autrui;
Bien ai la parole antandue. »
Lors fu molt Enyde esperdue,
Grant peor ot et grant esmai* :         * inquiétude
« Sire, fet ele, je ne sai
Neant de quanque vos me dites.
— Dame, por coi vos escondites*?    * vous refusez-vous à répondre
Li celers ne vos i valt rien :
Ploré avez, ce voi ge bien;
Por neant ne plorez vos mie;
Et an plorant ai ge oïe
La parole que vos deïstes.
— Ha! biax sire, onques ne l'oïstes,
Mes je cuit* bien que ce fu songes.      * crois
— Or me servez vos de mançonges :
Apertemant vos oi mantir;
Mes tart vandroiz* au repantir,     * vous viendrez trop tard
Se voir ne me reconuissiez*.     * Si vous ne m'avouez pas la vérité
— Sire, quant vos si m'angoissiez*,  * puisque vous me tourmentez
La verité vos an dirai,                       [ainsi
Ja plus ne le vos celerai;
Mes je criem qu'il ne vos enuit.
Par ceste terre dïent tuit,
Li blonc et li mor* et li ros,        * bruns
Que granz domages est de vos
Que vos armes antrelessiez.
Vostre pris est molt abessiez :
Tuit soloient dire l'autre an
Qu'an tot le mont* ne savoit l'an*  * monde       * l'on
Meillor chevalier ne plus preu;
Vostres parauz* n'estoit nul leu*;   * pareil      * nulle part
Or se vont tuit de vos gabant*,     * moquant
Juesne et chenu, petit et grant;
Recreant* vos apelent tuit.       * Lâche
Cuidiez vos qu'il ne m'an enuit,
Quant j'oi dire de vos despit*?    * mauvais propos
Molt me poise, quant an l'an dit,
Et por ce m'an poise ancor plus
Qu'il m'an metent le blasme sus;
Blasmee an sui, ce poise moi,
Et dïent tuit reison por coi,
Car si* vos ai lacié* et pris     * de telle façon    * enchaîné
Que vos an perdez vostre pris,
Ne ne querrez a el* antandre.      * à autre chose
Or vos an estuet* consoil prandre,  * il vous convient

Que vos puissiez ce blasme estaindre
Et vostre premier los* ataindre                          * gloire
Car trop vos ai oï blasmer.
Onques nel vos osai mostrer;
Sovantes foiz, quant m'an sovient,
D'angoisse plorer me covient :
Si grant angoisse orainz* en oi*         * tout à l'heure      * eus
Que garde prandre ne m'an soi*,          * sus
Tant que je dis que mar i fustes.
— Dame, fet il, droit an eüstes,
Et cil qui m'an blasment ont droit.
Apareilliez vos or androit*,                             * tout de suite
Por chevauchier vos aprestez;
Levez de ci, si vos vestez
De vostre robe la plus bele
Et feites metre vostre sele
Sor vostre meillor palefroi. »
Or est Enyde an grant esfroi;
Molt se lieve triste et panssive;
A li seule tance et estrive*                 * En elle-même elle se
De la folie qu'ele dist :                        [blâme et se querelle
Tant grate chievre que mal gist.


[*Erec et Enide*, vers 2459 à 2584.]

texte IV
# Amadas et Ydoine
## (début du XIII^e siècle)

Épisode tragique où se mêlent l'horrible et le familier. Voir tome I, pp. 58-59. Le texte cité est celui de l'édition John E. Reinhard, Paris, 1926.

[Y<small>DOINE</small> s'évanouit en voyant la populace malmener A<small>MADAS</small> fou]

| | |
|---|---|
| La est la contesse menee, | |
| Qui dedens est desatournee*, | * déshabillée |
| Et quant apparillie* s'est, | * disposée, mise en tenue [d'intérieur |
| Ja sont tuit par la sale prest | |
| De douner l'eve*, mais issi | * l'eau [1] |
| Lieve la noise* o* tout le cri : | * s'élève le tapage   * avec |
| Par la rue est ja tant levee | |
| D'Amadas, qui fait sa journee*. | * son trajet |
| Grant noise y a de toutes pars; | |
| Plus le sivent de cent musars, | |

---

1. On se lave les mains avant de s'asseoir à table.

Li pautonnier* de la cité,                                      * vauriens
Si com il ont acoustumé.
Li estrange salent* as huis,                                    * Les étrangers sortent
As fenestres et as pertruis*,                                   * ouvertures
Car mult par mervillié se sont.
La contesse u solier amont*                                     * à l'étage supérieur
Ot la noise et le grant cri :
Ore a grant duel* de son ami.                                   * douleur
D'ire et d'angoisse et de dolour
Cange mult tost bele coulour,
Fine* biauté par grant ledece*                    * Prend fin          * laideur
Et grant joie par grant tristrece;
En aines* est, li cuers li faut.                                * En angoisse (?)
Grans est la noise et li cris haut
Si que onques mais n'oï tel.
Es vous* la dame de l'ostel                                     * Voici
Mult tost courant a mult grant ris,
Et saisist par le mantel gris
La contesse, si dist avant :
« Venés, dame, par saint Amant,
Veoir un des plus faus naïs*                        * un des plus authentiques fous
Qui soit en quarante païs;
Si bon gieu certes ne veïstes
Puis que* de vo païs partistes;                                 * Depuis que
Mult vous tenrés pour escarnie*                                 * dupée
S'il passe que nel veés mie*,                                   * sans que vous le voyiez
Se vous perdés le giu de lui
Mult vous tornera a anui.
Dame, car le venés veoir,
Que Dius vous doinst joie et savoir,                [belle occasion(?)
Vous n'i recouvrerés ja mais*. »               * Vous ne retrouverez jamais si
La contesse s'estut en pais*,                                  * resta immobile
La borjoise a mult esgardee :
S'ele ne fust si adolee*,                                      * attristée
Mult bon deduit eüst de li;
Mais tel duel a de son ami
Qu'ele ne set que faire veut,
Car de son desir plus se deut*.                  * elle souffre plus qu'elle ne veut
Esgaree est, ne set que faire,
Tout son voloir a a contraire :
Veoir le veut et n'ose pas,
Ne le veut pas veoir si las*,                                  * malheureux
Mult li grieve* a veoir itel;                                  * pèse
Et se il passe outre l'ostel
Qu'ele nel voie, el n'i avra*,                     * il n'y aura pas autre chose
Tout maintenant de doel morra.                        [= c'est bien certain]
N'est mervelle s'est en effrour
Quant si set, a fine dolour,

Si pres de li, fol et dervé*,
L'oume du mont qu'a plus amé*,
De lui veoir a grans meskiés*,
Et li passers* li est mult griés*;
De deus pars est toute esgaree;
Mais nonpourquant* si est levee
A grant paour et a grant doute
Com cele qu'esbahie est toute.
A la fenestre a mult grant grief,
Toute mourne, mist hors son cief,
A grant dolour, de son estal*.
La rue voit venir aval
A grant honte et a grant vilté,
Vilainement, outre son gré,
L'oume du mont qu'ele plus aime,
Dont sovent dolente se claime,
Car entour li ot* grant le bruit
Des pautoniers qui ont deduit,
Qui mult l'arocent* et decacent*,
Et le decirent et agacent;
Que de grans gens, que de menues,
Toutes en sont plaines les rues.
Tout entour li est grans la presse :
Li uns le prent, l'autres le lesse;
Li un le tirent et empaignent*,
Li plus lointain pas ne se faignent
De jeter boe u bastounés
Et viés soulers et drapelés;
Et cil qui sont li plus proçains
Es flans, es costes et es rains,
Et es espaules et ou dos,
Li dounoient de pesans cos*
Que le cler sanc raiier* li font
Ça aval de lassus amont;
De longues verges dont le poignent
Le dos avant* du sanc li oignent.
Ce est grans duels a esgarder
De nul houme c'on doie amer.
Tant com ele plus aime lui,
Tant li torne plus a anui
Que si laidement le baillisent*
Et, voiant ses oels*, le laidissent*.
Mult est iree en son corage;
Mult avra ja plus grant damage
Et plus doleur que n'a eüe,
Dont ele sera confondue,
Dolereuse, dolente et lasse.
Com Amadas endroit li* passe,

* fou
* L'homme qu'elle aimait le plus [au monde
* souffrance
* son passage    * pénible

* néanmoins

* de sa place

* elle entend

* lapident    * pourchassent

* bousculent

* coups
* ruisseler

* Tout le long du dos

* traitent
* à sa vue    * outragent

* en face d'elle

Voiant ses oels, d'une maison
Vit hors salir un grant gaignon*,                        * chien
Une grant hart entor son col.
Quant il voit Amadas, le fol,
Qui devant les autres couroit,
Si fait tout çou que faire doit
Sa nature tresfelenesse,
Devant Ydoine la contesse
Et joint ses piés et fait un saut
Et saisi Amadas bien haut,
Qu'il le vit nu et descouvert;                           * le saisit de ses dents
Par une espaule as dens l'aërt*,
Qu'il avoit maigre et descarnue.                         * Là-dedans    * détour
Illuec ens*, u tour* d'une rue,                          * placé en travers
Estoit entraversés* uns trons
De caisne, grans et gros et lons;                        * rage
Par grant aïr* outre l'abat
As dens sour le pavement plat
Si qu'el visage ne u nés                                 * resté
Ne li est point de cuir remés*;
De l'espaule li fait voler,                              * Devant eux tous
Voiant tous aus*, le sanc tot cler,
Si que le cors en a sanglent.                            * promptement
Et il saut sus delivrement* :
Fuiant s'en torne contreval.                             * qui est au fond du cœur,
Ydoine en a duel mout coral*                                       [profonde
Pour l'aventure dolerouse.
En son corage se doluse
De la doleur que ele sent
Que riens ne voit, ot ne entent;                         * se défait
Toute s'espart*, li cuers li faut,                       * Aucun secours désormais
Nus consaus mais* riens ne li vaut,
Ariere chiet sus le plancier                             * dans la pièce
Toute pasmee ens u solier*.

[*Amadas et Ydoine*, vers 3061 à 3200.]

# texte V La Fille du Comte de Pontieu (XIII<sup>e</sup> - XV<sup>e</sup> siècles)

Ces trois textes font apparaître trois états de la prose narrative à la fin du Moyen Age. La fille du Comte de Pontieu, qui a été violée par des brigands, essaie ʲde ʲtuer son mari au lieu de le délivrer. Le premier narrateur (début du xiii<sup>e</sup> siècle) ne donne pas d'explication de cette conduite. Le second, plus rompu aux techniques du roman, et ne voulant pas que des héros agissent sans motif avouable (il a soin d'excuser la crainte ressentie par Thibaut lorsque le premier brigand lève l'épée sur lui), fournit l'explication plausible, mais détruit ainsi le caractère trouble et passionné de l'acte. Le troisième délaie l'épisode dans un style redondant aux élégances affectées et en fausse complètement le sens. Voir tome I, pp. 75-76.

## Première Version (début du xiii<sup>e</sup> siècle)

Quant il eut ce dit, il vit devant lui quatre
houmes armés comme larons, sur grans chevaus,
et cascuns lance en sa main. Et quant il les ot veus,
il resgarda ariere et en vit autres quatre en autel\*      \* même
maniere atornés, et dist : « Dame, ne vous esfreés

de cose que voiés ». Il salua les premiers, et il se
teurent a son salu. Après, il leur demanda qu'il
pensoient envers lui, et li uns li dist : « Ce sarés
vous ja* ». Et il muet* a lui le glave et le quide
ferir*, parmi le cors. Et mesire Tiebaus vit le cop
venir, si douta* et baisa* le cors, et cil fali a lui*,
mais, au trespaser*, jeta mesire Tiebaus le main
deseure le glave, si le toli* au laron, et mut* as trois
dont cil estoit mus, et en fiert un parmi le cors,
si l'ocit, et il recuevre* et muet ariere, et fiert celui
qui primes estoit mus a lui parmi le cors, et l'ocit.
Ensi pleut a Diu que des uit ocit les trois, et li cinc
l'avronnerent et li ocisent sen palefroi, et il caï*
sans avoir bleceure qui li grevast. Il n'avoit espee
ne autre armeure dont il se desfendist. Il li tolirent
sa reube dusc'a le cemise, et esperons et hoeuses*,
et prisent le coroie d'une espee et li loierent les
mains et les piés, si le geterent en un buison de ronses.
Et quant il eurent çou fait, il vinrent a la dame,
si li tolirent son palefroi et sa rebe dusc'a la chemise.
Et elle estoit molt bele, et ne pourquant* si plouroit
elle molt durement. L'un des larons l'esgarda et
dist : « Segneur, j'ai mon frere perdu, si voel avoir
ceste dame en restor* ». Li autres dist : « Ausi ai
jo men cousin germain, autant i clain jou* comme
vous ». Et autel dist li tiers, et li quars. Et li quins
leur dist : « Segneur, en li retenir n'arons nous mie
grant preu*, mais menon le en ceste forest et faisons
de li nos volentés, puis le remetons a voie et le
lasons aler ». Ensi le fisent, et le remenerent a le
voie.

Et mesire Tiebaus le vit et dist li : « Dame,
pour Diu, desliés me, car ces ronses me grievent*
molt ». La dame vit une espee gesir ki fu a un des
larons qui ocis fu, si le prist et vint vers monsegneur
Tiebaut, si dist : « Sire, je vous deliverai ». Elle
le cuida ferir parmi le cors, et il vit le cop venir,
si le duta, et si durement tresali que les mains et
li dos li furent deseure*. Et elle le fiert si q'elle le
bleça es bras et copa les coroies. Et il senti les mains
laskier, et saca* a lui, et rompi les loiens, et sali*
sus en piés, et dist : « Dame, se Diu plaist, vous
ne me ocirés huimais*! » Et elle li dist : « Certes,

[le savoir
* Vous allez       * dirige
* veut le frapper

* craignit   * baissa   * le
* au passage         [manqua
* l'arracha     * se dirigea

* recule [1]

* tomba

* bottes

* pourtant

* compensation
* je réclame

* profit

* blessent

* sur le dessus [2]

* tira            * sauta

* maintenant

---

1. Clovis Brunel comprend : revient à la charge.
2. Ce sont les mains qui se présentent ainsi au coup.

sire, ce poise moi* ». Il li toli l'espee et li mist le
main sur l'espaule et l'en remena le voie qu'il
estoient venu.

                                   * j'en suis fâchée

Et quant il vint a l'entree, si trova de sa compagnie grant partie u il estoient venu. Et quant
il le virent nu, se li demanderent : « Sire, qui vous
a ensi atorné ? ». Et il leur dist que larons avoient
encontrés ki ensi les avoient atornés, et il en fisent
grant doel, mais tost furent ratorné, si monterent
et alerent leur voie. Cel jor chevaucerent, n'onques
a la dame piaour sanblant* mesire Tiebaus n'en       * moins bonne figure
fist.

### DEUXIÈME VERSION (XIIIᵉ SIÈCLE)

Quant il ot çou dit, il esgarda devant lui et
vit quatre larons armés sour grans chevaux, et cascuns
tenoit lance en sa main. Et quant il les ot veus,
il regarda arriere et en vit autres quatre en autre
maniere armés et atournés, et dist : « Dame, or
ne vous esfreés de cose ke vous voiiés ». Il salua
les premiers, et il se teurent tout choit* a son salu.      * cois
Apriés, il lor demanda k'il pensoient enviers lui,
et li uns dist : « Ce savrés vous ja ». Li leres* vint      * larron
enviers monseigneur Thiebaut, le glaive alongié,
et le quide ferir parmi le cors. Et mesire Tiebaus
vit le cop venir, si le douta, et çou ne fu pas mier-
veille car il estoit desarmés, et baissa le cors, et
guenci* çou k'il pot, et cil failli a lui, mais, au      * esquiva
trespasser, gieta mesire Tiebaus le main desous
le glaive, si le toli au laron, et muet as trois dont
cil estoit venus, et en fiert un parmi le cors et l'ocist,
et puis retorne et muet arriere, et fiert celui ki premiers estoit venus a lui parmi le cors, et l'ocit. Ensi
pleut a Diu que des uit larons en ocist trois, et li
cinc l'avironerent et ocisent son palefroi, et il caï
jus ariere sans avoir bleceure ki li grevast. Il n'avoit
espee ne autre arme dont il se peust aidier. Il li
tolirent sa robe toute jusques a la chemise, et esperons et hueses, et prisent le coroie d'une espee et
li loierent et piés et mains, si le gieterent en un
buisson de roinsses mout poignans et mout aspres.
Et quand il orent çou fait, si vinrent a la dame et
li tolirent son palefroi et toute sa robe dusc'a la

chemise. Et ele estoit mout biele, nanpourquant si plouroit mout tenrement et mout estoit dolente de grant maniere. Li uns des larons l'esgarde et dist : « Seignour, jou ai mon frere pierdu en cest estour*, si voel avoir ceste dame en restor ». Et li autres dist : « Ausi i ai jou perdu mon cousin giermain, autant i claimme jou com vous et autretel* droit ». Et autretel dist li tiers, et li quars, et li cuins. Lors dist li uns : « Seignor, en la dame retenir n'ariesmes* nous mie grant preu ne grant conquest, mais menons l'ent la en cele foriest et faisons de li nostre volenté, puis si le remetons a le voie, si le laisons aler ». Ensi le fisent com il le deviserent, et le misent au chemin.

* combat

* le même

* aurions

Mesire Tiebaus le vit et mout en fu dolans, mais plus n'en pot faire, ne nul mal gret n'en sot a la dame de cose ki fust avenue, car il savoit bien ke çou avoit esté forche* et encontre sa volentét. La dame fu mout dolante et mout honteuse. Mesire Tiebaus l'apiela et dist : « Dame, pour Diu, venés cha et me desloiiés* et me deslivrés de la dolour u jou sui, car ces roinsses me grievent mout et angoissent ». La dame va cele part u mesire Tiebaus giessoit et voit une espee jesir a tiere ki fu a uns des larons ki ochis fu, ele le prist et vait enviers son seignor plaine de grant ire et de mauvaise volenté ki li estoit venue, car mout doutoit k'il ne l'en seust mal gret de çou ke il avoit veu et ke il ne li reprouvast* en aucun tans et mesist devant* çou c'avenu li estoit. Si dist : « Sire, jou vous deliverrai ja ». Lors haucha l'espee et vint viers son seignour et le cuida ferir parmi le cors. Il vit le cop venir, si le douta mout, car il estoit tous nus em pure* sa chemise et ses braies sans plus, et si durement tressailli que les mains et li doit li furent deseure. Et ele le fiert si que ele le bleça et colpa les coroies de cui il estoit loiiés. Et quant il senti les loiiens laskier, il saca a lui, et rompi les coroies, et sailli sus em piés, et dist : « Dame, se Diu plaist, vous ne m'ocirés maishui! » Et ele dist : « Certes, sire, çou poise moi ». Il li toli l'espee et le remist el fuerre* et apriés li mist la main sour l'espaulle et le ramena a la voie k'il estoient venu.

* violence

* déliez

* reprochât     * alléguât

* avec seulement

* au fourreau

Et quant il vint a l'entree, si trouva grant partie de sa compaignie u il estoient venu encontre iaus*, et quant il les virent si nus, si lor demanderent :

* eux

« Sire, ki vous a ensi atournés ? » Et il lor dist k'il
avoit larons encontrés ki ensi les avoient atirés.
Mout en fisent grand duel*, mais tost furent reviestu — * plainte
et racesmé*, car il avoient bien de coi, si remonterent — * rhabillés
et alerent lor voie. Celui jor chevauchierent ne
onques mesire Tiebaus pior samblant a la dame
n'en monstra.

### TROISIÈME VERSION (XVe SIÈCLE)

*Comment messire Thybauld, luy estant loyé*,* — * lié
*vey et ouy lez piteusez lamentacions de sa femme,*
*et comment elle vault* occirre son mary par deses-* — * voulut
*perance.*

Dieux scet que Thybauld ne veoit pas ce qu'il
serchoit quant sez yeulz regardoient ceulz qui
rapvissoient sa dame, quand sez oyes oyrent la
lassee voix de sa souveraine joye par pammoisons
defaillir* d'eloquence et de son, quand il entendoit — * manquer
le cuer de sa bien amee redonder* et envoyer souspirs — * déborder
et sougloux* en grant habondance, quand il consi- — * sanglots
deroit la chasteté de sa dame impetueusement,
oultre son gré et a force corrompue. Hellas ! quel
est le cuer d'homme qui souffriroit veoir tant grant
meschief sans habondant effusion de larmez ? Quel
est la pansee d'homme qui [1] aiant cuer trespercié
de mille larmez, corps pertransy d'aspre couroux,
face tainte et obscurcie de pleurs, chief anuyé et
bany de toute joye, chevelure detorse, voix afoibloyee,
robbe deschiree, voire et demenant la plus amere
douleur qu'onquez fist dame infortunée ? Thibauld
la voit et assés excuse son inconvenient*, l'aimant — * malheur
autant qu'il fist onques. Si luy prist a dire : « O
fenme esplouree, qui laboures* en trop desesperé — * te tourmentes
pleur, passe le plus beau que tu puelz ceste pestilence
qui malgré toy t'est advenue, car maintenant tu
me fais le cuer fondre, tu redoublez ma misere et
la chetivité en quoy Fortune m'a renversé. Esdrece
toy et haulce la face, contemple et regarde ma char
sanglante, et acours vers moy, trés chetif homme,
si me desloye et pense de mettre fin a ton triste
maintieng, ou tu surcroisteras de tant grand peine
mon engressé* cuer que mourir le fauldra sans aultre — * affligé
moyen ». Ausquellez parollez, la dame, durement
sangmerlee*, s'esleva sur piés, qui a grand peine — * bouleversée

---

1. '' Plusieurs mots ont dû être omis après *qui* '' (note de Cl. Brunel). Les mots omis
doivent être : *voit sa propre femme* ou des mots de sens voisin. On trouvera dans la suite du
passage cité d'autres phrases obscures dont le texte est probablement altéré.

le povoient soubstenir, et lorsqu'elle vit son seigneur
qui savoit sa malle* fortune de chief en chief, elle, · * mauvaise
aiant cuer hontoié*, pensee volage et comme deses- · * plein de honte
peree, voiant a sez piés une espee que avoit aupréz
de luy ung dez larrons occis, elle la prist, deleiberant
en soy qu'elle occiroit primierement son mary,
affin qu'il ne revelast sa malheurté, et finablement,
que pour la recompensacion de tel perte, elle se
ficheroit l'espee droit au cuer. Comme celle qui,
en maldisant sa vie, haulça l'espee, et comme elle
la cuidast faire descendre sur son mari, icellui tendy
lez mains au devant, et l'espee, par la grace de Dieu,
chut sur lez loiens, si n'eust povoir l'espee de blecier
Thibauld, mais toutesvoyez elle trenca sez loyens,
et ainsi il fu adelivré des piés et dez mains. Sailly
sur piés, osta l'espee des mains de sa dame, et dist :
« O femme desesperee ! Le art de Fortune aiant
permué* ton courage en honte ne suffist pas a toy · * changé
donner la poissance de moy occirre comme tu as
voulu ouvrer. Reffrene ta pensee variable, et jamés
ne t'aviengne de procurer la mort de cellui quy
t'aimme plus chierement que nulle rien* du monde. · * chose
— Ce poise moy », dist la dame, « que ma crudelité* · * cruauté
n'a esté de plus grant effect et que, ad ce que de
nostre meschief n'eust esté jamés nouvellez, je ne
vous ay occis, et consequamment, que je n'ay de
moy fait sacrefice a Desespoir ». Non obstant les-
quellez parollez, Thibaut, comme leal, le reconforte
et a grans prieres mettre le fist a voye. Si s'en retournerent au primerain chemin qu'ilz avoient laissié,
auquel ilz trouverent leurs gens qui furrent moult
espaontés de lez veoir ainsi desvestus et esprouvés.
Si demenerent grand desconfort, et aprés l'inquisi- · * question   * dommage
cion* faite a leur seigneur de cest enconbrier*, ilz · [= après s'être informés]
le mirent a point et tantost le revestirent. Lors · * un petit brin [= un peu]
prinrent ilz ung petit raim* d'esperance, et sans
ce que Thibauld recitast lez secretz de sa dame
nullement, voire et sans ce qu'il feist a icelle moins
joyeuse chiere* qu'il n'avoit acoustumee, il chemina · * visage
toute jour...

[*La Fille du Comte de Pontieu*,
contes en prose, versions du XIII^e et du XV^e siècles,
publiées par Clovis Brunel, Paris, 1923.]

*ANONYME*

# texte VI  Les Cent Nouvelles nouvelles (1461)

Très ancien conte, dont des versions ont circulé dès l'Antiquité, et qui a fourni le sujet de fabliaux. En général le mystificateur se présente à sa victime comme le Dieu même ou l'ange qui veut s'unir à elle (voir BOCCACE, *Décaméron*, IV, 2). Sur les caractères de ce texte, voir tome I, p. 90.

Nous reproduisons, à quelques modifications près, l'édition de P. Jourda, *Conteurs français du XVIe siècle*, Paris, 1965.

LA XIIIIe NOUVELLE
par Monseigneur de Créquy, Chevalier de l'Ordre de Monseigneur [1]

*La quatorsiesme nouvelle, de l'ermite qui deceut\*    * trompa*
*la fille d'une povre femme, et lui faisoit accroire que*
*sa fille auroit ung filz de lui qui seroit pape, et adonc,*
*quant vint à l'enfanter, ce fut une fille, et ainsi fut*
*l'embusche\* du faulx hermite descouverte, qui à ceste    * l'imposture*
*cause s'enfouit\* du païs.    * s'enfuit*

[...] Ung soir, environ la mynuyt, qu'il faisoit

---

1. Monseigneur est Philippe le Bon, duc de Bourgogne; voir tome I, pp. 88-89.

noir et rude temps, il descendit de sa montaigne et vint à ce village, et tant passa de voies et sentiers que soubz le toit de la mere à la fille, sans estre oy, seul se trouva. L'ostel* n'estoit pas si grand, ne si pou de luy hanté tout en devocion, qu'il ne sceust bien les engins*. Si va faire ung pertuys en une paroy non gueres espesse, à l'endroit de laquelle estoit le lict de ceste simple vefve; et prent ung long baston percé et creux dont estoit hourdé*, et, sans la vefvette esveiller, auprès de son oreille l'arresta, et dit en assez basse voix par trois foiz : « Escoute moy, femme de Dieu; je suis ung angel du Createur, qui devers toy m'envoye toy annuncer et commender, par les haulx biens qu'il a volu en toy enter*, qu'il veult par ung hoir* de ta char, c'est à savoir ta fille, l'Église son espouse reunir, reformer, et à son estat deu remettre. Et veez cy* la fasson. Tu t'en yras en la montaigne devers le saint hermite, et ta fille luy meneras, et bien au long luy compteras ce que à present Dieu par moy te commende. Il cognoistra ta fille, et d'eulx viendra ung filz eleu de Dieu et destiné au saint siege de Romme, qui tant de bien fera que à saint Pierre et à saint Paul le pourra l'on bien comparer. Atant m'en vois*. Obeys à Dieu ». La simple femme, tresebahie, soupprinse aussi et à demy ravye, cuida vrayement et de fait que Dieu luy envoiast ce message. Si dit bien en soy mesmes qu'elle ne desobeira pas. Si se rendort une grand piece* après, non pas trop fermement, attendant et beaucoup desirant le jour. Et entretant le bon hermite prend le chemin devers son reclusage en la montaigne. Ce tres-desiré jour à chef de piece* fut annuncé par les raiz du soleil, qui, malgré les voirrieres des fenestres, vindrent descendre enmy la chambre, firent mere et fille bien à haste lever. Quand prestes furent et sur piez mises, et leur pou de mesnage mis à point, la bonne mere si demande à sa fille s'elle n'a rien oy en ceste nuyct. Et elle luy respond : « Certes, mere, nenny. — Ce n'est pas à toy, dit-elle aussi, que de prinssault* ce doulx message s'adresse, combien qu'il te touche beaucoup ». Lors luy va dire tout au long l'angelicque nouvelle que en ceste nuyt Dieu luy manda; demande aussi qu'elle en veult dire. La bonne fille, comme sa mere simple et devote, respond : « Dieu soit loé. Ce qu'il vous plaist, ma mere, soit fait. — C'est tres-bien dit, respond la mere. Or en allons à la montaigne, à

* Le logis

* moyens à employer

* muni

* greffer    * héritier

* voici

* vais

* longtemps

* finalement

* en premier

la semonce du bon angel devers le saint preudhomme ».
Le bon hermite, faisant le guet quand la deceue*
veille* sa simple fille amenroit, la voit venir; si
laisse son huis entreouvert, et en priere se va mettre
enmy sa chambre, affin qu'en devocion fust trouvé.
Et comme il desiroit il advint. Car la bonne femme
et sa fille, voyans l'huis entreouvert, sans demander
quoy ne comment, dedans entrerent. Et, comme
elles parceurent l'ermite en contemplacion, comme
s'il fust Dieu l'onnorerent. L'ermite, à voix humble
et basse, les yeulx vers la terre enclinez, de Dieu*
salue la compaignie. Et la veillote*, desirant qu'il
sceust l'occasion qui l'amenoit, le tire à part et luy
va dire de bout en bout tout le fait, qu'il savoit
trop mieulx qu'elle. Et, comme en grand reverence
faisoit son rapport, le bon hermite gettoit ses yeulx
en hault, joignoit les mains au ciel; et la veille ploroit,
tant avoit et joye et pitié. Quand ce rapport fut
au long achevé, dont la veillote attendoit la response,
celuy qui la doit faire ne se haste pas. Au fort*,
à chef de piece, quand il parla ce fut : « Dieu soit
loé! Mais m'amye, dist-il, vous semble-il à la vérité,
et à vostre entendement, que ce que droit cy* vous
me dictes ne soit point fantosme ou illusion? Que
vous en juge le cueur? Sachez que la chose est grande.
— Certainement, beau pere, j'entendiz la voix qui
ceste joieuse nouvelle apporta aussi plainement que
je faiz vous, et croiez que je ne dormoye pas. — Or
bien, dit-il, non pas que je veille contredire au vouloir
de mon createur, si me semble-il que vous et moy
dormions encores sur ce fait; et, s'il vous appert*
de rechef, vous reviendrez icy vers moy, et Dieu
nous donnera bon conseil et advis. On ne doit pas
trop legierement croire, ma bonne mere; le dyable
aucunesfois envieux d'aultruy, bien treuve tant
de cautelles et se transforme en angel de lumiere.
Creez*, ma mere, que ce n'est pas pou de chose
de ce fait cy; et si je y mectz ung pou de refus, ce
n'est pas merveille. N'ay je pas à Dieu voué chasteté?
Et vous m'apportez la romptture de par lui. Retournez
en vostre maison, et priez Dieu, et au surplus demain
nous verrons que ce sera; et à Dieu soiez ». Après
ung grand tas d'agyos*, se part la compaignie de
l'hermite, et vindrent à l'ostel devisant. Pour abreger,
nostre hermite à l'heure accoustumée et deue, fourny
du baston creux en lieu de crochette*, revint à
l'oreille de la simple femme, disant les propres motz,
ou en substance, de la nuyt precedente. Et, ce fait,

* mystifiée
* vieille

* au nom de Dieu
* petite vieille

* Enfin

* maintenant

* apparaît

* Croyez

* prières

* canne en forme de crosse

vistement retourne en son manoir*. La veille, de
joye emprise*, cuidant Dieu tenir par les piez, leve*
de haulte heure, à sa fille racompte ses nouvelles
sans doubte, confermans la vision de l'autre nuyt
passée. Il n'est que d'abreger : « Or allons devers
le saint homme ». Elles s'en vont, et il les voit
approucher, si va prendre son breviaire, et son
service à recommancer, et en cest estat devant l'huys
de sa maisonnette se fait des bonnes femmes saluer.
Si la veille hier lui fist ung grand prologue de sa
vision, celuy de maintenant n'est de rien maindre,
dont le preudomme se signe et emerveille, disant :
« Et vray Dieu, qu'est cecy? Fay de moy tout ce
qu'il plaist, combien que, si n'estoit ta large grace,
je ne suys pas digne d'executer ung si grand euvre.
— Or regardez, beau pere, dist lors la bonne femme,
vous voiez bien que c'est à certes quand de rechef
à moy s'est apparu l'angel. — En vérité, m'amye,
ceste matere m'est si haulte et si tres-difficile et
non accoustumée que n'en sçay bailler, dist l'ermite,
que doubtive response. Non mye affin que vous
entendez sainement qu'en attendant la tierce apparition je veille que vous tentez Dieu [1]. Mais on dit
de coustume : A la tierce foiz va la luycte*. Si vous
prie et requier qu'encores se peust passer ceste nuyt
sans aultre chose à faire, attendant sur ce fait la
grace de Dieu; et, si par sa misericorde il nous
demonstre ennuyt*, comme les autres precedentes,
nous ferons tant qu'il en sera loé ». Ce ne fut pas
du bon gré de la bonne veille qu'on tarda tant
d'obeyr à Dieu, mais au fort l'ermite fut creu comme
le plus sage. Comme elle fut couchée, ou* parfond
pensemens des nouvelles qui en teste luy revient,
l'ypocrite pervers, de sa montaigne descendu, luy
mect son baston creux à l'oreille, en luy commendant
de par Dieu, comme son ange, une foiz pour toutes,
qu'elle meine sa fille à l'ermite pour la cause que
dicte est. Elle n'oblya pas tantost qu'il fust jour
ceste charge. Car, après les graces à Dieu de par
elle et sa fille rendues, se mettent à chemin par
devers l'ermitage, où l'ermite leur vient au devant,
qui de Dieu les salue et beneist. Et la bonne mere,
trop plus que nulle aultre joyeuse, ne luy cela gueres

* demeure

* saisie    * se lève

* le mastic [2]

* cette nuit

* dans le

---

1. Comprendre : Non pas (comprenez-moi bien) que je veuille, en vous faisant attendre
la troisième apparition, que vous tentiez Dieu; mais [...].
2. Proverbe : Il faut mettre trois fois du mastic pour qu'il fasse vraiment son office,
que la réparation soit solide.

sa nouvelle apparicion, dont l'ermite, qui par la main la tient, en sa chapelle la convoye, et la fille les suyt, et leans font les tresdevotes oroisons à Dieu le tout puissant, qui ce treshault mystere leur a daigné monstrer. Après ung pou de sermon que fist l'ermite touchant songes, visions, apparicions et revelacions, qui souvent aux gens adviennent, il cheut en propos de toucher leur matiere pour laquelle estoient assemblés. Et pensez que l'ermite les prescha bien et en bonne devocion, Dieu le scet : « Puis que Dieu veult et commende que je face lignée papale, voire et le daigne reveler non pas une foiz ou deux seullement, mais bien la tierce d'abundance, il fault croire, dire et conclure que c'est ung hault bien qui de ce fait en ensuyvra. Si m'est advis que mieulx on ne peut faire que d'abreger l'execution en lieu de ce que trop espoir* j'ai differé de baillier foy à la saincte aparicion. — Vous dictes bien, beau pere; comment vous plaist-il faire? respond la veille. — Vous laisserez ceans vostre belle fille, dit l'hermite, et elle et moi en oroisons nous mettrons et après au surplus ferons ce que Dieu nous apprendra. [...]

* peut-être

[Naïvement, la mère et la fille divulguent leur belle espérance; mais l'enfant qui naît ensuite est du sexe féminin : l'ermite s'enfuit et la fille reste déshonorée.]

# texte VII  Comptes amoureux [...] (1531 ?)

L'édition *princeps* des *Comptes amoureux par M^me Jeanne Flore, touchant la punition que faict Venus de ceulx qui contemnent et mesprisent le vray Amour,* n'a pas été retrouvée. La plus ancienne édition connue est de 1532, les suivantes sont datées de 1540, 1543, 1555 et 1574. Le bibliophile Jacob, qui a réimprimé en 1870 l'édition de 1574, suppose que sous le nom de Jeanne Flore se cache une cousine de Marguerite de Navarre : ce qui est sûr, c'est que l'auteur cite des vers de Marot et traite des thèmes courants dans les cercles protégés par Marguerite. Pour plaider la cause de l'amour contre une de leurs compagnes qui met sa fierté à être insensible, plusieurs dames réunies en assemblée décident de raconter chacune une histoire : ainsi se succèdent sept récits faits par mesdames Melibée, Andromeda, Meduse, Minerve, Salphionne, Cassandre et Bryolaine Fusque. Cette façon d'introduire et d'enchaîner les contes est imitée du *Décaméron,* elle sera adoptée par Marguerite. Il se peut que l'ouvrage soit incomplet ou qu'une partie en ait été perdue, car l'auteur se réfère à un entretien antérieur, au cours duquel madame Cebille aurait fait le procès de l'amour. L'inspiration est composite et sans originalité : Jeanne Flore recourt tantôt à la mythologie (le premier conte fait intervenir Cupidon, Vénus, les Grâces, Hercule, Apollon; le quatrième est traduit des *Métamorphoses* d'Ovide), tantôt au fonds médiéval (elle fait allusion au royaume de Logres, aux chevaliers de la Table ronde; M^me Cassandre raconte un exploit du chevalier Helias le blond, héros d'une chanson de geste, et un passage de son conte rappelle un épisode du roman médiéval du *Bel Inconnu*), tantôt à Boccace (elle lui doit le cinquième conte, cité ci-dessous, et le septième, dont le thème est lui-même médiéval [1]). Quant à l'intention générale, elle est féministe : quand Jeanne Flore invite

---

1. C'est une variante de la légende contée dans l'*Histoire du Châtelain de Couci et de la Dame du Fayel.*

les dames à ne pas être cruelles pour leurs amoureux, c'est en réalité le droit des femmes à l'amour qu'elle revendique.

Le conte cinquième, dit par M^me Salphionne, est la Huitième Nouvelle de la Cinquième Journée du *Décaméron*; mises à part quelques erreurs et plusieurs obscurités dues à la gaucherie de la langue, la traduction de Jeanne Flore est assez fidèle : Antoine Le Maçon, dont la traduction ne sera achevée qu'en 1545, en reproduira des phrases entières, soit par emprunt volontaire, soit par rencontre naturelle dans la transposition des mêmes expressions de l'original. Mais Jeanne Flore ne veut pas être une simple traductrice : considérant le conte comme son bien personnel, elle lui ajoute des ornements rhétoriques qui renforcent l'effet de terreur, et modifie ou élimine certains détails pour mieux remplir son propos.

Nous citons le texte de 1543, en corrigeant quelques fautes évidentes et en modernisant la ponctuation.

### COMPTE CINQUIESME PAR MADAME SALPHIONNE [1]

Toutes les Dames en leurs celestes faces furent merveilleusement commeues [2], car combien qu'elles feussent coulpables de leurs integritez, et qu'elles n'avoient encores faict faulte dont elles peussent en rapporter peine, si esse neantmoins que les plusieurs doubtoient qu'il n'advint en aulcun temps qu'elles vinssent à cheoir en telz inconvenients. Madame Cebille seule encores persistoit en son erreur : et ne se fleschissoit non plus son haultain et endurcy cœur, que faict une grande montaigne battue des impetueuses undes de la mer. Ce que voyant Madame Salphionne, laquelle avoit jecté l'œil sur sa contenance pour congnoistre si elle persistoit, va prendre la parolle, et dict.

*Comment Denys le tyrant fut puny, pour desrober aux temples des Dieux, avec les choses merveilleuses advenues à ung Amoureux et une jeune Damoyselle de la noble ville de Ravenne en Italie.*

Denys le tyrant, mes Dames, apres avoir pillé et desrobé les temples divins, et qu'il eust pollu ses cruelles mains des larrecins perpetrez, et execrables, navigeoit avec vent prospere et bon. Parquoy pensant que la justice des dieux offensez et viollez ne luy deusse infliger la peine deue, encores s'en

---

1. Par erreur, la narratrice est appelée ici et au premier paragraphe du texte *madame Sapho*.
2. Émues par le conte précédent et par les avertissements adressés en conclusion à madame Cebille.

railloit et mocquoit, disant que aux seulz violateurs
des temples celestes estoit le bon heur imparty
et donné. Mais le miserable ne s'appercevoit que
l'attente a de coustume la gravité du supplice
compenser. Ainsi en advient es punitions d'amours :
Car il y a une noble Damoyselle nommée Cornice
en la basse Bretaigne, laquelle pour avoir ung
long temps sans peine en recepvoir desprisé ung
sien amy qui l'aymoit plus que soy mesmes, fut
par la Déesse Venus sus une haulte montaigne
transportée, et là à une colonne d'acier liée à quatre
grosses chaines de fer : et l'environna l'indignée
Déesse d'ung feu chauld et ardent, hault par dessus
elle de trente piedz, de manière que là elle brusle
irremissiblement sans diminuer. Et celle merveille
veoit on encores en la forestz Carboniere [1] jusques
à aujourdhuy, et si* a plus de cinq cens ans que cela          * et pourtant
premierement advint. Vous avez aussi bien ouy
racompter ce qui advint à une noble et belle Dame
de la ville de Ravennes en Italie. La punition n'en
fut elle pas horrible et espouventable? Mais pource
que par adventure Madame Cebille ne l'a ouye
racompter, presentement en bref je vous en feray
le compte, mesmement pour luy appertement demons-
trer (car il me prend grande pitié d'elle) que tout
ainsi que la pieté es nobles Dames est grandement
recommandée et prisée, ne plus ne moins de la divine
justice est aussi la cruaulté aigrement punie sans
aulcune misericorde. A Ravennes, tres antique
Cité de la Romaine*, furent jadiz plusieurs nobles          * La Romagne
gentilz hommes : entre lesquelz des plus honnestes [2]
estoit tenu ung jeune filz nommé Nastagio. Or
celluy Nastagio par le deces de son pere et d'ung
sien oncle estoit demeuré, comme la commune voix
estoit, tres riche. Dont apres, ainsi qu'il intervient*          * advient
à jeunes hommes, estant à marier devint amoureux
de la fille de Sire Paulo Traversier, Damoyselle
pour vray trop plus noble que n'estoit pas ledict
Nastagio. Au fort* soubs esperance de la pouvoir          * Enfin
attirer en son amour, commença à se maintenir
le plus sumptueusement qu'il luy estoit possible,

---

1. Pour faire du conte de Boccace un exemple à l'appui de sa thèse, l'auteur le **fait**
précéder de deux anecdotes allant dans le même sens; la première vient de Valère-Maxime,
la seconde semble être une légende folklorique accommodée à la mythologie (la *Forêt*
*Carbonière* est-elle la forêt de Paimpont, l'antique Brocéliande ?).
2. Jeanne Flore semble bien avoir pris pour un attribut le nom de la famille *Degli*
*Onesti*, à laquelle appartenait Nastagio.

et à estre en tous ses faictz magnifique et excellent. Mais combien qu'il feist toutes ces choses, non seulement sembloit que ce ne luy ayda [1], ains trop grandement empescha, et nuysit à son entreprinse amoureuse, tant se monstroit la Damoyselle aymée envers luy farouche et cruelle, possible* à ce l'induisant ou sa trop grande beaulté, ou pource qu'elle s'estimoit de plus noble et haulte extraction, de maniere que Nastagio ne luy plaisoit, mais n'aussi prenoit aulcun plaisir à ses services et poursuytes. Dont le pauvre Nastagio estoit demy desesperé, comme celuy qui ne pouvoit plus avant comporter* si cruelz reffuz. Toutes foys là il eust regard à soy, et ne voulut à ce poinct se mettre à mort : et pour remede delibera de l'habandonner, ou bien s'il pouvoit la recepvoir en hayne, comme elle y avoit prins. Mais il travailloit en vain, par ce que de tant que l'esperance de jamais en jouyr deffailloit, d'aultant se multiplioit l'amour dedans son ame dolente. Or doncques perseverant le jeune gentilhomme en son amour commencée, et en ses despenses desmesurées, bien virent ses parens et amys qu'en peu de jours il auroit tout despendu : par quoy amyablement plusieurs foys luy conseillerent de s'en aller hors pour quelque temps demeurer, et qu'en ce faisant possible* il oubliroit toute celle pour qui son ame estoit en peine, et si ne seroit en dangier de consumer ses biens folement. De ce conseil ne tinst pas grand compte Nastagio, au fort en fin tant fut il d'iceulx solicité et importuné, qu'il s'accorda et promist de s'en partir en brief, et guieres n'arresta qu'il feist faire ung grand appareil de chevaulx et aultres choses necessaires, comme s'il eust voulu venir en France ou en Hespaigne, ou en aultre lieu plus loingtain. Monté à cheval que fust Nastagio, se partit de Ravennes, accompaigné de grande multitude de ses parens et amys, et s'esloigna seulement loing de la ville environ une lieue, en ung lieu nommé Chasses, et là dist à ceulx qui l'avoient convoyé, qu'il deliberoit faire là sa demeurance, et qu'ilz s'en partissent. Eulx partiz commença à mener la plus magnifique et joyeuse vie du monde, et tous les jours convioit les gentilz hommes ses voisins à disner, et à soupper, affin de passer temps avec

* peut-être

* supporter

* peut-être

---

1. La forme du subjonctif se confond avec celle de l'indicatif, ici et dans plusieurs passages de ce texte.

eulx, et pour oublier celle qui le brusloit sans pitié.
Or advint que ung jour de vendredy quasi à l'entrée
du moys de May, le temps estant à merveilles et
serain, qu'amour le reveilla, et le feit entrer dens
le souvenir de sa cruelle amye : dont commenda
à tous de le laisser seullet pour plus aisement penser
à ses affaires d'amour, et en ce penser il se trans-
porta à pied sans compaignie jusques dens la forestz
prochaine : où passée quasi la cinquiesme heure
du jour, ayant cheminé pres d'ung quart de lieue,
n'estant records* de boyre ne de manger, ne d'aultre    * ne se souvenant
chose que de son amye, soubdainement luy sembla
ouyr les criz et plainctes doloreuses d'une femme.
Parquoy entrerompu son doulx penser, haulse la
teste pour veoir que c'estoit, tout esmerveillé et
estonné, puis voit venir à travers le boys qui estoit
fort espaix d'arbres une miserable damoyselle toute
nue qui accouroit par devers luy deschevelée et
toute esgratignée des ronces et buissons, criant
piteusement, ayde et mercy : et oultre ce vit Nastagio
deux gros mastins noirs et hydeux qui suivent la
damoyselle, la mordoient de tous costez : et apres
les mastins venoit ung chevalier armé d'armes noires,
et monté sur ung cheval horrible et noir : si avoit
ce chevalier son espée nue en la main, et sembloit
bien à le veoir qu'il fut grandement irré* contre    * irrité
la damoiselle : car il ne la menaçoit avec parolles
espouventables que de la mort. Ce cruel spectacle
mit grande merveille et espouventement au cœur
de Nastagio et en fin prenant compassion de la
desfortunée dame, delibere la defendre et delivrer
s'il peult, dont se trouvant desarmé et sans espée,
accourut vistement à ung arbre, duquel il en arracha
une branche, et se mit au devant des chiens et du
chevalier qui venoit apres comme fouldre. Mais
le chevallier ce voyant, luy escrie : Nastagio, ne
t'empesche de nostre debat : laisse faire à mes chiens
et à moy pour executer ce que ceste maulvaise et
perverse femme a merité. En ce disant les horribles
et enragez chiens acconsuivirent la pauvre miserable
damoiselle et chascun d'eulx la print par les flans,
et y plongerent leurs envenimées et cruelles dens
de sorte qu'ilz la verserent par terre si durement
qu'au cheoir la pauvre damoyselle jecta ung douloureux
cry qu'on eust peu entendre de deux mille pas loing.
Le chevalier par ce non rendu plus pitoyable arrive
sus elle, et descend du cheval hastivement pour
sus elle executer son maulvais vouloir. Dequoy

Nastagio fut demy enragé tant que luy qui estoit homme grandement courageux et hardy accourut jusques au chevalier, et luy dict : Certes chevalier, c'est grand vilennie à vous qui estes homme et armé de vouloir mettre la main sus une pauvre femme nue et sans secours de nully : et encores qui est signe de plus grande cruaulté, vous luy avez mis apres deux cruelz mastins comme si ce fut une beste saulvaige; or quoy que vous m'ayez nommé par mon nom, et qu'il semble que vous me congnoissez, si esse que* je la veulx defendre à mon pouvoir.

* néanmoins

Le chevalier luy va respondre : O Nastagio, je te voy trop esmerveillé de mon faict. Mais affin que plus tu n'empesches mon entreprinse, je te veulx declairer la cause de mon inimytié à l'encontre de ceste maulvaise Dame. Saches, Nastagio, que jadis je fuz de la mesme terre et Cité que tu es, et trop plus de ceste cy je fuz amoureux que tu n'es pas maintenant de la belle fille de Sire Paulo Traversier. Ceste cy par son orgueil et cruaulté m'a conduict en l'aymant à ceste malheureté que par impatience je m'ostay la vie cruellement me transperçant le cœur de la mesme espée que je tiens. Donc me convint descendre aux enfers, où le juste juge Minos prenant douleur de ma desadventure, commanda à la parque Atropos de tost rompre le dernier fil de ma cruelle amye : cela faict, la cause d'entre nous deux jugée, fut conclut et arresté par arrest qu'à jamais je la poursuyveroye çà sus en ce monde comme ennemy pour la deffaire, et luy arracher ce cruel cœur hors du ventre, et qu'elle à tousjours demeurreroit en celle peine en mourant de mille mors, comme celle qui avoit indigné les haultes puissances d'amour en se resjouissant de mon trespas avancé. Doncques toutes et quantes fois que je la puis acconsuyvir*, avecques ceste mortelle espée, dont je me tiray

* atteindre

la vie du corps, je la tue cruellement, et luy ouvre l'estomach, et luy arraiche ce cœur impiteux et froid, auquel n'entra oncques doulce amour ne pitié, avecques toutes les entrailles (comme tu pourras briefvement assez veoir) et en repais mes horribles et cruelz chiens. Cela faict, elle comme si elle n'eust esté tuée et morte, resuscite pour continuer sa mortelle peine, et se meit à la fuite comme devant, et chiens, et moy apres la poursuyvons tant qu'à chascun vendredy droictement à ceste heure en sa mort je saoulle la hayne que j'ay contre elle, et sont mes cruelz chiens repeuz. Les aultres jours ne croy point que nous ayons repos aulcun. Car en plusieurs pars de la region je la consuis*, et là je luy crie mercy de mon meffaict, la despriant me vouloir donner jouyssance de mes amoureux desirs[1]. Elle lors n'en veult riens faire, dont me convient la poursuyvir comme ennemy mortel. Et celluy son tourment durera autant d'années comme elle a esté à moy dure et rebelle[2]. Parquoy, mon amy Nastagio, tu ne luy peulx secourir en ceste tribulation. Adoncques se tira arriere Nastagio si timide, crainctif et estonné que tous les cheveulx de la teste luy dresserent, et regardant vers la miserable Damoiselle commence paoureux à attendre à ce que feroit le Chevalier : lequel finies ses raisons avec Nastagio, comme ung chien enragé ayant son espée nue en la main, courut sus à la miserable femme : laquelle à genoulx, et retenue des deux mastins, piteusement requeroit pardon. Mais ce riens ne luy vallut : car le chevallier de toute sa force la frappa parmy l'estomach, tant qu'il la jecta par terre. Cependant l'infelice* ne sçavoit que plaindre piteusement pour tous secours, puis le chevallier sacca* ung cousteau pendant à sa ceincture, et d'iceluy luy ouvrit les rains, et luy tira hors le cœur du ventre, et le jecta (chose horrible et stupende* à voir) à ses deux cruelz et affamez mastins qui en peu d'heure eurent tout devoré. Apres ce, guieres n'arresta que la Damoiselle malheureuse se leva debout (comme si jamais elle n'eust esté occise) et commence à fuir par devers la marine*, et chiens apres qui souvent la mordoient avec si grande fureur, que c'estoit droicte pitié à voir. Aussi le chevallier soubdain remonté et prins son estoc en mains, la poursuit de tout son pouvoir. Ainsi en peu d'heure s'esloignerent de la veue de Nastagio de maniere qu'il ne les peult plus voir. Si se partit du lieu où ce estoit advenu, pensant que la vision, qui tous les vendredis advenoit, luy pourroit bien aider à acquerir l'amour de sa Dame fille de Sire Paulo Traversier. Doncques manda aulcuns de ses parens et amys, ausquelz il dit : Vous m'avez par plusieurs fois admonesté de laisser mes folles poursuites d'amours, et despenses que pour ce je fais excessivement. Mais n'en feray

* poursuis

* l'infortunée

* brandit

* étonnante

* vers la mer

---

1. Ce détail n'est pas dans Boccace. L'adaptatrice française a voulu qu'au-delà même de la mort l'amant conservât sa tendresse, et la maîtresse sa coupable insensibilité.
2. Autant d'années qu'elle a été de mois dure et rebelle, dit le texte original.

riens si vous ne faictes tant que le Sire Paulo Traversier, sa femme et sa fille, et leurs parens viennent
en vostre compaignie disner avec moy ce vendredy
prochain venant en ung lieu de celle forest que je
leur monstreray, et là vous sçaurez à quelle occasion
ce fais je. La requeste de Nastagio leur sembla assez
raisonnable et facile. Si s'en retournerent à Ravennes,
et quand le jour fut venu que Nastagio leur avoit
designé, ilz feirent tant que Sire Paulo Traversier
promist d'y venir ensemble avec sa femme, et sa belle
fille : laquelle pour la vieille haine qu'elle portoit à
Nastagio feit assez reffus de s'y trouver. Combien
qu'en fin vaincue des prieres et commandemens de
son pere, y alla avec sa mere et aultres ses voisines.
Nastagio feit appareiller le festin le plus sumptueusement qu'il luy fut possible sans y riens espargner,
et droictement au lieu où l'adventure avoit de coustume de s'apparoir, feit dresser les tables. Dont apres
qu'ilz furent assis chascun en son ordre, mesmes la
fille sa cruelle amye assise au lieu plus prochain où
se debvoit faire le deschirement de la miserable Damoiselle, et à peine servy le dernier mets, voicy qu'on
va ouir horribles et estranges clameurs, non aultrement certes que les voix des miserables Citoyens
Rommains estoient, quand leur ville fut prinse et
saccagée par les Cesariens gens d'armes [1]. Laquelle
chose donna gros espouventement à toute la compaignie, et n'y avoit celuy qui ne trembla de belle paour
tant estoit le bruict horrible et espouventable : vous
eussiez dict que les arbres de la forestz avec une
grande fureur et impetuosité, telle que survient dans
le grand Ocean, par l'impulsion des horribles vents
quand il esleve ses undes jusques aux nues, apres les
descend jusques dens les bas enfers avec ung horrible
fremissement tombans l'ung sus l'aultre, debvoient
confondre le lieu jusques dedans les abismes [2]. A
basse et foible voix chascun demandoit à son voisin
quelle chose ce pouvoit estre, et ne sachans respondre,
tous se dresserent en pied, et commencerent veoir à
travers le boys la douloureuse chasse, la damoiselle
fuyante, les chiens qui ja presque la tenoient, et le
Chevalier criant et venant apres comme si ce fut droicte
fouldre cheant du ciel. Entre les assistans se leva
grande clameur : Car il n'y avoit cil qui meu de

---

1. Cette comparaison n'est pas dans Boccace.
2. Ni les arbres ni la tempête ne sont ici nommés par Boccace.

compassion n'escria au Chevallier de laisser la damoiselle, et les plusieurs se meisrent en avant les espées
au poing pour luy aider. Mais le chevallier parlant à
eulx, comme il avoit faict au paravant à Nastagio,
non seulement les feit tirer arriere, mais tous les
espouvanta et remplist de merveille, et faisant ce
qu'il y avoit faict aultresfois, autant qu'il y avoit
de dames (or y en avoit il assez, lesquelles avoient
esté parentes et de la dolente damoiselle et du chevallier, et lesquelles se souvenoient assez des amours
et de la mort de l'ung et de l'aultre) douloureusement
ploroient, comme si ce deschirement et maulvaise
desfortune estoit advenu à elles mesmes. Apres que
le chevallier eust achevé celuy horrible spectacle, et
que la Damoiselle resuscitée s'en fut fouye, tous ceulx
de l'assemblée qui eurent ce veu meirent le cas advenu
en termes, et en parlerent diversement, si esbahys
que riens plus. Mais entre aultres la paour et craincte
de la fille de Sire Paulo fut grande qu'à peu qu'elle
ne mouroit de detresse : car elle avoit chascune chose
distinctement veue et ouye, et congnoissoit que la
chose plus à elle qu'à nul aultre touchoit, et ne cessoit
de se souvenir de la cruaulté, dont envers Nastagio
elle avoit tousjours usé. Parquoy ainsi, comme
Orestes avoit les horribles Furies suyvantes, apres
qu'il eust sa mere occise, luy sembloit qu'elle eust
tousjours à doz les mastins enraigez, et Nastagio pour
elle tuer et meurdrir. Brief, si grande fut la paour
conceue de la cruelle vision, mais neantmoins veritable, qu'affin que l'inconvenient ne luy advint aussi,
le lendemain envoya une sienne secrette chamberiere
par devers son amy Nastagio, et par icelle luy manda
qu'il print pitié d'elle, et que ja trop se repentoit
de l'avoir faict tant endurer et luy avoir esté rebelle,
qu'il luy pleust venir en sa Maison, et que sans faillir
la trouveroit toute preste d'accomplir ses voluntez.

*Comment Nastagio jouit à son plaisir de ses amours :
et Madame Cebille persiste en sa folle et rigoureuse
opinion.*

Par ce moien obstint Nastagio de ses doulces
amours la jouyssance [1] : et les autres Dames et matrones, lesquelles auparavant s'estoient diversement

---

1. Dans Boccace, la demoiselle s'offre à Nastagio, mais celui-ci ne veut l'obtenir qu'en
légitime mariage.

excusées vers leurs loyaulx amys, des lors en avant
en prindrent toute amoureuse pitié, de maniere que
depuis les Aymans n'eurent juste occasion d'en la-
menter et faire plainctes. En ceste façon parfour-
nissant son veritable compte Madame Salphionne, les
dames ne furent moins estonnées que ceulx qui
avoient assisté au disner de Nastagio; madame Cebille
seule demeuroit sans s'esbayr, tournant le tout à
fable et à mensonge, et se rioit de ses compaignes
pourtant qu'elles* monstroient une maniere paoureuse       **parce qu'elles*
et puerille. Dont madame Salphionne merveilleuse-
ment desplaisant* non aultrement omina* sur elle,          **éprouvant  *présagea*
que feit le fort Hector sus l'inhumain Achilles [1]. Il me   [du déplaisir
desplairoit grandement, dit elle, Dame Cebille, s'il
venoit quelque maladventure : mais voyez (car dens
mon estomach je sen ne scay quelle divine esmotion
qui me contrainct à prophetiser) que par voz despris
aujourdhuy je ne vous soye vraye prophetisse. Je
vous annonce pour vray que dans quinze jours tel
exemple par la justice du vray Amour, lequel tousjours vous avez desprisé, se fera en vous, que vous
confesserez la pitoyable Damoiselle poursuyvie des
Mastins et du Chevallier avoir esté heureuse en sa
peine, au regard de vous la plus malheureuse et
infelice Dame que je congnoisse aujourd'hui [2]. Madame        **alors*
Salphionne se teust à tant*, et ne fut plus parlé de
ceste matiere : ains feirent mettre les tables, et toutes
se seirent faisant la plus grande chere du monde.

---

1. Au chant XXII de l'*Iliade*.
2. Madame Cebille deviendra en effet amoureuse d'un palefrenier, et, prise en flagrant
délit, sera liée nue à son amant et exposée ainsi en public.

## texte VIII L'Astrée (1607-1627)

L'intelligence des mystères d'amour ne vient pas de l'esprit, mais du cœur : on ne comprend l'amour que si l'on aime; et l'on n'aime ardemment que si l'on est aimé, en même temps qu'on n'est aimé que si l'on aime; être choisi comme serviteur par sa maîtresse, c'est recevoir d'elle la plus sûre faveur; souhaiter diriger la volonté de sa maîtresse, ce n'est pas se comporter comme son serviteur... Tels sont les thèmes agités dans les pages suivantes de *L'Astrée*. Mais les deux rivaux qui se disputent ainsi l'amour de la belle Diane sont le berger Silvandre... et la bergère Philis ! Et leur rivalité n'est en principe qu'un jeu : attaqué par Diane et Philis sur sa « sauvagerie », Silvandre a été condamné à prouver ses mérites en faisant agréer ses services par une maîtresse, qui est Diane, et a accepté à condition que Philis fût soumise à la même loi; elle aussi doit donc se faire « serviteur » de Diane. Mais ce jeu est la vérité même : car le serviteur fictif est devenu amoureux passionné qui attache le plus grand prix à se faire confirmer la moindre faveur de sa maîtresse, et de sa rivale fictive il fait, pour mettre en valeur par contraste son propre amour, une victime torturée, en la déclarant incapable d'aimer et en dénigrant impitoyablement, sans le nommer, le jaloux Lycidas qu'elle aime. Ainsi les passions s'affrontent dans ces subtils débats sur la passion. Voir tome I, pp. 143-153. Le texte est tiré du troisième livre de la deuxième partie de *L'Astrée*.

Tant que le chemin fut estroit et mal aisé Silvandre marcha tousjours le premier : mais soudain qu'ils furent entrez dans les prez dont les rives de Lignon sont presque par tout embellies, il attendit les Bergers : et voulut ayder à sa maistresse. Elle qui avoit desja de l'autre costé Philis qui s'estoit mise entre elle et Astrée, et les tenoit sous les bras, receut le Berger de bon cœur pour ne se lasser tant, par la longueur du chemin, et luy donnant le bras gauche : Vous, dit elle, Silvandre, je vous tiens pour me servir en ce voyage, et vous Philis pour estre ma compagne. Philis qui estoit bien aise de faire parler Silvandre pour desennuyer la compagnie, et qui outre cela ne vouloit qu'un mot tant à son advantage, fut prononcé par Diane sans estre remarqué, s'addressant au Berger luy demanda que luy sembloit de céte faveur ? Qu'elle est plus grande que nous ne meritons, respondit Silvandre. Mais, repliqua Philis, comment recevez vous la difference qu'elle met entre nous ? Comme un fidelle serviteur reçoit ce qui est agreable à sa Maistresse. Ce n'est pas, adjouta la Bergere, ce que je vous demande : mais si voyant la grande faveur que nostre maistresse me fait, vous qui mesprisez si fort la jalousie, n'en avez point de ressentiment. Je voy bien, dit-il, que vous mesurez mon affection à la vostre, puis que vous pensez que chose qui plaise à ma belle Maistresse me puisse estre ennuyeuse. Et quand cela ne seroit pas, j'aurois trop peu de cognoissance d'Amour, si je ne recevois pour tresgrande la faveur qu'elle vient de me faire à vostre desavantage. Diane sousrit oyant céte response : et Philis, qui attendoit tout le contraire, en demeura si surprise, que s'arrestant tout court, elle considera quelque temps le Berger : mais lui recommençant à marcher : Philis, dit-il, ce rire n'est qu'une couverture de vostre peu de replique : aussi ne vous ay je peu jusques ici faire entendre, ny par mes paroles, ny par mes actions, un seul des misteres d'Amour, quelque peine que j'y aye mise. Mais je n'en accuse que le defaut de vostre amitié. Si c'est avec l'entendement, dit Philis, que nous entendons, il faudroit m'accuser plustost, si je n'entens pas ces misteres, d'avoir peu d'entendement, que non pas peu d'amitié, puis que l'intelligence n'est pas en la volonté. Vous vous trompez, respondit le Berger, et voicy un de ces misteres qui vous sont incognus, et dont il ne faut accuser, ni vostre entendement, ni vostre volonté, mais céte belle Diane. Et comment, dit Diane, me voulés vous rendre coulpable de l'ignorance de Philis ? Je ne vous en juge pas coulpable, belle Maistresse, repliqua Silvandre, mais je dy que vous en estes la cause, ainsi que me l'a declaré un ancien Oracle, par lequel, continua-il se tournant vers Philis, j'apprens que je suis plus aymé de nostre Maistresse que vous. Astrée qui jusques alors n'avoit point parlé : Voicy, dit-elle, les discours les plus obscurs, et les raisons les plus embroüillées que j'oüys jamais. Si vous me donnez le loisir, respondit Silvandre, de m'esclaircir, je m'asseure que vous l'advoüerez comme moy. Et pour le vous faire mieux entendre, je redis donc encor une fois, que le suject pour lequel Philis ne comprend les misteres de ce grand Dieu d'Amour, c'est par ce qu'elle n'ayme pas assez : et que de ce deffaut d'amitié, il n'en faut point accuser sa volonté, mais Diane seulement : ainsi que nous l'apprend cet ancien Oracle, par lequel je cognois que je suis plus aimé d'elle que Philis : et en voicy la raison. Lors que vous desirez de sçavoir quelle est la volonté d'un Dieu, à qui vous addressez-vous pour l'apprendre ? C'est sans doute, respondit Philis, à ceux qui sont Prestres de leurs temples, et qui ont accoustumé de servir à leurs autels. Et pourquoy, adjousta le Berger, ne vous addressez vous plustost à ceux qui sont les plus sçavans, que non pas aux ministres de ces temples, qui le plus souvent sont ignorans en toute autre chose ? Par ce, respondit-elle, que chaque Dieu se communique plus librement à ceux qui sont initiez en ses misteres, et familiers autour de ses autels, qu'aux estrangers, encores qu'ils soient sçavans. Voyez, reprit alors Silvandre, quelle est la force de la vérité, puis qu'elle vous contraint mesme de la dire contre vostre intention : car si vous n'entendez pas les misteres d'Amour, n'est-ce pas signe que vous luy estes estrangere : puis que vous advoüez que les Dieux se communiquent plus librement à ceux qui servent leurs temples, et leurs autels ? Mais comment peut-on servir les temples et

225

les autels d'Amour, sinon en aymant? Le sacrifice seul des cœurs, est celuy qui plaist à ce Dieu. Ne voyez vous donc, Philis, que si vous ignorez ces mysteres, ce n'est pas faute d'entendement, mais d'Amour? Et quand cela seroit, respondit Philis, (ce que je n'advouëray jamais) comment accuseriez vous Diane du defaut de mon amitié? Est ce peut estre qu'elle ne soit pas assez belle, ou que les merites luy defaillent pour se faire aymer? Voicy, respondit froidement Silvandre, un second mystere de ce Dieu, qui n'est pas moindre que celuy que je viens de vous expliquer. Diane n'a nul defaut, ny de beauté ny de merite : d'autant qu'en chose si parfaite qu'elle est, il n'y en peut point avoir, non plus qu'en vostre volonté : car il ne tient pas à vous que vous ne l'aymiez beaucoup, et que vostre amour n'esgale les perfections que vous remarquez en elle : mais il vous est impossible, parce qu'elle ne vous ayme pas, suivant cest Oracle dont je vous ay parlé. Jadis Venus, voyant que son fils demeuroit si petit, s'enquist des Dieux, quel moyen il y avoit de le faire croistre : à quoy il luy fut respondu qu'elle luy fist un frere, et qu'il parviendroit incontinent à sa juste proportion, mais que tant qu'il seroit seul, il ne croistroit point. Et ne voyez vous pas, Philis, que céte sentence est donnee contre vous, et en ma faveur? car si vostre amour demeure petit et presque Nain, c'est qu'il n'a point de frere. Que si au contraire le mien surpasse toutes les choses plus hautes, c'est que ceste belle Diane lui en a fait un qu'il aime, qu'il honore, voire, puis-je dire, qu'il adore. Et croyez vous, repliqua Philis, que vous soyez plus aimé d'elle que je ne suis? Il n'en faut non plus douter, respondit le Berger, que de la verité mesme. Les Dieux ne mentent jamais, les Oracles sont les interpretes de leurs volontez : et comment oseriez vous taxer l'Oracle de mensonge? Non non, Philis, puis que j'ayme ceste belle Diane plus que vous ne l'aymez, ne doutez point qu'elle ne m'ayme aussi davantage : autrement les Dieux seroient des abuseurs, et non pas des Dieux. On se trompe, adjousta Philis, bien souvent en l'intelligence des Oracles. Il est vray, respondit Silvandre, mais quand cela est, l'evenement contraire le descouvre incontinent : et ainsi on ne demeure pas longuement abusé. Mais de celuy dont je parle, nous ressentons et vous et moy l'effect si conforme, que ce seroit impieté d'en douter, puis que quoy que vous vueillez vous ne pouvez rendre vostre amour si grande que la mienne. Et voicy ce qui le confirme encore d'avantage. N'est ce pas une commune opinion, qu'il faut aymer pour estre aymé? Et quoy, interrompit Philis, vous pensez en aymant beaucoup, vous faire beaucoup aimer? Si je voulois (dit le Berger) vous expliquer encor ce mistere d'amour, peut estre seriez vous aussi prompte à l'avoüer que vous l'avez esté à m'interrompre : et toutefois ce n'est pas ce que je voulois dire, mais seulement que si pour se faire aimer, il faut aymer, il n'y a point de doute, que Diane qui me contraint de l'aimer avec tant d'affection, ne m'aime ardamment. Philis demeura muette, ne sçachant que respondre au Berger, qui a la verité desfendoit trop bien sa cause. Astree s'approchant de l'oreille de Diane : Ne me croyez jamais pour véritable, dit-elle, le plus bas qu'elle peust, si ce Berger en feignant ne s'est laissé prendre à bon escient, et s'il n'a fait comme ces enfans qui passent tant de fois le doigt autour de la chandelle pour se joüer, qu'enfin ils s'y bruslent. Diane luy respondit : Cela pourroit estre, si j'estois aussi capable de brusler qu'il le pourroit estre d'estre bruslé : que si toutefois il a fait la faute, la peine en soit à luy : car quant à moy, je ne pretens point y participer. Ces propos à l'oreille eussent continué davantage, si Philis qui estoit entre deux ne les eust interrompus, leur reprochant qu'elles tenoient le party de Silvandre. Ce n'est pas cela, respondit Diane, mais nous disons bien que vous ne devez plus disputer contre luy, car il en sçait trop pour vous. Si veux-je encor, dit elle, sçavoir de luy comment il entend, que ce que vous avez dict au commencement est plus à son advantage qu'au mien : par ce que je ne puis comprendre, que ce ne me soit plus d'honneur, puisque vous m'eslisez pour votre compagne. A vous, respondit le Berger, l'honneur, et à moy l'amitié. Non non, repliqua la Bergere, ce nom de compagne est plein d'amitié et d'honneur, car il signifie presque un autre nous-mesmes. Si m'avoüerez-vous, respondit Silvandre, que l'amitié et la flaterie ne peuvent non plus estre ensemble que deux contraires : or si la personne du monde que vous aymez le plus, vous venoit dire, que vous estes aussi parfaicte qu'une Deesse, ne jugeriez-vous pas que ce seroit flatterie, et qu'elle ne vous aymeroit point? Et pourquoy, pauvre abusee que vous estes, ne faictes vous un mesme jugement de Diane, lors qu'elle vous dit que vous estes sa compagne, c'est à dire, ainsi que vous l'expliquez vous mesme, semblable à elle, puis que ses perfections la relevent de sorte par dessus toutes les femmes, qu'il n'y a pas plus de difference des hommes aux Dieux, que de vous à elle? Aveugle Philis, ne voyez vous point que cette douce parole, qui vous agree si fort, n'est qu'une pure sorte flaterie, dont ma belle Maistresse use envers vous, pour recognoistre en quelque sorte la foible amitié que vous luy portez : car ne pouvant vous aymer elle veut vous contenter par ce moyen. Vous prenant doncques pour compagne, c'est signe de flatterie, et cette flatterie de peu d'amitié : et au contraire me prenant pour son serviteur, elle monstre la bien-vueillance qu'elle me porte, puis que je suis capable de céte faveur, s'il y a quelque mortel qui le soit. O outrecuidance! s'escria Philis. O Amour! respondit Silvandre. Et quoy? repliqua la Bergere, vous pensez donc estre digne de servir celle de qui les merites outrepassent toutes les choses mortelles? Les plus grands Dieux, adjousta le Berger, sont servis par des hommes, et se plaisent de leur voir rendre ce devoir, et cette recognoissance. Et pourquoy, si je suis homme, comme je pense que vous ne doutez pas, ne me voulez vous permettre que je serve et adore ma Deesse, mesme ayant esté esleu à ce sainct devoir par elle mesme? Philis ayant quelque temps sans parler consideré les raisons de Silvandre, toute confuse ne sçavoit que luy répondre, luy semblant que veritablement Diane faisoit plus de faveur au Berger qu'à elle : Et pource, luy addressant sa parole : Mais ma Maistresse, luy dit elle, quand j'ay bien pensé à ce que mon ennemy me dit, je trouve qu'il a raison, et que veritablement vous le favorisez d'avantage : seroit-il possible que vous l'eussiez fait à dessein? si cela estoit, j'aurois bien occasion de me plaindre, et de trouver mauvais qu'à mes despens, il fust tant advantagé par dessus son merite. Je voy bien, respondit froidement Diane, que l'opinion a plus de puissance sur vous que la verité : et que c'est par elle que vous estes conduitte. Il n'y a pas presque un moment que vous estiez glorieuse de la faveur avec laquelle je vous avois preferee à Silvandre : et voila qu'incontinent cette opinion estant changee vous vous plaignez du contraire : de sorte que j'ay bien à craindre que vostre amitié de mesme ne soit toute en opinion. Et comment ma belle Maistresse, dit Silvandre, en pourriez vous douter, puisqu'elle ne dit pas un mot qui ne vous en rende tesmoignage? Ne voila pas une belle amour que la vostre, Philis, qui vous fait trouver les actions de vostre Maistresse mauvaises? Et si elles sont à mon desadvantage, dit la Bergere, voulez vous que je les trouve bonnes? Il faudroit bien estre sans sentiment! Non pas cela, repliqua Silvandre, mais avoir plus d'amour que vous n'avez pas. Et quoy, ne voudriez vous point que Diane se conduisit à vostre volonté? Pleust à Dieu, dit elle, j'aurois pour le moins autant d'avantage sur vous, qu'il semble qu'elle vous en donne sur moy. Mais si cela estoit, adjousta le Berger, dites moy, Philis, qui seroit de vous deux la maistresse, et qui le serviteur? En verité, Bergere, je ne pense pas que vous ayez esté esgratignee de la moindre de toutes les armes d'amour. Astree qui escoutoit leur different sans parler, fut enfin contrainte de dire à Diane : Je pense, sage Bergere, qu'en fin ce Berger ostera du tout la parole à Philis. Mais plustost l'amour, respondit Silvandre, car jusques icy elle a pensé qu'elle aymoit, et maintenant elle voit le contraire.

Ces belles Bergeres alloient de cette sorte trompant la longueur du chemin.

*François DE ROSSET*

texte IX
# Les Histoires tragiques
# de nostre temps (1614)

Lyzaran et Doralice, sa sœur, ont été condamnés à mort pour leurs amours incestueuses. Leur attitude au moment de l'exécution prend un caractère théâtral que Rosset se plaît à souligner, et le détail du bas de soie incarnat n'est pas loin de trahir chez lui quelque sadisme. En dépit de l'horreur que lui inspire leur crime, il est visible qu'il admire la rivalité de courage des deux amants devant la mort et le regret passionné que chacun a de ne pouvoir mourir pour l'autre. Sur Rosset et ses *Histoires tragiques*, voir tome I, pp. 154-156.

Cependant l'Arrest est prononcé aux coulpables. On leur donne temps de se confesser. Courage mon frere (dit alors Doralice) puisqu'il faut mourir, mourons patiemment. Il est temps que nous soyons punis de ce que nous meritons. Ne craignons plus de confesser nostre peché devant les hommes, aussi bien faut-il que nous en rendions bien tost conte à Dieu. Sa misericorde est grande (mon cher frere) il nous pardonnera, pourveu que nous ayons une vraye contrition de nos fautes. Helas ! Messieurs (dit-elle puis apres aux Juges) je confesse que je merite justement la mort : mais je vous supplie de me la donner la plus cruelle qui se puisse imaginer, pourveu que vous donniez la vie à ce pauvre Gentil-homme. C'est moy qui suis cause de tout le mal. J'en dois recevoir seule la punition : et puis sa grande jeunesse vous doit toucher à compassion. Il est capable de servir un jour son Prince en quelque bonne occasion.

Elle tenoit ce discours aux Juges, à fin de les esmouvoir à pitié et compassion pour son frere. Mais c'estoient paroles perduës. La Sentence estoit desja prononcée, et eux livrez entre les mains de l'executeur de la haute Justice. Ce fut en la place de Greve, où l'execution se fit. Jamais on ne veid tant de peuple, qui accouroit à ce spectacle. La place en estoit si remplie, qu'on s'y estouffoit. Les fenestres et les couvertures des maisons en estoient toutes occupées.

Le premier qui parut sur cét infame Theatre fut Doralice, avec tant de courage et de resolution, que tout le monde admiroit sa constance. Tous les assistans ne pouvoient deffendre à leurs yeux de pleurer cette beauté. Aussi estoit-elle telle qu'on en trouveroit bien peu au monde, qui lui peussent estre comparables. L'on eust dit quand elle monta sur l'eschafaut, qu'elle alloit joüer une feinte Tragedie, et non pas une veritable. Jamais elle ne changea de couleur. Apres avoir jetté ses yeux d'un costé et d'autre, elle les esleva au Ciel; et puis les mains joinctes, elle fit cette priere.

*O Seigneur, qui estes venu au monde pour le pecheur, et non pour le juste, prenez pitié de cette pauvre pecheresse, et faictes que la mort infame de son corps qu'elle reçoit maintenant, soit l'honnorable vie de son Ame. Pardonnez encores (ô Dieu de misericorde) à mon pauvre frere, qui implore vostre mercy. Nous avons peché, mais ressouvenez vous que nous sommes les ouvrages de vos mains. Pardonnez nostre iniquité, non pas comme aymant le vice, mais comme aymant les humains, en qui les vices sont attachez des le ventre de leur mere.*

Ayant achevé sa priere, elle se degraffa elle mesme sans vouloir permettre au Bourreau de la toucher. Ayant osté son rabat, elle se mit à genoux, et l'executeur luy banda les yeux; et comme elle recommandoit son ame à Dieu, il separa d'un coup la teste d'un si beau corps, de qui la beauté estoit obscurcie par son abominable passion. Quand cette execution fut faicte, un des valets du Bourreau tira le corps à l'escart, et en le retirant le descouvrit jusques à demy-greve [1], et fit voir un bas de soye incarnat, ce qui fascha tellement le Bourreau, qui ne se pouvoit contenir luy mesme de pleurer avec tous les assistans, qu'il poussa d'un coup de pied son valet, de sorte qu'il le fit cheoir de l'eschafaut en bas. Aussi une telle Beauté, encores qu'elle eust merité la mort, ne devoit pas estre si vilainement traictée, tant pour la maison dont elle estoit issuë, que pour l'heureuse fin qu'elle venoit de tesmoigner.

Tout le peuple pleuroit encore à chaudes larmes, quand on fit monter le frere sur le theatre. Si la compassion avoit émeu l'assemblée pour le subject de la sœur, la pitié qu'elle eut pour celui du frere ne la toucha pas moins. Il ne pouvoit avoir que 20 ans, et à peine un petit cotton, messager de jeunesse, paroissoit à ses joües. Il estoit le vivant pourtraict de sa sœur, comme nous avons desja dit, et par consequent doüé d'excellente beauté. Quand il veid cette belle teste separée d'une si belle gorge, il pensa rendre soudain l'esprit, sans attendre l'execution du Bourreau : *Helas* (ce dit-il) *ma pauvre sœur, que n'exerçoit-on toute la cruauté qu'on eust sceu imaginer contre moy, pourveu qu'on vous eust donné la vie et qu'on se fust contenté de vous enfermer dans*

---

1. Jambe.

*un Monastere. Il n'est tourment si rigoureux que je n'eusse souffert avec allegresse. Mon ame auroit quitté ce miserable corps avec ce contentement de ne voir point mourir celle à qui j'ay causé la mort. L'on devoit excuser sa fragilité, et tourner toute la coulpe sur moy, comme sur l'autheur du crime, O Dieu! ayez pitié de son ame, de la mienne, qui n'a son recours qu'à vostre misericorde.* Il proferoit ces paroles avec tant de zele, que tout le peuple en ressentoit une grande douleur. Apres qu'on luy eust osté son pourpoint, et fait les cheveux, il s'agenoüilla. Le Bourreau luy voulut bander les yeux, mais il ne le voulut jamais. *Descharge* (dit-il) *seulement ton coup, j'ay assez de courage pour le recevoir. Tu as desja veu la constance de ma sœur. Tu dois penser que je suis son frere, et que par consequent la raison veut que j'aye encores plus de courage.* Ayant finy son discours, il se mit à dire, *In manus tuas* tandis que l'executeur luy fit voler la teste. Leurs corps furent le jour mesme emportez, et mis dans une biere, pour estre enterrez dans une Église de Paris, où ils reposent avec ces mots :

*Cy gisent le Frere et la Sœur. Passant ne t'informe point de la cause de leur mort, passe, et prie Dieu pour leurs Ames.*

C'est la fin tragique et lamentable de Lyzaran, et de Doralice, que le Ciel avoit pourveus de beauté et d'esprit, autant que toute autre personne. Leurs execrables amours avancerent la fin de leurs jeunes ans. Exemple memorable, qui doit faire trembler de peur les incestueux et les adulteres. Dieu ne laisse rien d'impuny. Sa vengeance treuve tousjours le coulpable, s'il persevere en sa malice. Tels exemples sont si rares parmy les Payens, qu'à peine en treuveroit-on deux ou trois dans leurs fables, voire mesme sans que l'Adultere y soit conjoinct. Dieu vueille si bien defendre son peuple des aguets de Sathan, que jamais un tel scandale n'arrive plus parmy nous [1].

---

1. Comme la plupart des *Histoires tragiques* de Rosset, celle-ci est authentique. Elle a fourni en 1886 à Barbey d'Aurevilly le sujet d'une nouvelle : *Une Page d'histoire.*

# texte X    L'Endymion (1624)

Immolé dans un sacrifice à Diane, Endymion s'est retrouvé sur la rive du Styx, mais il ne peut pas franchir le fleuve. La nymphe Sthénobée lui apprend que c'est elle qui est morte pour lui, parce qu'elle l'aimait, d'un amour criminel chez une prêtresse de Diane. En s'inspirant du livre VI de l'*Énéïde*, Gombauld a évoqué avec un art subtil les mystères de la nuit, infernale, rêvée ou réelle, l'éclat tamisé de la lumière lunaire et ses mouvements muets. Les sentiments eux-mêmes sont en clair-obscur : entre la mort et la vie, entre le sommeil et la veille, le héros ne sait plus s'il existe, s'il est âme ou corps, s'il voit ou s'il imagine, s'il s'élève vers l'astre ou si l'astre descend vers lui. La poésie de l'atmosphère et la poésie des états indécis de la conscience s'allient heureusement; on devine aussi le sourire triste du poète amoureux d'une divinité capricieuse, qui pense à la vanité de son amour et de sa plainte et à la « fumée » dont ses peines sont payées. Voir tome I, pp. 153-154.

Adieu donc, Endymion, n'oublie jamais le témoignage que je te donne au deçà mesme du tombeau : que j'ay plus eu d'affection pour toy, que pour les Dieux mesmes. Voila le Nautonnier qui me presse, et m'appelle, ne m'empesche point d'aller trouver mon repos apres ma mort, comme tu as fait durant ma vie.

Au mesme temps qu'elle achevoit ces paroles, je tendis trois fois la main pour tascher de prendre la sienne, et de la retenir; mais trois fois je ne pris rien que du vent. Elle s'enfuyt de devant mes yeux, et s'esvanoüyt comme un songe, sans qu'il me fust possible de la voir d'avantage, ny de la recognoistre. Je taschay de la suivre jusques dans le batteau, mais j'en fus encore plus rudement repoussé qu'auparavant. Lors je voulus ouvrir la bouche, pour crier ou Caron, ou Sthenobée, et pour faire mes supplications, et mes plaintes, mais je me trouvay sans voix, et sans parole. Outré de douleur et de desespoir je voulus pleurer, mais mes yeux se trouverent aussi sans larmes. Helas! disoit mon pauvre esprit, où dois-je donc aller? Puis qu'en l'estat où je suis, je ne puis estre receu ny parmy les vivans, ny parmy les morts? Ainsi je fus contraint d'errer par-cy, par là, sur les rivages, où au lieu des troupes bien heureuses, que je pensois aller voir, je ne vis rien que le Deuil, la Crainte, les Soucis, les Travaux, et tels autres miserables habitans de ces limites. Puis je me tins sous l'ombre noire d'un grand arbre, qui estendoit ses branches au long, et au large, dont les fruits sont les songes vains, et les feüilles à mon advis sont les vaines espérances.

En fin apres avoir esté quelque temps tel qu'un homme qui songe, qui dort, qui est mort, ou qui n'est point du tout, comme je ne sçay quelle voye je tins pour me trouver en ce lieux, aussi ne sçay-je point ce que fit mon esprit pour se rendre à mon corps ny par où je peus revenir à moy-mesme. Tant y a que je commençay de me sentir et de me mouvoir, puis de soupirer et d'ouvrir les yeux. Toutesfois sur l'heure je fus en doute, si c'estoit ceux du corps, ou ceux de l'esprit : pour ce que, comme si j'eusse esté ravy dans les cieux, je me vis insensiblement approché de la Lune. Mais apres l'avoir regardée plus attentivement, je jugeay que c'estoit elle qui s'approchoit de moy. Je la voyois donc descendre tout doucement sous la faveur du silence, et des tenebres. Ou eust dit qu'elle se vouloit desrober du ciel, ou qu'elle avoit peur d'apporter en terre le jour au milieu de la nuict. Car avant que de partir, elle avoit mis un voile sur son visage, mais soit qu'il fust trop subtil et delié, ou que ses yeux fussent trop clairs, cela ne m'empeschoit point de la voir, ny de la recognoistre. Et desja l'honneur que je m'en promettois me faisoit oublier tous mes mal-heurs passez, et songer à ce que je luy devois dire : Lors qu'ayant touché du pied la terre, elle me prevint, et me voulut contenter de ce langage :

Ton bon-heur, Endymion, surpasse tes vœux, et tes esperances. Cesse en fin d'accuser les Dieux, qui donnent beaucoup mieux que les hommes ne demandent. Tes labeurs sont aujourd'huy couronnez de gloire, et te mettent au nombre des immortels : Ce que tu dois à ton affection, ou si tu l'aymes mieux, à la mienne. Le nom de la plus grand'part des Astres, est à peine cognu dans le monde : mais tant qu'on parlera de la Lune, qu'elle luira dans les cieux, le tien sera dans la bouche, et dans la memoire des hommes.

Elle continuoit de payer ainsi mes peines de vent, et de fumée; quand tout à coup un bruit esclattant de trompettes et de clairons, un tintamare confus de cymbales, et de toutes sortes d'instrumens d'airin et de cuivre, sortit des monts et des valées, et frappa l'air avec tant de violence, qu'il me la vint ravir, et la fit retirer, et disparoistre en un moment. Lors j'ouvris les yeux à bon escient, et tel qu'une personne qui se réveille, en sursaut : Je portay d'un mesme temps la teste et les mains en avant, comme si j'eusse voulu tascher de la suivre, ou de la rappeller : mais l'ayant du tout perduë, et ne la voyant plus, je regarday si je reverrois l'assemblée qui nagueres estoit autour de moy, mais je ne la vis plus aussi, ny l'Autel ny le Sacrificateur : je ne me voyois pas moy-mesme, tant j'estois environné d'obscurité : et me servant plus de mes mains que de mes yeux, pour tascher de recognoistre à tastons, le lieu où je pouvois estre, une fois je creus estre enfermé dans un sepulchre : En fin je m'apperceus d'une petite clarté qui paroissoit peu à peu; et me portant de costé que je la voyois naistre, je fus tout estonné que je me vis sur le mont Lathmos, et la Lune dans le ciel, à qui je faisois ma plainte alors que tu m'es venu trouver.

# texte XI     Polexandre (1637)

« Une advanture extrémement tragique », comme on en rencontre sur mer. Gomberville décrit les faits tels qu'ils se sont déroulés, dans leur étrangeté : l'explication ne sera donnée qu'ensuite, par le récit que fera le prisonnier à Polexandre. Le texte cité est le début du *Livre Cinquiesme* de la *Seconde Partie*. Sur *Polexandre*, voir tome I, pp. 165-169.

Nostre Heros ravy d'avoir si heureusement satisfait au commandement d'Alcidiane, singloit par les vastes estanduës de la mer Germanique; et poussé d'un vent que l'Amour sembloit faire de ses propres aisles, s'esloignoit des mal-heureux climats du Septentrion, pour retourner aux delicieuses contrées du Midy. Se voyant si extraordinairement favorisé de la Fortune, il ne concevoit pas moins, que l'esperance infaillible de trouver bien tost l'isle d'Alcidiane; et dans la complaisance qu'il avoit pour soy, il ozoit mesme se promettre la possession de ceste Princesse. Ce contantement quoy qu'imaginaire, le trompoit trop agreablement, pour ne pas irriter le Demon, qui avoit resolu de traverser toutes ses joyes. Il fut donc troublé dés les premiers jours de sa navigation. Comme il fut entré dans la manche qui separe la France de l'Angleterre, il faillit à se perdre par la rencontre d'une advanture extrémement tragique. Un vent contraire l'ayant arresté vis à vis de Calais, il fut contraint de passer une nuict entiere sur les voltes[1], pour ne pas retourner d'où il venoit. Comme

---

1. L'expression semble signifier : passer la nuit à tourner sur place pour échapper au vent.

235

il estoit en cét importun exercice, un vaisseau emporté par la fureur du vent, heurta le sien, si heureusement toutefois, qu'il en fut quitte pour quelques œuvres mortes qui furent brisées. Ce choc ayant esveillé les plus endormis, et fait penser à tous, ce qui n'estoit pas, Polexandre voulut sçavoir qui estoit venu l'attaquer si secretement, et pour ce sujet commanda à son Pilote d'aller apres. Au point du jour le vaisseau ennemy parut, et fut presque aussi tost joint. Nostre Heros se jetta le premier dedans. Mais il fut bien estonné de n'y descouvrir qu'une horrible solitude. Jamais il ne s'est presenté sur la mer, quoy qu'elle soit le theatre des prodiges, et des nouveautez, rien de si estrange que le spectacle dont il fut frappé. Lors qu'il se fut advancé jusqu'au principal mats, il vit une femme fort belle et fort bien vestuë, qui estoit attachée à ce mats par les piés et par les mains. Devant elle il y avoit quatre poteaux, sur lesquels estoient cloüez quatre testes d'hommes, si entieres, qu'il estoit aisé à juger qu'il n'y avoit pas long temps qu'on les avoit couppées. La mal-heureuse spectatrice de ces objects espouvantables tournoit pitoyablement les yeux, tantost sur l'un, tantost sur l'autre; et bien que Polexandre se presentast devant elle, elle n'interrompit point son funeste exercice. Ce Prince remarquant son extréme beauté au travers de ses afflictions et de ses larmes, fut touché de la voir en un si triste estat; et croyant qu'à cause de la proximité de la France, elle le pourroit entendre s'il parloit François, luy dit en ceste langue qu'il luy venoit offrir tout ce qu'il pouvoit pour sa consolation, ou pour sa vengeance. Cette miserable ne fit pas semblant de l'oüir, et ne destourna point les yeux de dessus les testes couppées. Ceste attention et cette fermeté redoublerent l'estonnement de Polexandre. Il commanda à ses gens de descendre dans les chambres du vaisseau, et voir s'il n'y avoit personne à qui il peust se faire entendre. Alcippe et Dicée furent par tout, et n'y trouvant ny vivans, ny morts, vindrent asseurer le Roy leur Maistre, qu'il n'apprendroit rien de cette advanture, s'il ne l'apprenoit de la bouche de celle qui estoit liée. Il se r'approcha d'elle, et employant les plus belles paroles, que son desir luy fournissoit pour la faire parler, la conjura de prendre courage, de penser à se vanger de la cruauté de ses ennemis, d'employer en ceste vangeance le secours que le Ciel luy avoit envoyé et se promettre de son bras une partie de la satisfaction que le ressentiment de ses douleurs luy devoit faire souhaitter. Il adjousta plusieurs autres considerations à celles-cy; et pressa tellement ceste infortunée qu'il la contraignit de tourner les yeux sur luy. Elle le regarda donc, mais de telle sorte qu'on peut dire qu'elle ne le regarda point; et ayant plusieurs fois souspiré : Pourquoy, luy dit-elle tristement, revenez vous retarder la fin de mes peines? Estes vous envoyé par la pernicieuse ennemie qui m'a reduitte à l'extremité où je suis, afin qu'elle puisse assouvir sa haine en me faisant mourir beaucoup de fois? Madame, luy respondit Polexandre, je ne connois point le Monstre dont vous me parlez; et si vostre douleur vous eust permis de m'escouter, vous auriez sçeu que je ne me presente devant vous, que pour vous tirer de tous vos supplices. Vostre generosité est grande, luy repliqua ceste Dame, mais elle ne me peut estre utile, si vous ne pouvez rendre la vie aux mal-heureux dont vous voyez les testes. Je souhaitte leur vie, pource que j'ay causé leur mort; et la souhaitte, pource qu'ils feroient mentir ma cruelle ennemie, et justifieroient mon innocence devant un Prince trop credule, et trop facile à tromper. Polexandre la vouloit insensiblement engager à luy faire le recit de ses infortunes, mais il en fut empesché par l'arrivée d'un grand vaisseau, qui d'abord luy declara la guerre. Nostre Heros repassa sur son vaisseau sans faire décrocher celuy de la Dame desolée; et fit responde aux signes ennemis, par d'autres signes qui arresterent la fureur de ceux qui le vouloient combattre. En mesme temps ils luy envoyerent un des leurs dans une chalouppe. Celuy-là l'ayant abordé, luy demanda qui il estoit, et à quel dessein il avoit arresté le vaisseau Anglois. Polexandre luy fit respondre par Alcippe qu'il estoit François; et qu'il estoit ennemy de ceux qui ne voudroient pas se joindre avec luy, pour vanger une Dame que quelques meschans avoient exposée à la mercy de la mer. Quand cét envoyé eut oüy ceste responce, il y repliqua par force injures; et apres avoir fait diverses menaces, s'en retourna vers ses compagnons. A peine fut-il remonté dans son vaisseau qu'il fit attaquer celuy de Polexandre. Mais il se repentit bien tost de sa temerité; car nostre Heros luy ayant fait faire deux descharges de cent pieces de canon qu'il avoit dans son navire, le reduisit à implorer sa misericorde. Polexandre luy ayant promis la vie fit venir le vaisseau conquis; et s'en estant rendu maistre, y trouva si peu de soldats, qu'il faillit à les faire repentir de ce qu'ils avoient osé l'attaquer. A la fin sa clemence l'emporta sur son ressentiment. Il pardonna à tous; et en voyant un de meilleure mine que les autres, le fit passer dans son vaisseau. Il luy demanda en particulier pourquoy il n'avoit pas voulu recevoir son amitié quand il la luy avoit offerte; et quel interest il prenoit en la barque qui flottoit devant eux. L'autre le supplia tres-humblement qu'avant que de luy respondre, il luy fist l'honneur de luy dire si la Dame qui estoit dans ceste barque, estoit encore en vie. Nostre Heros l'asseura qu'elle l'estoit, quand il l'avoit quittée. Essayez donc, luy repartit le prisonnier, de la rejoindre, afin que pour la seconde fois vous luy conserviez la vie. Car si vous n'eussiez rompu le dessein pour lequel nous nous estions embarquez, elle seroit maintenant dans le fond de la mer. Allez donc, allez (s'il vous plaist) achever ce que vous avez commencé; et ne croyez pas en secourant ceste infortunée, faire seulement une action de charité. Vous en faites aussi une de justice. Vous protegez l'innocence contre la calomnie, et une vertu mal-heureuse et desarmée, contre un vice puissant et redoutable. Polexandre ne voulant pas entendre la suitte de ce discours qu'il n'eust tiré de peine cette innocence persecutée, fut rejoindre sa barque, qui n'avoit fait que tourner; et qui par consequent ne s'estoit pas fort esloignée. Si tost qu'on l'eut reprise, il descendit dedans avec son prisonnier. Cét homme courut aussi tost à cette Dame, et s'estant fait reconnoistre : Courage, luy dit-il, Madame, vostre innocence est reconnuë. Les accusations de vostre marastre se sont trouvées fausses; et le Prince vostre mary, est au desespoir d'ignorer ce que vous estes devenuë. Cette Dame tesmoignant prendre plaisir à ce discours par un sousry modeste, leva les yeux au Ciel, pource qu'elle n'y pouvoit lever les mains; et les ayant tenus quelque temps ouverts, les ferma doucement, et laissa tomber sa teste contre son sein. Polexandre croyant qu'elle fust évanouïe, couppa les cordes de ses bras, tandis que le prisonnier couppoit celles des jambes; et lors qu'elle fut déliée il la coucha de son long. Dicée y arriva aussi-tost, et l'ayant considérée, dit au Roy son Maistre qu'elle estoit morte. Ce Prince eut de la peine à croire cette mauvaise nouvelle. Mais en ayant la confirmation par ses propres sens, il ne pût faire autre chose que regretter la perte de cette innocente; et demander au Ciel la punition de ses persecuteurs. Elle arriva au mesme instant, et voicy comment. Les matelots de Polexandre ayant descouvert un vaisseau Anglois qui venoit à eux, se mirent à crier, qu'ils alloient estre attaquez. Avant que nostre Heros se fut dégagé de sa saincte et charitable occupation, il vit fondre le navire Anglois au milieu des siens. Son prisonnier se doutant infailliblement de ce que c'estoit : Seigneur, dit-il à Polexandre, que l'arrivée de ces gens ne vous trouble point. Ils viennent pour secourir celle qui n'est plus en estat de l'estre; et si Dieu ne destourne la suite des mal-heurs commencez, je prevoy des morts encore plus violantes que les premieres. A peine eut-il achevé ces paroles, qu'il oüit des cris, et des lamentations effroyables dans le navire Anglois; et vit incontinant apres, un homme de bonne mine, et d'entre deux âges, qui tirant violamment une vieille femme par le bras, la contraignoit de le suivre. Vien, luy dit-il, cruelle et jalouse mere; Vien voir l'innocente Eolinde, dans le supplice que tes calomnies luy font souffrir. Ne t'excuze point sur l'excés de ton amitié. Les tourmens d'Eolinde fut l'ouvrage de ton envie, et de ton ambition. L'Amour que tu feints d'avoir pour moy, n'est que le masque trompeur souz lequel tu as tousjours caché la haine que tu as portée à cette innocente. Polexandre entre-voyant quelque lumiere parmy tant de tenebres, crût que l'Anglois qui se pleignoit, avoit besoin d'estre fortifié contre les assauts que la mort d'Eolinde et le desespoir luy alloient livrer. Il fut donc à luy, avec son prisonnier. Mais avant qu'il luy pûst dire un mot, l'Anglois appercevant le prisonnier : Altophe, luy dit-il avec fureur, qu'a t'on faict d'Eolinde? Seigneur, luy respondit l'autre en monstrant Polexandre, celuy que vous voyez devant vous l'avoit sauvée de la fureur de ses bourreaux; et vous seriez à la fin de vos desplaisirs, si le Ciel n'en avoit autrement disposé. Quoy! Eolinde est morte, s'escria cét Anglois. Ha! mere barbare. Ha! Ciel inexorable. En disant cela, il voulut passer sur le vaisseau où estoit celle qu'il regrettoit. Mais la vieille qu'il traisnoit apres soy, faisant de la resistance, il fut contraint de faire un effort pour l'obliger à le suivre. Comme il eut pié sur le bord de son navire, le cœur luy faillit. Il tomba la teste la premiere entre les deux vaisseaux, et entraina sa mere avec soy. Chacun se mit en peine de les secourir; et on esloigna les vaisseaux pour le faire plus facilement. Quelques matelots mesme se jetterent dans la mer, quoy qu'elle ne fust pas tout à fait calme; et chercherent si bien que l'un d'eux en revenant de dessouz l'eau, rencontra la mere de l'Anglois. Ceux qui s'estoient mis dans les chalouppes, le voyant reparoistre, furent à luy, et le tirerent avec sa proye. Mais ceste vieille Dame ne fut pas sauvée pour estre hors de la mer. Car, soit qu'elle se fust blessée en tombant, soit que son âge n'eust plus la vigueur qu'il falloit pour resister aux incommoditez qu'elle avoit receuës, elle rendit l'ame si tost qu'on l'eut portée dans le vaisseau de celle qu'elle avoit si cruellement persecutée. Pour son fils on ne le revit point depuis qu'il fut tombé; et eut le bon-heur en sa fin mal-heureuse, de ne pas survivre à sa chere Eolinde. [...]

## texte XII — L'Ariane (1639)

Le goût baroque aime les grands artifices d'opéra, les jeux du luxe et de la sensualité auxquels l'esprit s'amuse en restant parfaitement lucide. Le bain d'Ariane est un spectacle, d'autant plus piquant qu'il est clandestin; Ariane a honte d'être nue « comme si tant de choses inanimées eussent eu des yeux » : et de fait la scène a un témoin caché, Marcelin, dont l'auteur laisse deviner la présence (« Heureux les yeux mortels, etc. »). Le texte cité est extrait du Livre III.

Il estoit resté un scrupule en l'ame d'Ariane, d'avoir entré chez Emilie[1] : elle se croyoit profanée, et que son honneur pouvoit estre taché de ce reproche. A toute heure les propos que Melinte[2] lui avoit tenus pour la faire sortir de ce lieu, lui revenoient en l'esprit, et sembloient l'accuser : de sorte qu'elle se resolut de se faire purifier au Temple de Diane. Ce jour mesme elle en parla à la Prestresse, qui se nommoit Virginie, et luy dit le sujet qu'elle en avoit. Virginie luy promit la chambre des purifications pour le jour d'apres, mais le lendemain elle la remit au huictiesme jour, luy disant pour excuse que des Dames Romaines, qu'elle ne pouvoit refuser, vouloient se purifier durant ce temps. Ariane fut contrainte d'avoir cette patience, et lors que les huit jours furent passez, elle fut receuë en cette chambre avec Epicharis seulement pour la servir. Ce lieu estoit comme un second Temple adjousté au premier, plus petit

---

1. Fille galante dont Palamède, le frère d'Ariane, est amoureux.
2. Mélinte est l'amoureux aimé d'Ariane.

toutefois, et d'une figure ronde, dont l'exaucement [1] estoit assez grand, et qui par dehors paressoit finir en voûte : mais alors par dedans, un Ciel representé cachoit les arcs de la voûture.

Ariane introduitte par la Prestresse s'estonna d'y voir tant de richesses. Les tapisseries estoient à fonds d'or, et les figures de broderie de soye. Au milieu de la chambre estoit un lit, dont les pantes estoient de pourpre brodées d'or d'un ouvrage tres-riche, et les rideaux d'une estoffe incarnate à petites fleurs d'or. Aupres du lit estoit une cuve de marbre blanc proche du mur, d'où sortoient deux gros tuyaux d'or qui se pouvoient ouvrir et fermer, de l'un desquels se tiroit l'eau chaude, et de l'autre la froide. A l'un des costez de la chambre estoit un buffet chargé de vaisselles d'or, et de grands vases de mesme, enrichis de diamans, de rubis et d'esmeraudes; d'un autre costé estoit une table couverte d'un tapis de l'estoffe du lit, accompagnée de meubles de mesme, et au dessus un grand miroir de la plus superbe orfevrerie qui fust dans Rome. A costé de la cuve estoit une table chargée de vases de cristal et d'agathe, remplis d'eau de senteur de toutes sortes, avec les bassins de mesme, et quantité de linges pour servir au sortir du bain; le pavé de la chambre estoit de carreaux de marbre et de porphire de différentes façons.

Ariane apres avoir admiré ces choses si magnifiques, et ayant esté instruite par Virginie, des ceremonies qu'elle avoit à observer, fut laissée seule avec Epicharis. Incontinent elle osta ses habits, en disant les prieres qui luy avoient esté ordonnées; et lors qu'elle n'eut que la chemise avec un manteau qui la couvroit, elle s'approcha de la cuve, et en prit de l'eau par trois fois, qu'elle respandit par la chambre : puis elle descouvrit à nud son pied et sa jambe, qu'elle mit dans l'eau du bain. Ce fut alors que l'on vit disputer la blancheur de cette belle jambe avec celle du marbre : mais la vivacité qui animoit une chair si delicate, luy donna bien tost la victoire, et le marbre sembloit paslir de ce qu'il se voyoit vaincu. Ariane avoit caché dans l'eau ce beau pied, dont la petite forme possedoit tant de perfection, et mesme la jambe entiere; mais aussi tost elle la retira sentant l'eau froide, et redonna au jour ce chef-d'œuvre de Nature; puis ayant rendu l'eau tiede par le moyen des tuyaux, en sorte qu'elle se pouvoit mettre dedans en asseurance, elle osta la chemise avec crainte, aussi honteuse d'estre nuë, comme si tant de choses inanimées eussent eu des yeux; et voulant se mettre dans la cuve, par hazard elle jetta la veuë sur le grand miroir et fut surprise d'abord, croyant voir en cét endroit un tableau de Diane entrant dans le bain, qu'elle n'avoit point remarqué : mais aussi tost connoissant son erreur, elle s'estonna de se voir d'une beauté si parfaite. Car soit qu'elle considerast son visage, où la beauté, l'agréement qui charme les cœurs, et la douce majesté avoient respandu toutes leurs richesses; soit qu'elle regardast la juste longueur de ce col de neige, l'embonpoint de sa belle gorge, et ces deux globes divins qui ne sembloient enflez que de l'orgueil d'estre si parfaicts; soit qu'elle s'arrestast à voir la beauté de ses bras, et de ses delicates mains, ou le reste de son corps si bien proportionné, dont la blancheur universelle esbloüissoit ses yeux mesmes, son esprit également satisfait ne pouvoit juger quelle partie pouvoit ceder à l'autre. Elle fut quelque temps pleine de joye, estant ravie de se voir si admirable, mais soudain une honte la surprit, qui la fit accuser

---

1. L'exhaussement.

de se loüer ainsi; puis la consideration de ce beau corps, où elle ne trouvoit rien à redire, luy faisoit avoüer encore qu'elle estoit la plus belle du monde : et aussi tost sa pudeur la retiroit de tant de plaisirs, et la faisoit rougir, ne sçachant que resoudre sur les divers mouvemens de son ame. Heureux les yeux mortels qui voyent avec elle tant de merveilles, et à qui les incertitudes d'Ariane font prolonger ce bonheur. L'amour d'elle-mesme et sa modestie furent long temps à disputer ensemble et à la retenir debout devant ce miroir, ayant desja un pied sur la cuve, et ne tenant plus que d'un bras la robe qui la couvroit auparavant : mais en fin ne pouvant juger si elle estoit plus pleine de satisfaction que de honte, elle se mit dans l'eau, et y noya tous ces differens.

Lors qu'elle fut en repos, s'entretenant avec Epicharis des raretez qu'elles voyoient, elle fut estonnée que les fenestres commencerent à devenir plus obscures, comme si le Ciel se fust preparé pour un orage; et aussi tost elles sentirent tomber sur elles un douce pluye d'eau de senteur. L'admiration qui les surprit, de voir un effect si merveilleux en un lieu couvert, fut suivie d'une beaucoup plus grande, lors que tout à coup elles virent que le Ciel qui estoit representé au dessus de leurs testes, s'ouvrit, et emplit la chambre de lumieres. Incontinent elles entendirent un doux concert de voix qui chantoient les loüanges de Diane, et apres elles virent Diane mesme descendre peu à peu, ayant les cheveux troussez en chasseresse, un croissant de diamans sur le front, une robbe d'azur ceinte au dessous du sein, et qui ne la couvroit que jusques aux genoux, les jambes et les bras nuds, les pieds couverts de brodequins dorez, le carquois en escharpe, et l'arc en la main : quand elle fut en terre la musique cessa, et la Deesse s'approchant d'Ariane, qui estoit confuse d'estonnement, luy tint ce discours : Belle Ariane, vostre devotion m'est infiniment agreable : je loüe la pureté de vostre ame, qui n'a pû souffrir que l'on vous peust faire un simple reproche, qui avoit son excuse. Aussi je veux que celles qui m'adorent, soient non seulement Vierges d'effect et de pensée, mais encore que leur vertu soit au dessus des atteintes de la médisance. Toutefois, je vous deffends un vœu si austere; vous estes née pour estre femme, et en cét estat je vous aimeray tousjours, et vous rendray heureuse, puisque je n'aime pas moins les chastes mariages que les vœux de virginité. Je vous ay choisi un espoux qui vous mettra dans la plus grande felicité de la terre, et je veux que vous l'aimiez, si vous voulez vous rendre digne des faveurs que je vous feray. Adieu ma chere et bien-aimée Ariane, je vay vous envoyer des messagers qui vous prepareront à ne vous opposer pas à ce que je desire. En disant ces dernieres paroles elle la baisa au front, et incontinent elle remonta au mesme Ciel d'où elle estoit venuë.

Ariane estoit si troublée de ces merveilles, qu'elle ne pût luy responde un seul mot : la presence d'une si grande divinité, ses advis et ses promesses, avec la creance qu'elle avoit, qu'elle luy vouloit parler de Melinte, occupoient son ame, et l'empeschoient d'estre en son repos. Epicharis estoit d'un autre costé, s'estant esloignée de Diane par respect, et pleine d'admiration demeuroit immobile. Le Ciel s'estoit refermé ayant receu Diane, mais il se r'ouvrit pour faire descendre six petis Amours en volant, qui se soustenant en l'air tirerent leurs flesches dans le bain, lesquelles entrant dans l'eau l'allumoient, et en faisoient sortir de legeres flames. Ce feu fit peur à Ariane, mais il ne l'offença [1] nullement, et un peu apres les Amours revolerent au Ciel. Alors

---

1. La blessa.

la musique celeste recommança, chantant l'heur d'Ariane d'estre si favorisée de la Deesse : Aussi tost Diane descendit pour la seconde fois, soustenant un homme qui paressoit un Dieu, estant tout brillant d'or et de pierreries. Elle s'approcha encore d'Ariane, et luy dit : Vertueuse Ariane, voicy l'Espoux que je vous presente, je cognois vostre courage et vostre sagesse : vous ne pouvez jamais satisfaire la generosité que vous donne la noblesse de votre sang, que par les grands honneurs et les richesses qu'il possedera, ny voir vostre vertu contente que par celle qui l'accompagnera toute sa vie : recevez-le de ma main, et asseurez vous que m'obeïssant, vous joüirez ensemble du plus grand bonheur qui se soit jamais goûté sur la terre. Ariane pleine d'une nouvelle surprise, et voyant une Deesse dont l'esclat et les discours rendoient son ame confuse, ne songeoit pas qu'elle estoit nuë devant un homme : mais quand r'asseurant sa veuë elle recognut que c'estoit Marcelin, alors elle reprit ses sens, et perdant tout respect pour la Deesse, sortit de l'eau, mettant un grand linge autour d'elle, et toute moüillée se cacha dans le lit, s'envelopant en sorte qu'elle ne pouvoit estre ny veuë ny touchée. Diane remonta au Ciel, et laissa achever le reste à Marcelin[1], lequel ayant soin de la santé d'Ariane, voulut, avant que de luy parler, qu'Epicharis l'essuyast; et cependant qu'elle s'employoit à cét office, il aborda sa Maistresse avec ces paroles : Pourquoy vous cachez vous de moy, divine Ariane? je ne suis point effroyable : autre que vous au monde ne me fuit; j'ay de la noblesse et des honneurs : Ne me mesprisez pas, belle Ariane, vous voyez que les hommes et les Dieux conspirent pour me rendre puissant et heureux. Je suis aimé, non seulement de l'Empereur, mais encore de la Divinité que vous adorez; comment luy oserez vous desormais adresser vos prieres, si vous ne faites pas ce qui luy plaist? Vous connoissez de quelle sorte elle approuve la violente passion que j'ay pour vous; cruelle, fleschissez la cruauté de vostre cœur, et vous rendez sinon aux prieres des hommes, au moins au conseil des Dieux : pensez vous faillir en suivant leur advis, et esperez vous vivre contente sur la terre en ne les suivant pas? Plus Marcelin continuoit son discours, plus Ariane se cachoit dans le lict : mais luy, voyant que ses paroles estoient inutiles, il continua celles-cy : Helas! Ariane, je ne veux point tirer advantage du secours des Dieux; je veux estre redevable à vostre seule faveur de toute ma fortune : donnez moy quelque esperance qui soulage l'ardante affection qui me tourmente. Puis se couchant sur le lict comme mourant d'amour, il disoit : Secourez moy, belle Ariane, donnez moy la vie : je me meurs de vous voir si cruelle, et ne suis reduit à ce poinct que pour vous adorer avec trop de respect. Mais Ariane estant sourde à tant de supplications, le contraignit en fin de s'escrier : O Dieux! ô Amours! accourez et ne permettez pas que je meure de la blesseure que vous m'avez faite. Alors le Ciel s'ouvrit encore, et les six Amours descendirent; dont trois demeurerent pour arrester Epicharis, et trois autres volerent sur le lict, se mettant en devoir de descouvrir Ariane, et de la rendre au pouvoir de Marcelin. Cette Belle n'eut recours qu'à ses cris. Ha! Dieux, dit-elle, estes vous complice d'une telle meschanceté? Elle se deffendoit le mieux qu'elle pouvoit des efforts de Marcelin, taschant à luy deschirer le visage; mais ses forces eussent esté bien vaines, les Amours luy tenant desja les bras, sans le secours de Virginie, qui ouvrit la porte de la chambre, suivie de quelques filles qui avoient entendu la voix d'Ariane, et d'Epicharis appellans à leur ayde. Elle courut incontinent devers Marcelin, et l'arrestant, luy dit : Ah! Dieux quelle fureur! Est-ce là le serment que vous m'aviez faict?

---

1. Favori de Néron; il avait essayé de faire assassiner Palamède et Mélinte.

Allez, sortez d'icy, profane, je renonce à vostre amitié pour jamais. Marcelin respondit à la Prestresse : Mon dessein estant legitime, et favorisé des Dieux, les effects n'en pouvoient estre criminels : Mais puisque vous m'empeschez, je retourne vers les Dieux, qui me vangeront, et mal gré vous me donneront Ariane. Alors il remonta au Ciel, qui s'ouvrit comme auparavant, et se referma. Cependant Ariane qui croyoit avoir esté divinement secouruë, comme divinement elle avoit esté surprise, ne sçavoit quelle Deité remercier, ny quelle destester, puisque Diane mesme estoit complice du malheur qu'elle avoit esté sur le point de souffrir : et pleine de confusion se laissoit habiller par Epicharis et ces filles, qu'elle jugeoit autant de Nimphes, et à qui elle faisoit mile excuses d'endurer l'honneur qu'elles luy faisoient. En fin elle les remercia de leurs secours : et pleine encore de desordre, de honte, et de despit, elle sortit du Temple pour se sauver chez Maxime [1], où aussi tost elle conta son avanture à son frere et à Melinte. Chacun faisoit là dessus des jugemens differens : Ariane estoit tellement preoccupée de ces Divinitez, et de ces lumieres, que d'un costé elle craignoit d'avoir offensé Diane; de l'autre elle estoit bien resoluë de ne luy point obeïr. Epicharis asseuroit que jamais Diane et toutes les merveilles du Ciel n'apparurent si visiblement à personne qu'à elles. Palamede croyoit qu'elles ne controuvoient pas toutes ces particularitez, et s'estonnoit avec elles d'une chose si peu ordinaire. Mais Melinte qui avoit l'esprit plus penetrant, et qui ne pouvoit s'imaginer que Diane prist soint des affaires de Marcelin, qui estoit un assassin et un traistre, les pria de croire que ce n'estoit plus le temps de voir des Deitez en terre et qu'il y avoit de la tromperie cachée là dessous [2].

---

1. Ami de Palamède; c'est chez lui que logent Ariane et son père.
2. C'est Virginie en effet qui avait tout machiné : elle était la sœur de Marcelin.

## texte XIII  Cassandre (1642)

L'amour se confond avec le devoir chez les grandes âmes, et mieux vaut la mort qu'une vie déshonorée par le reniement de l'amour, surtout lorsque cette mort peut sauver la vie de l'être que l'on aime. Statira (qui s'appelle aussi Cassandre) et Oroondate sont prisonniers de Roxane et de Perdiccas : ils peuvent sauver leur vie s'ils renoncent à leur amour, Statira pour épouser Perdiccas, Oroondate pour épouser Roxane : ils préfèrent mourir; leur fierté irrite la colère de leurs geôliers, mais Perdiccas ne peut punir Oroondate qu'en se faisant de Roxane une ennemie, et Roxane ne peut punir Statira qu'en s'attirant la haine de Perdiccas. Les deux âmes héroïques et les deux âmes violentes exécutent ainsi un ballet dont les figures symétriques sont une noble rivalité, des menaces parallèles, un brusque renversement, des menaces réciproques; cette habileté de la mise en scène nuit un peu à la vraisemblance et à la profondeur de la psychologie. Le texte cité est celui de l'édition publiée à Paris, chez Montalant, en 1731; il figure au tome X, Livre Second. Sur La Calprenède, voir tome I, pp. 169-175.

[...] Et la grande Reine [1], et le courageux Prince des Scythes [2], furent également touchez des discours de leurs ennemis, et s'ils craignirent à leurs menaces, ils craignirent l'un et l'autre pour la personne aimée, et non pas pour la sienne propre : on vit toutes-fois paroître un mépris égal sur leurs visages, et le sexe d'Oroondate ne lui donna

---

1. Statira.
2. Oroondate.

pour lors aucun avantage par dessus cette généreuse Princesse : ils ouvroient tous deux la bouche pour expliquer leur pensées à même-temps, mais le Prince qui connut que la Reine s'y disposoit, garda le silence par respect, et la laissa parler la premiere. Je n'ai point douté, dit-elle à Roxane, qu'après vous être portée à des crimes dont vous avez deshonoré vôtre sexe, et le rang que vous avez tenu, et après vous être alliée contre le sang de vos Princes, et contre les vrais amis du Roi vôtre époux, de ses meurtriers et de ses empoisonneurs, vous ne puissiez vous abandonner aux dernieres cruautez : c'est une digne fin de vos glorieux commencemens, et il est à propos que vous ne laissiez plus au monde celle que sans honte et sans remords vous n'y pourriez jamais regarder, mais vous avez eu tort si vous avez cru que par quelques menaces vous me pussiez faire perdre ce que je tiens mille fois plus cher que tout ce que vous me pouvez ôter : autresfois par vos artifices vous n'y avez que trop bien réussi, mais vos cruautez ne feront pas maintenant le même effet, et par vos premieres actions vous m'avez rendu la vie trop peu chere pour croire que je puisse être intimidée par la menace que vous me faites de me l'ôter. Le Prince de Scythie prit la parole dès que la Reine cessa de parler, et regardant Perdiccas avec dédain : Ces voyes, lui dit-il, par lesquelles tu me veux ôter ma Princesse, sont dignes de la grandeur de ton courage, et sans doute il n'eût pas été glorieux pour toi de la disputer contre un rival, par ton sang, et par tes services : tu la veux maintenant acquerir plus noblement, et tu te rends digne d'elle en déployant ta valeur contre un prisonnier, contre un homme seul et lié ; mais contre un homme qui t'a déja fait fuïr par deux fois, et à qui par deux fois tu es redevable de la vie. Ces paroles picquerent Perdiccas de telle sorte, qu'à peine eut-il le pouvoir de se retenir davantage : mais le dessein qu'il avoit fait de complaire encore à Roxane pour quelques momens, lui fit differer les effets de sa colére. Ceux qui me connoissent, lui dit-il, ne croiront jamais que j'aye fuï devant un barbare, et je désavouë ces bons offices desquels tu veux que je te sois redevable : mais ce n'est pas ici que nous en devons être éclaircis, et tu n'as maintenant que le tems de songer à la proposition que je t'ai faite : Si Statira aime sa vie, elle se doit maintenant résoudre, ou par tes conseils, ou par son propre mouvement. Et si Oroondate aime celle de Statira, ajoûta Roxane, il n'a que quelques momens à déliberer pour sa perte ou pour sa conservation. A ces cruelles paroles, ces illustres et infortunez amans se virent reduits à de pitoyables termes, et toute la constance de laquelle ils s'étoient fortifiez, ne les put défendre contre une douleur trop légitime : ils étoient très resolus à mourir l'un et l'autre, et l'amour de leur propre vie n'étoit pas capable de les toucher ; mais ils ne pouvoient ni l'un ni l'autre se disposer à la perte de ce qu'ils aimoient, et cette résolution qu'ils devoient prendre ne pouvant s'établir dans leurs esprits sans de grandes contestations, et sans de grandes violences, les retint quelque temps et muets et immobiles : ils faisoient toutesfois parler leurs yeux par des regards qui expliquoient assez éloquemment leurs pensées ; mais quand ils eurent demeuré quelque-temps en cet état, le Prince attachant les siens sur le visage de sa Reine, avec une action toute tendre et toute passionnée : Ma belle Reine, lui dit-il, vous suivrez pour la sureté de vôtre vie les voyes qui vous déplairont le moins, mais pour la conservation de la mienne je ne cesserai jamais de vous aimer. Mon cher Prince, lui répondit la Reine, vous vivrez si vous pouvez vivre sans moi, mais je suis très resoluë de mourir pour vous, et je ne vous demande point que vous viviez pour Roxane. Non, ma Princesse, reprit Oroondate, je ne vivrai point pour elle, et vous mettez maintenant ma mort dans un tel degré de félicité, que la plus heureuse de toutes les vies ne lui seroit pas comparable ; mais si vous ne trouvez pas juste que je vive pour Roxane, je trouve encore moins juste que vous mouriez pour Oroondate : mille vies comme la sienne ne peuvent payer un moment de la vôtre, et par sa perte vous lui feriez trop acheter la gloire que vous lui donnez. Je ne vous demande pas toutesfois que vous viviez pour Perdiccas, il est indigne de cette fortune, et ce n'est pas pour son avantage que je veux mourir : mais possible que les Dieux donneront au reste de vos jours une condition plus heureuse, et que par le secours du Prince vôtre frere, et celui de nos amis, vous recouvrerez et la liberté et une partie de vos premieres dignitez. Défends-la, Perdiccas, au nom des Dieux, continua-t-il, défends-la contre la cruauté de Roxane, tu n'as que ce moyen seul pour la reparation de tes crimes : par là tu peux obtenir le pardon de ces puissans ennemis qui sont à tes portes, et à cette condition, Perdiccas, je te pardonne ma mort de bon cœur. Ah! s'écria la Reine, injuste Oroondate, pourquoi m'enviez vous le dernier de mes contentemens, et pourquoi vous voulez-vous opposer à la seule voye qui me reste pour m'acquitter d'une partie de ce que je vous dois, et pour vous ôter la créance que vous avez euë que je ne vous avois pas assez aimé [1] : vous avez abandonné parens, empire, fortune, et vie pour moi seule : vous avez tout exposé, et tout sacrifié pour moi, et dans tout le cours de ma vie je ne me suis vûë que seulement aujourd'hui en état de vous faire paroître combien je suis sensible à vôtre amour et à vos services : ma mauvaise fortune, et la calomnie de nos ennemis traverserent les premieres reconnoissances que je vous devois : mon devoir s'est du depuis opposé à celles que vous avez pû désirer de moi, mais maintenant rien ne s'oppose aux dernieres preuves que je vous veux donner de mon affection, elles me sont permises et par l'honneur, et par la mémoire d'Alexandre, et je ne crains plus enfin de vous faire connoître par ma mort ce que par le passé l'état de ma condition m'a défendu de vous témoigner par des faveurs. La Reine en eût possible dit davantage, si l'impatient Perdiccas ne l'eût interrompuë, lorsque Roxane aussi transportée que lui étoit sur le point d'en faire de même. Quoi, Madame, lui dit-il, d'un visage tout changé : c'est donc là vôtre derniere résolution, et c'est tout ce que je puis enfin espérer de l'indulgence qu'à vôtre considération j'ai euë pour mon ennemi! Oüi, Perdiccas, lui repartit la Reine, c'est là ma derniere résolution, tout ce que tes menaces ont de plus cruel n'est pas capable de l'ébranler, et ce sera enfin par ma seule mort que tu me separeras d'Oroondate. Ce sera plutot par la sienne s'écria Perdiccas, et toutes les considérations du monde ne sont pas capables de me la faire differer davantage. Meurs, continua-t-il, se tournant vers le Prince, meurs barbare que je n'ai que trop épargné, et rends moi par ton sang le repos que tu m'as ôté. A ces mots, il tira son épée du fourreau, et s'avançant vers Oroondate, il alloit la lui enfoncer dans l'estomac, lorsque Roxane qui par ses dernieres paroles avoit prévu son action, se saisit de la javeline d'un de ses gardes, et la portant contre le sein de la Reine Statira : Arrête, cria-t-elle, arrête Perdiccas, Statira est morte si tu touches Oroondate. A cette parole, Perdiccas retint son bras pour tourner la tête du côté de Roxane, et la voyant en cette furieuse posture, et la belle Reine au dernier péril de sa vie, il demeura suspendu entre les mouvemens de sa colére et de son amour. Oroondate dédaignant la mort qu'il avoit devant les yeux, ne songea pas seulement à l'action de Perdiccas, et tournant toutes ses pensées à celle de Roxane, et au danger de sa Reine : Ah! Perdiccas, s'écria-t-il, la Reine est morte si tu ne cours à son secours, ôte là des mains de Roxane, et après donne moi la mort avec assurance.

---

1. Les intrigues de Roxane avaient amené un malentendu entre Statira et Oroondate, et Statira avait été contrainte d'épouser Alexandre.

La constance de la Reine n'étoit pas moindre que celle d'Oroondate, et regardant Roxane avec mépris : Frappe, lui disoit-elle, frappe fille de Cohortan la fille de Darius et la femme d'Alexandre, et perce au travers de ce cœur l'image d'Oroondate qui te méprise. Ces paroles de l'un et de l'autre étoient bien capables de faire quelque effet sur l'esprit de leurs ennemis, mais ce fut leur amour qui l'emporta pour lors sur leur colére, et ils désirerent moins la mort de ce qu'ils haïssoient, que la vie de ce qu'ils aimoient. Perdiccas quittant Oroondate, se jetta avec beaucoup de promptitude au devant de la javeline de Roxane, et Roxane laissant sa rivale, se mit au devant d'Oroondate. Tu ne mourras pas, lui dit-elle, et tout ingrat que tu es, je défendrai ta vie comme la mienne propre. Je te sens peu de gré de ce soin, lui dit Oroondate, et tout le secours que je puis recevoir de toi ne peut être que tres-odieux après t'avoir vû porter ce fer contre le sein de ma Princesse : j'aime bien mieux Perdiccas tout mon ennemi qu'il est, et par les bontez qu'il a pour ma Reine, je lui pardonne facilement toute la cruauté qu'il a pour moi : c'est à lui seul que je dois être obligé de mon véritable salut, puisque cette vie qu'il a attaquée ne m'est pas considérable au prix de celle qu'il a défenduë. Roxane trouvoit dans ce discours assez de matiere de redoublement à sa colére, et à ses ressentimens contre Oroondate, mais elle ne pouvoit se disposer par ce ressentiment à l'abandonner à la rage de Perdiccas, et Perdiccas par les mépris de Cassandre ne pouvoit se resoudre à l'exposer à la cruauté de Roxane. Ils se regardoient l'un et l'autre avec des yeux embrasez de colére, et se tenoient à la tête de leurs gardes en la posture de personnes prêtes à décider leurs contestations par le sang de leurs hommes. Ils demeurerent quelque-tems dans l'irrésolution, et possible que la violence de leur courroux les eût à la fin portez aux derniers malheurs, si Alcetas et Peucestas, malgré la résistance de ceux qui s'y étoient opposez, ne fussent pour lors entrez dans la chambre. [...]

*Madeleine DE SCUDÉRY*

---

texte XIV     # Le Grand Cyrus (1649)

Aglatidas et Amestris s'aimaient, leurs parents avaient décidé leur mariage. Mais la jalousie d'Aglatidas fit tellement souffrir Amestris qu'elle finit par épouser Otane, sans démêler elle-même les sentiments qui la poussaient à cet acte. M^lle de Scudéry, tant par goût du romanesque que pour ménager les belles âmes de ses héros, n'a pas voulu que la jalousie d'Aglatidas fût seulement une passion morbide : le hasard, une série de coïncidences, une lettre équivoque d'Amestris, les apparences lui fournissent un aliment et quelque sorte de raison. Le hasard, aidé par une amie commune, est encore à l'origine de la rencontre ci-dessous décrite : mais seuls les caractères en commandent le déroulement, et rien ne vient affaiblir la rigueur dramatique avec laquelle ils s'opposent. Les paradoxes d'Aglatidas ne sont pas des sophismes précieux, ils sont les justifications passionnées d'un homme qui s'est torturé lui-même; et la déclaration d'amour qu'Amestris accompagne de la décision de ne plus jamais revoir Aglatidas de sa vie annonce la conduite de M^me de Clèves envers le duc de Nemours et, mieux encore, celle de Julie de Wolmar envers Saint-Preux.

Le texte, tiré du Troisième Livre, est celui de la *Troisième Edition, reveuë et corrigée, à Paris, chez Augustin Courbé*, 1653. Sur M^lle de Scudéry, voir tome I, pp. 175-181.

[Ménaste vient de déclarer à Amestris qu'elle l'a conduite dans le jardin où elles se trouvent pour l'y faire rencontrer Aglatidas; après un instant de désarroi, Amestris décide de fuir une rencontre si dangereuse.]

[...] En disant cela, elle commença de marcher pour s'en aller : lors que Ménaste la retenant, luy fit prendre garde que j'arrivois. Elle ne me vit pas plustost, qu'elle essuya ses larmes : et se destournant à demy pour se cacher de moy, j'eus loisir de me jetter à genoux, auparavant qu'elle se fust entierement remise. Je creus bien, Seigneur [1], que j'avois quelque part en la douleur que je remarquay sur le visage d'Amestris; ce qui augmenta si fort la mienne, qu'à peine pus-je ouvrir la bouche pour luy parler. Neantmois apres m'estre fait quelque violence : Vous voyez à vos pieds, luy dis-je, Madame, le plus criminel, le plus innocent, et le plus mal-heureux de tous les hommes : qui comme criminel, vient vous demander punition; qui comme innocent, vient pour se justifier devant vous; et qui comme malheureux, vient du moins chercher en vostre compassion, quelque soulagement à ses maux. Ce n'est pas, Madame, que je cherche à vivre : mais je cherche à mourir, et plus doucement, et plus glorieusement tout ensemble. Cela sera ainsi, divine Amestris, poursuivis-je, si vous voulez seulement m'avoüer, que je n'ay pas merité mon infortune, et que vous ne m'aviez pas jugé indigne d'un destin plus heureux. Je ne sçay Aglatidas, me respondit-elle en me relevant, ny ce que je vous dois respondre, ny mesme si je vous dois escouter, mais je sçay bien tousjours, que vous estes la seule cause de vos malheurs et des miens. Car enfin, Amestris n'estoit point une personne de qui l'on deust estre jaloux. Quoy Madame, luy dis-je, j'eusse pû démentir mes propres yeux! j'eusse pû me fier malgré leur tesmoignage, à mon merite et à vostre bonté! Ne sçavez vous pas Madame, qu'excepté la derniere fois que j'eus l'honneur de vous parler, vous ne m'avez jamais rien dit qui peust me faire croire fortement que je n'estois pas mal dans vostre esprit? Que vouliez vous donc, Madame, qui soustinst ma foiblesse en cette occasion? si j'eusse receu diverses preuves de vostre affection, j'eusse esté coupable de vous soubçonner d'inconstance : Mais qu'avois-je, Madame, de si engageant pour vous, qui me peust donner une grande seureté? J'avois veritablement entendu quelques paroles favorables : l'on m'avoit permis de les expliquer à mon advantage; et j'avois receu quelques Lettres civiles et obligeantes : Mais Madame, estoit-ce assez pour démentir mes yeux? Et ma passion eust elle esté digne de vous, si j'eusse pû raisonner sans preoccupation en cette rencontre? Non Madame, pour vous aimer parfaitement, il falloit perdre la raison comme je la perdis : et il falloit conserver le respect, comme je le conservay. Car enfin, je ne me suis point plaint devant le monde; j'ay pleuré en secret; j'ay cherché la solitude pour soûpirer : et quand je suis revenu à Ecbatane, j'y suis revenu par force. Vous y estes revenu (me dit alors Amestris en m'interrompant, et en changeant de couleur) pour servir Anatise à mes yeux, et pour me forcer malgré moy à recevoir une passion [2], qui ne peut estre dans une ame, qu'elle n'y soit precedée par une autre. Ha, Madame, luy dis-je, ne me reprochez point la seule faute que j'ay faite, mais que j'ay faite par le conseil d'autruy; il est vray, j'ay feint d'aimer Anatise : mais ç'a esté parce que je vous aimois tousjours. Cette amour aparente n'estoit qu'un effet d'une amour veritable; et je ne sçay comment l'adorable Amestris a pû se laisser tromper par un artifice si grossier, et où j'aportois si peu de soin. Ne pensez pas, Madame, que j'aye prophané les mesmes paroles que j'ay employées à vous persuader mon affection, et que je m'en sois servy aupres d'Anatise. Non, je ne luy ay jamais dit que je l'aimois : je luy ay laissé expliquer ma melancolie comme il luy a pleû; mais je n'ay jamais pû luy dire *je vous aime*. J'avoüe que je l'ay voulu quelques fois : mais malgré moy, mon cœur et ma bouche vous ont esté fidelles. Enfin Madame, je puis

---

1. Aglatidas raconte son histoire à Artamène.
2. La jalousie, qui suppose l'amour.

vous assurer, que je ne vous ay jamais donné de si grandes preuves d'amour, que lors que vous n'en avez point receu. Ouy Madame, quand je vous fuyois; quand vous croyiez que je cherchois Anatise; c'estoit lors que je vous donnois des preuves convainquantes de la grandeur de mon affection. Car enfin, que j'aye aimé la plus belle personne du monde, tant qu'elle m'a esté favorable, ce n'est pas une chose fort extraordinaire : mais que j'aye continué de l'aimer, lors que je croyois qu'elle m'avoit abandonné, qu'elle m'avoit trahy, et qu'elle en aimoit un autre; et que de peur de luy monstrer ma foiblesse, j'aye esvité sa rencontre, et j'aye fait semblant d'aimer ailleurs : ha, Madame, c'est là ce qui fait voir que rien ne peut faire finir ma passion que la mort, et que vous regnerez dans mon cœur eternellement. Amestris, pendant ce discours, tenoit les yeux abaissez, puis les relevant tout d'un coup, avec une melancolie extréme : Ne vous justifiez pas davantage, me dit elle, car vous ne l'estes desja que trop dans mon esprit : et laissez moy employer le peu de moments qui me restent pour vous entretenir, à vous dire avec ingenuité mes veritables sentimens. Je voudrois bien, luy dis-je, Madame (si cela se peut sans perdre le respect que je vous dois) vous suplier auparavant de ne me desesperer pas, et de me laisser mourir, avec un peu moins de violence. Je voudrois bien mesme, poursuivis-je, vous demander pourquoy, lors que vous m'avez creû coupable, vous vous en estes vangée sur vous mesme? Ne pouviez vous trouver un suplice où je souffrisse seul la peine que vous pensiez que je meritois? Que ne m'ordonniez vous plustost de mourir à vos yeux? Et pourquoy, Madame, faloit il vous rendre malheureuse pour me punir? Il le faloit, me respondit-elle, parce que je ne pouvois, selon mon opinion, vous rendre malheureux de cette sorte, sans me justifier dans vostre esprit; et que je ne croyois pas le pouvoir faire plus seurement qu'en espousant Otane, que vous sçaviez bien que je n'aimois pas, et dont je sçavois bien assurément que vous n'estiez point jaloux. Ha, Madame, luy dis-je, que venez vous de me dire? Et faloit-il qu'Aglatidas entendist encore de vostre bouche de si cruelles paroles? Quoy Madame, Otane, ce mesme Otane que j'ay veû estre l'objet de vostre aversion, peut il estre Mary d'Amestris? Ouy, me respondit elle, puis qu'Aglatidas l'a voulu. De grace Madame, luy dis-je, ne m'attribuez pas un pareil sentiment : et croyez au contraire, que si vous laissiez agir librement Aglatidas, Amestris ne seroit pas long temps Femme d'Otane. Je prononçay ces paroles avec une violence, dont je ne pus pas estre le Maistre : Mais Dieux! je fus bien estonné, lors que je vy Amestris se reculer d'un pas, et me regarder d'un air imperieux, où il ne paroissoit guere moins de colere que de tristesse. Sçachez Aglatidas, me dit elle, que comme je n'ay pas changé de sentimens pour vous, je n'ay pas aussi changé de vertu. Je suis tousjours la mesme personne que vous avez connuë : c'est à dire, incapable de toute injustice. Je vous ay aimé, je l'avoüe : mais je vous ay aimé sans crime. Ne pensez donc pas, qu'encore que j'aye toûjours eu de l'aversion pour Otane, et que je ne l'aye espousé que par un sentiment que je ne puis moy mesme exprimer, je puisse jamais desirer de n'estre plus sa Femme : je voudrois sans doute ne l'avoir point esté; mais puis que je la suis, il faut que je vive comme l'estant. Et pour ne vous tromper point, sçachez (poursuivit-elle, les yeux tous pleins de larmes, qu'elle vouloit retenir) qu'il faut que je vive le reste de mes jours avec Otane, que j'ay tousjours haï, comme si je l'aimois; et avec Aglatidas, que j'ay tousjours aimé, comme si je le haïssois. Quoy Madame, luy dis-je, il faut que vous viviez avec Aglatidas, comme si vous le haïssiez! Et quelle severe vertu vous peut imposer une telle loy? Non non, Madame, luy dis-je, ne craignez rien de ma violence : et ne me punissez pas si cruellement, d'une parole prononcée contre ma volonté, et sans dessein de l'executer. J'ay voulu faire perdre

la vie à Megabise, parce que je croyois que vous l'aimiez : mais je n'attenteray pas
à celle d'Otane, que vous n'avez point aimé, et que je veux esperer que vous n'aimerez
jamais. Qu'il vive donc cét heureux Mary de la belle Amestris, pourveû qu'elle souffre
que je la voye quelquefois, et que je la face souvenir de ces glorieux moments, où
par la volonté d'Artambare [1], je pouvois esperer d'occuper la place qu'Otane occupe
aujourd'hui. Qu'il la possede en paix, adjoustay-je, cette glorieuse place, puis que
les Destins l'ont voulu, mais laissez-moy aussi posseder en repos ce que vous m'avez
donné. Laissez moy, Madame, joüir de quelque legere ombre de felicité, dans les derniers
moments de ma vie. Vous pouvez, si vous le voulez me conduire à la mort, comme
l'on y conduit les Victimes, c'est à dire avec des chants d'allegresse, et des Couronnes
de fleurs. Ouy Madame, je mourray avec joye et avec gloire, si vous souffrez seulement
que je vous rende conte de mes douleurs : et ne craignez pas que je desire jamais de
vous rien qui vous puisse déplaire. Non divine Amestris, je ne veux qu'estre escouté
favorablement dans mes plaintes : ou tout au plus, je ne veux qu'estre consolé, par
quelques paroles de tendresse. Vous escoutastes Megabise que vous n'aimiez pas,
refuserez vous la mesme grace, à un homme que vous n'avez pas haï, et que peut-estre
ne haïssez vous pas encore? C'est pour cette raison, reprit-elle, que je vous dois tout
refuser : Car enfin, Aglatidas, je vous ay aymé, et je ne vous puis haïr : de sorte que
c'est pour cela, que je me dois deffier de mes propres sentiments. Ce n'est pas, pour-
suivit elle (et les Dieux le sçavent bien) que quelque affection que je pusse avoir pour
vous, je pusse jamais manquer à rien, ny de ce que je dois à Otane, ny de ce que je
me dois à moy mesme : Mais apres tout, ne pouvant plus estre à vous, je ne dois plus
continuer de vous voir ny de vous aimer. Quoy Madame, luy dis-je, vous pretendez
donc me haïr? Je ne le pourrois pas quand je le voudrois, me respondit-elle; mais
je puis m'empescher de vous parler. Ha si vous le pouvez, luy dis-je, vous ne m'aimez
plus : et prenez garde, Madame, de renouveller la jalousie dans une ame desesperée,
et de me persuader que peut-estre les tresors d'Otane ont touché vostre cœur. N'excitez
pas, Madame, une si violente passion dans mon esprit : et pour l'empescher, donnez
moy un peu moins de marques d'indifference. Car enfin, Madame, si vous achevez
de me desesperer, je perdray de nouveau entierement la raison, comme je l'avois perduë
dans ma premiere jalousie, et ne conserveray peut-estre pas tout le respect que j'ay
tousjours conservé. Dittes moy donc, adorable Amestris, que vous ne me haïssez pas,
que vous voulez bien que je vous aime, et que vous souffrirez que je vous die quelques
fois que je meurs pour l'amour de vous. Je vous diray, me respondit-elle, bien davantage,
car je vous advoüeray que j'estime Aglatidas comme je le dois estimer, que je l'aime
autant que je l'ay jamais aimé, et que je l'aimeray mesme jusques à la mort. Mais
apres tout cela, il faut ne me voir plus de toute vostre vie, et tout ce que je puis faire
pour vous, c'est de vous permettre de croire, lors que vous apprendrez ma mort (qui
à mon advis arrivera bien-tost), que la seule melancolie l'aura causée, et que mes
dernieres pensées auront esté pour Aglatidas. Voila, me dit-elle, tout ce que je puis;
et peut-estre mesme plus que je ne dois; c'est pourquoy n'esperez rien davantage.
Qui vit jamais, luy dis-je, Madame, une pareille advanture à la mienne? Vous dittes
que vous m'avez aymé, et que vous m'aymez encore : Vous dittes mesme que vous
mourrez en pensant à moy, et pourquoy donc ne voulez-vous pas vivre en m'escoutant
quelquesfois? C'est parce que je ne le puis, me respondit-elle, sans offenser un peu

---

1. Père d'Amestris.

la vertu, et sans exposer ma reputation. Vostre innocence, luy dis-je, ne suffit elle pas pour vous satisfaire? Nullement, me respondit Amestris; et il faut paroistre ce que l'on est. Paroissez donc, luy dis-je, bonne et pitoyable, s'il est vray que vous la soyez. Paroissez-vous mesme, repliqua-t'elle, raisonnable et genereux, si vous estes tousjours ce que vous estiez. Mais le moyen, Madame, de ne nous voir plus? luy repliquay-je. Mais le moyen, reprit-elle, de se voir, pour se voir toûjours infortunez? Les larmes, luy dis-je, que l'on mesle avec celles de la personne aimée, n'ont presque point d'amer-tume. Et les douceurs, interrompit-elle, où la vertu trouve quelque scrupule à faire, ne sont plus douceurs pour moy. Vous voulez donc, Madame, luy dis-je, qu'Aglatidas ne vous voye plus, et peut-estre ne vous aime plus? Je devrois en effet souhaitter cette derniere chose comme la premiere, reprit-elle; mais j'advoüe que je ne le puis. Que voulez vous donc qu'il face? luy dis-je. Je veux, respondit Amestris, qu'il m'aime sans esperance; qu'il se console sans me voir; qu'il vive sans chercher la mort; et qu'il ne m'oublie jamais. En disant cela, elle me voulut quitter : mais je luy pris la main malgré elle; et la retenant par force en me jettant à genoux : Au nom des Dieux, Madame, luy dis-je, accordez moy ce que je vous demande, ou ne me deffendez pas de chercher la mort. Je ne puis plus vous rien accorder, me dit-elle, car la gloire veut que je vous refuse ce que vous souhaitez : et mon affection demande que vous viviez, au moins tant que je vivray. Ayez patience Aglatidas, adjousta-t'elle, le terme ne sera peut-estre pas long. Ha Madame, luy dis-je, ne parlez point de vostre mort : oubliez plustost le mal-heureux Aglatidas, que de faire entrer au Tombeau la plus belle per-sonne du Monde. Vous feriez mieux, interrompit-elle, de la nommer la plus infortunée. Et peut-estre aussi, adjoustay-je, la plus injuste, et la plus inhumaine. Mais au nom de ces mesmes Dieux que j'ay desja invoquez, Madame, luy dis-je, souffrez au moins que je vous parle encore une fois. Adieu Aglatidas, me dit elle, adieu; je commence à sentir que mon cœur me trahiroit, si je vous escoutois davantage, et que je ne dois pas me fier plus long temps à ma propre vertu contre vous. Vivez, adjousta-t'elle, si vous pouvez : n'aimez qu'Amestris s'il est possible, et ne la voyez jamais plus. Elle vous en prie, et mesme si vous le voulez, elle vous l'ordonne. En achevant de prononcer ces tristes paroles, elle me quitta toute en larmes, et tout ce que je pûs faire, fut de luy baiser la main, qu'elle retira d'entre les miennes, avec assez de violence.

*Catherine* BERNARD

texte XV  Eléonor d'Yvrée (1687)

Le devoir est plus fort que l'amour : cette scène où l'héroïne renonce douloureusement
au bonheur et dit adieu à celui qu'elle aime rappelle *La Princesse de Clèves*, avec un pathétique un peu plus sentimental. L'action se déroule au Moyen Age, au temps de l'empereur
d'Occident Henri II, mais rien ne le laisse deviner. Sur Catherine Bernard, voir tome I,
pp. 292-295, et sur *Eléonor d'Yvrée* le jugement de Fontenelle, ci-dessus texte 27.

[Le duc de Misnie a cru Eléonor infidèle. Il s'arrange pour la rencontrer seule.]

D'abord Eleonor crut qu'elle devoit prendre quelque prétexte pour ne le recevoir
pas. Son devoir et son dépit s'oposoient à cette entreveuë, mais l'amour vainquit
le dépit, et trompa le devoir. Elle pensa qu'il ne falloit point porter au Comte de
Retelois [1] un cœur irrité contre un Amant, et qu'elle seroit plus tranquille quand elle
auroit réproché au Duc de Misnie sa legereté.

Le Duc entra dans sa chambre d'un air si timide, qu'il sembloit faire reparation
de sa faute. Eleonor voulut lui marquer plus de froideur qu'elle n'en avoit en ce moment,
mais il retrouvoit malgré elle dans ses yeux une langueur toute passionnée, et cette
langueur suffisoit presque seule pour le convaincre qu'elle étoit innocente. Il se jetta
à ses pieds sans pouvoir prononcer une seule parole. Il n'en falloit pas tant pour obliger
Eleonor à lui parler avec quelque douceur.

---

1. Sous la pression de sa famille, Eléonor a dû se fiancer avec le comte de Retelois.

Elle le fit lever de peur qu'il ne fût surpris par ses femmes, qui n'étoient pas loin. L'état où vous estes, lui dit-elle, me paroît assez different de celui où vous estiez hier chez Matilde [1]. J'aurois deu refuser de vous voir mais j'ai mieux aimé vous faire connoistre votre injustice que de vous en punir. Helas! lui dit le Duc de Misnie, faites la moi bien connoistre, mais je n'en suis déja que trop puni, et plût au Ciel que vous fussiez innocente, je ne vous paroîtrois pas longtems coupable.

Eleonor lui apprit que le Baron d'Hilmont étoit son frere [2], et elle lui conta tout ce qui lui étoit arrivé. Il vit que la Duchesse sa mere s'etoit servie d'artifice auprés de lui, et il songea avec douleur aux promesses qu'il avoit faites à Matilde [3]. Pouviez-vous penser que j'eusse changé, lui dit Eleonor, et deviez-vous prendre sitôt un nouvel engagement? Ah, vous ne sçauriez croire que j'aye aimé une autre que vous, reprit le Duc de Misnie, d'un air qui ne pouvoit laisser aucun doute. Helas! je n'ai que trop de panchant à croire tout ce que vous voulez, lui repondit Eleonor. Qu'il vous est aisé de vous justifier! Ils s'éclaircirent sur toutes les choses qui leur avoient fait de la peine. Eleonor fut peu reservée à le satisfaire sur le passé, parce qu'elle avoit à le desesperer pour l'avenir.

Vous connoissez ma fidelité, lui dit-elle, vôtre douleur et vos larmes m'assurent que vous m'aimez, et me voila dans quelque sorte de repos. C'est le temps que je prens pour vous dire le dernier adieu. J'avois besoin de toutes mes forces pour cela. Le dernier adieu, s'écria le Duc de Misnie? Oüy, lui dit Eleonor. Que pretendriez-vous? Je suis engagée avec le Comte de Retelois, comme vous êtes engagé avec Matilde. Ah, interrompit le Duc de Misnie, d'un ton plein de vehemence, je ne dois rien à Matilde, on m'a surpris; j'étois dans un état à ne pas sentir qu'on m'engageoit, et je vous dois un sacrifice éclatant pour reparer toutes les injustices que je vous ay faites. Ces sentimens me font plaisir, lui dit-elle, je ne le sçaurois nier, mais à quoy serviront-ils? Suivez vôtre destinée, puisqu'il faut que je suive la mienne. Ah! lui répondit le Duc, je ne sçaurois consentir à vous perdre une seconde fois. Je vous retrouve plus charmante que jamais; mon repentir augmente encore ma tendresse. La mienne augmente par ma douleur, lui dit-elle, mais je me dois vaincre; j'en ay plus à souffrir, et vous n'en avez plus à esperer. Desobeirois-je à mon Pere? M'arracherois-je au Comte de Retelois, à qui il a de si grandes obligations, et donnerois-je des chagrins à la Duchesse de Misnie et à la Comtesse de Tuscanelle, pour les payer de ce que je leur dois?

Hé, ne fait-on rien pour un Amant, lui dit-il? Que vous vous résolvez aisement à vous separer de moi, et que j'ai eu de peine à me détacher de vous! Suis-je à moy-même, lui dit-elle, pour avoir la liberté de me donner à mon inclination? Puis qu'il n'est pas possible que nous soyons l'un à l'autre, ne cherchez point à ébranler mon devoir; il reglera ma conduite, et c'est déja trop que j'aye douté un moment si j'aurois la force de le suivre.

---

1. Ayant croisé Eléonor chez Matilde, le duc avait fait semblant de ne pas la voir.
2. Le duc avait cru qu'Eléonor s'était laissé enlever par le baron d'Hilmont.
3. Par dépit et par désespoir, le duc a accepté de se fiancer avec Matilde, amie intime d'Eléonor, et fille de la comtesse de Tuscanelle.

Quoi que le Duc de Misnie n'en deût pas attendre davantage, il se trouvoit tres-malheureux, parce qu'il en souhaitoit plus. Eleonor le retrouvoit si tendre pour elle, que n'apprehendant rien de la part de Matilde, elle craignit seulement qu'il ne la ménageât pas assez. Elle lui apprit sa maladie, et elle le pria avec instance de retourner chez la Comtesse de Tuscanelle, de peur qu'un changement de procedé dans cette occasion, ne découvrist ce qu'elle vouloit cacher. Il lui en donna parole en lui faisant connoistre la violence qu'il se faisoit pour lui obeïr.

Quand il fut parti, elle entra dans une profonde rêverie; elle s'abandonna à des reflexions qui lui furent agreables; mais qui ne laisserent pas de lui être cruelles. Elle venoit d'éprouver le plaisir de retrouver un Amant fidelle, aprés l'avoir cru inconstant, et son cœur qui s'étoit accoûtumé aux chagrins de l'amour, en ressentoit plus vivement les douceurs. Sa joye lui donna du scrupule; et les chagrins où la legereté du Duc de Misnie l'avoit plongée, ne lui en avoient point causé. Elle envisagea de nouveau les obligations qu'elle avoit à la Duchesse de Misnie, et à la Comtesse de Tuscanelle, les engagemens qu'elle avoit pris avec le Comte de Retelois, et la necessité de les suivre. Enfin elle conclut qu'il falloit presser le Duc d'épouser Matilde, et par ce coup de desespoir se procurer, s'il se pouvoit, quelque sorte de repos dans sa malheureuse destinée; et quand elle en eut pris la résolution, elle s'abandonna à une mélancolie encore plus grande que celle où elle avoit été.

# texte XVI    Zulima, ou l'Amour pur (1694)

Ebérard, prince de Westphalie, est prisonnier du sultan d'Égypte Noradin. Zulima, fille de Noradin, conçoit pour lui un violent amour, auquel Ebérard oppose la différence des religions et le souvenir de sa femme Léonor, disparue en mer, mais dont il ne peut se persuader qu'elle soit morte. Effectivement, il retrouve Léonor, sous le nom de Zaïde, dans une esclave de la princesse égyptienne Phédime, amie de Zulima. De telles œuvres font passer du XVIIᵉ au XVIIIᵉ siècle les poncifs du roman baroque, privés de leur grandeur et de leur poésie. Sur leur place dans l'évolution du genre romanesque, sur le dénouement de cette histoire et sur ses antécédents médiévaux, voir tome I, pp. 291-292 ; sur la version qu'en donnera en 1774 Baculard d'Arnaud, voir *ibid.*, p. 438.

Ils avoient passé la seconde salle au travers d'une haie des domestiques de Phédime, lorsqu'entrant dans l'antichambre, Zulima se vit ouvrir la portiere par une Esclave magnifiquement vêtue, et d'une beauté si éclatante que ses yeux en furent vivement frappez.

Mais quelle fut sa surprise lorsqu'elle entendit et le Prince de Westphalie et cette Esclave faire tout ensemble un cri, et qu'en même-tems elle vit le Prince tomber à ses pieds sans sentiment, et la belle Esclave les deux genoux en terre, jetter ses deux bras au col d'Ebérard, appliquer son visage sur le sien, et sans penser ni où elle étoit, ni au respect dû à la présence de la Princesse, coller sa bouche sur celle du Prince, et le mouiller de ses larmes.

Quel spectacle pour Zulima! Quand la ressemblance des traits de l'Esclave avec ceux du portrait qu'elle avoit pris entre les mains d'Ebérard, ne l'eût pas convaincue que c'étoit Léonor, entre les bras de laquelle elle voyoit tout ce qu'elle aimoit au monde, cette aventure auroit suffi pour l'empêcher d'en douter. C'étoit elle effectivement, et la surprise merveilleuse qui les avoit fait tout d'un coup passer de l'extrême douleur à l'extrême joye, les avoit réduits dans cet état.

La Princesse saisie d'un côté d'admiration de l'amour qu'elle voyoit dans ce couple tout à la fois heureux et malheureux, et d'autre côté pénetrée de tout ce que le désespoir peut inspirer de douleur à un cœur qui perd ce qu'il aime tendrement, resta immobile à force d'émotion; et n'osant ni se mêler à leurs embrassemens, ni marquer en présence de Léonor tout ce qu'elle sentoit pour son Epoux, elle se contenta d'apporter ses soins officieux pour l'aider à le tirer de son évanoüissement.

Léonor qui étoit donc cette même Zaïde si chere à Phédime, entrecoupoit sa voix de soupirs, et dans les élans de son amour : Je te retrouve donc, cher Epoux, dit-elle, et le Ciel, sensible aux vœux que je lui ai poussez pour toi, ne veut pas que je meure sans te voir. Ebérard, poursuivoit-elle, mon cher Ebérard, ouvre les yeux et regarde ta chere Léonor.

A ce mot le Prince ouvrit les yeux, rencontra ceux de Léonor, et poussant un soupir : Vous retrouvez un Epoux, lui dit-il, un Epoux qui vous adore, et qui gémit de vous être peut-être moins fidéle que vous ne le croyez. Non Léonor, je ne mérite plus tout l'amour que vous avez pour moi.

La pâleur que son évanoüissement avoit mis sur son visage se changea tout à coup dans une rougeur qui surprit Léonor, elle ne pénetroit point ce discours, mais elle en fut frappée et ne put y répondre parce qu'une foule d'Esclaves étant accourue à la voix de Zulima qui les avoit appellées, les environna, et Phédime elle-même, qui se leva dès qu'elle sçut que la Princesse entroit dans son appartement, y vint au bruit.

Le Prince la voyant paroître, se releva, et Phédime qui pénétra bientôt la vérité, et par la douleur qui troubloit les yeux de Zulima, et par l'état où elle vit Ebérard et Léonor, ne voulut pas laisser ce spectacle exposé aux yeux de ses Esclaves. Elle fit donc entrer Zulima dans sa chambre, et obligea le Prince et la Princesse de la suivre.

Sitôt qu'ils y furent tous quatre en liberté, Ebérard revenu des premiers mouvemens de sa surprise, se prosterna aux pieds de Zulima, et lui présentant Léonor : Vous le voyez, Madame, lui dit-il, Léonor n'est point ensevelie sous les flots, et le Ciel qui me la rend, va par le plus grand de tous les bonheurs, me rendre peut-être le plus malheureux de tous les hommes.

Ha! Prince, dit Zulima, que dans une rencontre si heureuse vous sçavez bien que le malheur n'est pas pour ceux qui peuvent posseder ce qu'ils ont de plus cher. En disant ce mot, elle regarda fixement Léonor, et ne put s'empêcher de rougir.

257

Léonor qui ne comprenoit rien dans les paroles dont on n'avoit garde de lui révéler le mystere, ne répondit que par les respects qui étoient dûs à la Princesse.

Mais quelque connoissance qu'Ebérard eût de la magnanimité de Zulima, il étoit trop habile et trop prudent, pour ne pas concevoir tout d'un coup le péril terrible où se trouvoit Léonor, si la Princesse consultoit plutôt son amour, sa puissance et sa politique, que sa vertu.

Cette réflexion, quoique combattuë par la haute estime qu'il avoit de Zulima, ne laissa pas que de l'inquiéter. Il se repentoit en soi-même du soudain effet qu'avoit produit sur l'un et sur l'autre le premier mouvement de la surprise, et qui avoit découvert son Epouse aux yeux d'une Rivale toute-puissante; mais revenant aussitôt de cette fausse terreur : Non, non, dit-il en lui-même, la Princesse a une vertu qui n'est capable d'aucune foiblesse, et Léonor n'a rien à craindre.

Fortifié de cette pensée, il embrassa les genoux de Zulima; et versant un torrent de larmes : Princesse magnanime, lui dit-il, vous voyez à vos pieds un Prince esclave qui doit tout à vos bontez, et qui dans son bonheur seroit et plus tranquille et plus innocent, s'il vous eût été moins redevable. C'est envain, Princesse adorable, que l'homme voudroit s'opposer aux decrets du Ciel, sa puissance regle nos destinées. Il m'a rendu Léonor, hélas! vous sçavez ce qu'il m'ôte en me rendant un bien si précieux; mais ce bien est entre vos mains; il dépend de vous en dépendant de Phédime, et vous jugez bien que je compte pour rien et ma vie et ma liberté, sans la vie et sans la liberté de Léonor, que je mets sous la protection de votre vertu.

Tandis qu'il parloit ainsi, Zulima tenoit ses regards attachez sur lui, et son profond silence faisoit assez connoître qu'il se passoit un terrible combat dans son cœur. Enfin rompant ce silence : Soyez heureux, dit-elle, Prince, soyez le plus heureux des hommes, et laissez-moi languir la plus infortunée de toutes les Princesses de la terre. Et vous, Princesse, ajouta-t'elle en se tournant vers Léonor, possedez tranquillement le plus accompli et le plus aimé de tous les Princes du monde.Et si ma Sœur a quelqu'égard à mes prières, une Princesse de votre mérite cessera dès ce moment d'être son esclave.

A ces mots elle embrassa Léonor, Phédime en fit de même, et dès cet instant ne la regarda plus comme son esclave. [...]

*Catherine BÉDACIER-DURAND*

# texte XVII   Les Belles Grecques (1712)

A partir de quelques mots de Platon, d'un paragraphe de Plutarque et de divers témoignages d'historiens anciens, Catherine Bédacier-Durand brode une histoire galante dont les personnages sont Aspasie, Périclès, Alcibiade et Socrate. Ces fadaises plaisaient au public, voir tome I, p. 290. Le sujet avait déjà été traité par M^me de Villedieu (*Les Amours des Grands Hommes*), il sera repris par Crébillon, avec une autre vigueur (*Lettres Athéniennes*).

### ASPASIE

[...] Quand on se represente ces grands hommes de l'antiquité appliquez à gouverner des Royaumes et des Republiques, ou à les assujettir, on a peine à s'imaginer qu'ils ayent été sensibles à de si petites choses, et l'éloignement nous les faisant voir plus parfaits qu'il n'étoient, on veut s'imaginer qu'ils ne regardoient l'amour que comme un amusement frivole que leur religion leur permettoit; mais comme ils n'étoient pas impassibles et que la finesse de leur gout les portoit à gouter les plaisirs dans toute leur étenduë, ils traitoient cette passion avec la delicatesse qui lui est necessaire pour la rendre agreable, et n'aïant souvent que des Courtisannes pour maîtresses, ils trouvoient toutefois ou dans le merite de ces femmes, ou dans le desir de les fixer, de quoi les occuper et les attacher au milieu de leurs plus serieuses affaires, et même de quoi les dedommager des plus cruelles traverses de la fortune; en cela plus heureux que les hommes d'àpresent, qui presque tous se glorifient de se soustraire à des sentimens qui font les seuls enchantemens de l'ame. Sur ce principe qui est fondé en preuve, on doit croire que Periclès étoit fort sensible à toutes les marques de tendresse qu'il recevoit d'Aspasie, et qu'aïant pour elle autant d'admiration que d'amour, charmé de ses moindres paroles, et de ses actions les plus simples, il donnoit aux unes et aux autres le prix dont la prévention paye toutes choses, supposé qu'on doive appeller prévention un sentiment si universel, que les plus indifferens ne pouvoient lui refuser une approbation qui l'a fait passer jusqu'à nous comme un chef-d'œuvre d'esprit et de beauté.

Periclès se fit souvent une gloire de reciter des harangues qu'elle avoit composées, et l'on croit même qu'elle avoit beaucoup ajouté aux lumieres de l'esprit de ce grand homme, et qu'il lui devoit cet art enchanteur de bien parler, qui a fait dire de lui, que la Déesse Persuasion avoit son trône sur ses levres; et que son éloquence laissoit des éguillons dans le cœur de ses auditeurs. Quelle devoit donc être celle de la maîtresse d'un tel écholier! On croit aussi qu'il apprit d'elle à gouverner la Republique avec cette dextérité, qui ne trouva d'autres censeurs que l'envie, et Aspasie se rendit aussi formidable aux Orateurs par sa critique delicate, que recommandable à ceux qui savoient goûter ses dissertations. Gorgias et plusieurs autres Sophistes sentirent les traits de sa raillerie contre leurs argumens embrouillez qui avoient ébloüi quelque temps la Grece. Et je crois avoir lû quelque part, qu'elle ne pût s'empêcher de reprendre Periclès en riant dans une occasion, où il parloit au peuple. Enfin Aspasie fut une personne merveilleuse et on doit pardonner à Periclès les mouvemens qui l'obligerent à l'epouser. Cet hymen surprit cependant les Atheniens, chacun en parloit à sa maniere; mais puisqu'il se trouvoit heureux, quel droit avoit-on de le blâmer? Et n'étoit-ce pas une tyrannie en ce temps-là comme en celui-ci, de vouloir regler ces sortes d'engagemens sur le caprice du public, que l'on ne peut jamais absolument contenter? [...]

# texte XVIII  Histoire d'une Religieuse écrite par elle-même (vers 1730 ?)

Cette courte nouvelle, dont le manuscrit avait été remis par l'auteur à l'abbé Trublet, parut seulement dans le fascicule de mai 1786 de la *Bibliothèque universelle des Romans*. Elle n'est pas autobiographique, même si elle contient quelques souvenirs de jeunesse de M^me de Tencin.

Isidore, orpheline de père et de mère, a été élevée par sa tante. Elle est devenue amoureuse de Don Antonio, jeune gentilhomme pauvre, et comprend bien qu'elle est aimée de lui, mais sa tante veut lui faire épouser le riche Don Pedre de Cinnega. Par la faute d'Isidore, de son égoïsme et de sa coquetterie, les deux amoureux se séparent sans s'être entendus et Don Antonio rejoint son régiment et meurt à la guerre.

Plus que le décor gothique et funèbre et que l'union de l'amour, du désespoir et du couvent, qui se retrouvent dans les *Mémoires du comte de Comminge*, ce qui est remarquable dans cette nouvelle, c'est la simplicité de la forme, la tonalité mélancolique du sentiment, la lucidité de l'analyse, sa précision et sa discrétion, les remarques générales de psychologie qui la ponctuent. Tous ces traits rendent probable l'authenticité de l'écrit, bien qu'il semble appartenir déjà au genre « sombre » qui était précisément à la mode à l'époque où il fut publié.

Sur M^me de Tencin, voir tome I, pp. 379-382.

Quelques chagrins que me dussent causer les poursuites de Don Pèdre et la conduite de ma tante, j'avoue cependant que je n'étois pas fâchée de voir les choses s'avancer jusqu'à un certain point : le sacrifice que je comptois faire à Don Antonio en devoit être plus complet. Cette idée me séduisoit au point de me faire supporter l'impertinence de Don Pèdre, et de voir multiplier tranquillement des préparatifs odieux. J'avois besoin d'ailleurs d'une épreuve, Quoique Don Antonio ne se fût jamais déclaré à moi, je ne pouvois douter de ses sentimens : mais le malheur des Grands est de douter toujours si l'on n'encense pas leur grandeur, et celui des femmes riches, si l'on n'encense pas leur fortune. Quelque sûre que je crusse être de la façon de penser de Don Antonio, j'étois bien aise d'être témoin par moi-même de l'effet que ces préparatifs feroient sur son cœur. Quels auroient été mon triomphe et ma félicité, si j'avois pu y pénétrer ! Je l'aurois vu livré aux plus cruels supplices, à la vue de ces démarches funestes qui m'alloient séparer de lui pour toujours; tourment d'autant plus affreux, qu'il s'efforçoit de le dérober à tous les yeux, et sur-tout aux miens. Je ne lui avois jamais laissé connoître ce que je sentois pour lui : sa timidité naturelle, et le peu de bonne opinion qu'il avoit de lui-même, ne lui permettoient pas de rien interpréter en sa faveur : d'ailleurs toutes les apparences lui étoient contraires; l'aveugle soumission que j'avois toujours eue pour ma tante, la tranquillité apparente avec laquelle je voyois les mouvemens de Don Pèdre, et sur-tout l'extrême disproportion qu'il y avoit entre la fortune de ce Courtisan et la sienne : cette raison seule lui sembloit suffisante pour le détourner d'un aveu, au moins inutile. La pauvreté est quelquefois plus fière que l'opulence même. Comme elle est plus voisine du mépris, elle le craint davantage, et se tient plus en garde contre lui.

J'étois cependant dans de cruelles inquiétudes. Je ne m'étois jamais ouverte à Pulchérie [1] au sujet de Don Antonio; et soit qu'elle ignorât mes sentimens, soit qu'elle respectât mon silence et les dispositions que faisoit ma famille pour mon établissement, elle ne me fit, de son côté, aucune ouverture. Vingt fois je fus sur le point de lui confier tout, et de lui demander un conseil qui, sans doute, nous auroit tous sauvés. Pour m'enhardir moi-même et l'engager davantage à parler, je la mis sur les jeunes gens que nous voyions, et je cherchai à savoir si quelqu'un d'eux avoit su lui plaire : elle m'avoua naturellement que Don Francisque, Cavalier des plus aimables et des plus spirituels, l'avoit touchée; mais qu'elle lui cachoit l'impression qu'il avoit faite sur elle avec d'autant plus de soin, qu'elle s'étoit aperçue de son côté qu'elle ne lui étoit pas indifférente, et qu'elle craignoit, avec raison, les suites d'une passion malheureuse pour tous les deux, par la fatale conformité de leur fortune. Un aveu aussi ingénu de sa part auroit dû en attirer un de la mienne. Je n'en eus pas la force : mon secret expira sur mes lèvres, et je remis à une autre fois une confidence qui, de momens en momens, devenoit plus indispensable.

Cependant Don Antonio avoit pris son parti. Plus convaincu que jamais de son malheur, il ne voulut pas en être le témoin. On apprit, un matin, qu'il étoit parti la nuit sans prendre congé de personne, et qu'il avoit pris la route de sa garnison.

La société, qui prenoit peu d'intérêt à lui, s'aperçut peu qu'il lui manquât. Mais que devins-je, abandonnée à mes réflexions et à mes regrets ! Seule au milieu d'une

---

1. Parente pauvre qui a été élevée avec Isidore et qui est son amie intime.

multitude, je m'aperçus que l'univers entier ne sauroit remplacer la présence d'un objet aimé.

Mille pensées différentes m'agitoient sans cesse. Je ne savois si je devois attribuer le départ imprévu de Don Antonio au désespoir ou à la foiblesse de ses sentimens. Quelquefois je me reprochois d'avoir pris pour de l'amour de simples apparences qui font partie de la galanterie établie dans le monde. Je sentois s'évanouir ce charme attaché au souvenir de mille choses que j'avois trouvées d'un si grand prix, les attribuant alors au sentiment. D'autres fois, et plus souvent, je m'accusois d'avoir rebuté un homme qui m'aimoit dans le silence, et dont j'aurois dû adoucir le tourment par ces attentions tendres qui éclairent l'amour modeste, sans compromettre la vertu. Les deux contraires trouvoient place tour à tour dans mon esprit troublé. Tantôt je voulois écrire à Don Antonio, tantôt je voulois attendre de ses nouvelles : les jours, les nuits s'écouloient, dans une perplexité qui n'est connue que des amans. Cependant le temps de terminer avec Don Pèdre étoit arrivé.

Dans ces circonstances, le secours de Pulchérie m'auroit été précieux; mais le peu de confiance que je lui avois témoignée jusqu'alors m'arrêtoit. Le dirai-je à ma honte? Pulchérie elle-même m'étoit devenue suspecte. Don Antonio avoit toujours eu beaucoup d'attention pour elle; il m'avoit même paru toujours moins embarrassé avec elle qu'avec moi. Le jour de son départ, que j'avois toujours présent, j'avois cru surprendre entre eux une intelligence qui m'éloignoit de la seule personne qui pouvoit adoucir le sentiment de mes peines, et me secourir dans l'embarras de ma situation. L'amour traîne le soupçon à sa suite, et l'injustice fait partie de son essence : mais comme tout cela augmente son empire, lui reprocher ses défauts, ce seroit se plaindre de trop aimer.

Je ne prévoyois pas encore tous mes malheurs. Don Antonio, dévoré du plus noir chagrin, avoit, comme je l'ai dit, pris la route de la ville où étoit son régiment. Nous étions en guerre alors; quelques jours après son arrivée, il y eut une action. Le désespoir s'unissant à la valeur, il se précipita dans le danger, et plusieurs blessures furent la suite de son imprudence. Dès qu'il fut certain de son état, il demanda à écrire, et chargea un domestique de confiance de me remettre, aussi-tôt qu'il auroit rendu le dernier soupir, un billet cacheté, et quelques bagatelles que j'avois paru estimer.

Nous étions alors au château de mon père : c'étoit un lieu qu'il avoit beaucoup aimé, et qu'il avoit pris plaisir à décorer. Sa situation, et même sa magnificence, l'avoient fait regarder comme l'endroit le plus propre à la cérémonie que l'on croyoit si prochaine.

Il y avoit dans ce château une chapelle de structure gothique, que mon père avoit toujours voulu que l'on respectât dans les différentes réparations que l'on avoit faites au château. Des statues informes de mes ancêtres, des marbres et des bronzes chargés d'inscriptions en faisoient tout l'ornement. Mon père avoit ordonné que son corps y fût déposé aussi, et qu'il reposât auprès de celui de ma mère : ses ordres avoient été suivis. Quel lieu plus propre à consoler une amante ! J'ignorois la mort de Don Antonio. Mes douleurs n'étoient formées que du regret de son absence, et des persécutions que j'éprouvois pour me donner à Don Pèdre. Mais n'est-ce rien que cette situation? Je passois donc dans ce lieu sombre tout le temps que je pouvois dérober à la bienséance et à l'importunité. Cet asile du silence convenoit au caractère de mes pensées, et à l'entretien secret que j'avois avec l'objet qui me les inspiroit.

Un soir que j'étois plus profondément occupée de lui, je vis entrer un homme que je reconnus pour être à Don Antonio. La douleur l'empêchoit de parler; il tendit la main, et me présenta la lettre et les présens de son maître. J'étois alors à genoux; tout mon corps frissonna. J'ouvris la lettre, et j'y lus ces paroles terribles :

« Je ne serai plus quand vous recevrez ce billet. La vie m'étoit devenue à charge « depuis que j'avois perdu l'espoir de vous en consacrer tous les instans. Dans la « situation où je suis, il m'est donc permis de vous dire que je vous aime... J'ignorerai « toujours comment cet aveu sera reçu; c'est la seule inquiétude qui me reste en mou- « rant ».

Les larmes du valet m'instruisirent du sort de son maître. Le peu de force qui me restoit m'abandonna, et je tombai sans connoissance auprès du tombeau de mon père.

Pulchérie avoit remarqué, avec la plus mortelle douleur, la froideur que j'avois pour elle depuis quelque temps, et l'affectation avec laquelle je l'évitois. Elle en ignoroit absolument la cause; mais la grande habitude qu'elle avoit de mon cœur, lui avoit fait soupçonner mes sentimens pour Don Antonio, et elle souhaitoit de voir naître une occasion naturelle de ranimer, par ses services, cette amitié qui paroissoit si refroidie en moi. Elle fut instruite, la première, de mon accident, et elle vola vers moi. O ma chère Pulchérie! m'écriai-je en la voyant, je ne mérite plus vos soins; j'ai donné la mort à un homme vertueux, et j'ai soupçonné une amitié fidèle. Pulchérie se jeta à mes genoux, mêla ses larmes aux miennes, et ne s'occupa d'abord qu'à les faire couler en abondance, par tout ce qu'elle me dit de touchant, pour éviter que je n'en fusse étouffée. Devenue plus calme et plus tranquille après avoir reçu cette espèce de soulagement; et voulant me livrer à la tristesse de mes réflexions, je priai mon amie de me laisser libre pendant une heure ou deux. Elle se prêta à ce besoin pressant. Les personnes sensibles connoissent le besoin des ames tendres, et se gardent bien de leur faire éprouver de la contrariété. Elle se retira, et il n'y eut plus pour moi, dans l'univers entier, que la seule image de mon amant que j'avois présente, comme si je l'avois vu lui-même. L'idée de sa mort n'altéroit point ses traits; seulement je le voyois pâle et souffrant, et cette idée m'attendrissoit encore. Tu meurs par moi, lui disois-je, tu meurs, et je respire! Je sais ce que je te dois, et ce devoir sera rempli. Oui, ma vie sera une mort réelle, et j'aurai un tombeau comme toi. Les murs d'une maison sainte recevront un être qui ne fit jamais d'autre mal que de ne pas t'avoir avoué son amour. Unie à toi par Dieu même, il recevra les soupirs que l'on doit à la vertu qui fut malheureuse; il te répondra de moi, et ton ombre sera respectée et chérie comme toi-même. O Antonio! quelle douceur je trouverai dans ces larmes que tu méritas si bien! C'est à présent que je sens combien je t'aimois. A force de t'aimer encore, j'oublie presque que je t'ai perdu.

Je ne rendrai pas toutes mes expressions, toutes mes pensées dans cette première communication de mon ame avec mon amant. Le pourrois-je? Peut-on rendre mille idées rapides et sublimes qui s'élèvent si fort au-dessus de l'esprit même?... Je vis revenir Pulchérie. Ma résolution étoit prise, et je ne la lui confiai point. Un rocher inébranlable ne craint point la secousse des flots : je ne redoutois point le choc de ses opinions contraires; mais je ne voulois point que mon ame fût troublée dans sa douce sécurité. Je fis successivement les démarches nécessaires pour me préparer une retraite. Le mystère m'environnoit; il étoit une jouissance. Je fis connoissance avec les Religieuses qui desservoient l'hôpital militaire : la vie sainte et toujours occupée de ces filles charitables me plut beaucoup, et me parut propre à remplir doublement le dessein que j'avois. Je trouvai de la douceur à imaginer que je serois employée toute ma vie au service de ces glorieuses victimes de l'amour de la patrie, du nombre desquelles avoit été mon amant. Le moment arrivé, je précipitai ma fuite, et je crus me jeter dans les bras d'Antonio même. Elvire[1] reçut un billet qui lui apprenoit mes résolutions invariables. Elle fit des tentatives : je les avois prévues, et n'en redoutois pas l'effet. Elle me laissa respirer; et dans la suite, j'obtins même qu'elle respectât la disposition que j'avois faite de mon bien en faveur de Pulchérie, lorsque j'avois quitté le monde. Cette tendre et digne amie épousa, quelque temps après, Don Francisque; et quoique son bonheur pût m'entraîner quelquefois à réfléchir sur la différence de nos destinées, jamais je ne sentis altérer le plaisir d'y avoir contribué.

---

1. Elvire est la tante d'Isidore.

# texte XIX   Le Philosophe Anglois,
# ou Histoire de Monsieur Cleveland (1731-1739)

Cleveland, qui se croit trahi et abandonné par sa femme Fanny, n'a pas trouvé dans la philosophie dont il se targue de ressource contre le désespoir. Il a conçu « une horreur invincible pour la vie », et après un long raisonnement sur le suicide, il conclut que l'excès même de sa douleur est la preuve que Dieu l'autorise à cesser de vivre. Le roman se fait ici l'expression des plus graves débats métaphysiques, auxquels il donne une bouleversante vérité humaine.

Voir tome I, pp. 352-364.

Il ne me restoit, après cette conclusion, que de choisir le genre et le moment de ma mort. Ces deux articles me causerent peu d'embarras. Je résolus de me servir de mon épée pour me percer le cœur, et de ne pas remettre le tems de l'exécution plus loin que l'après-midi du même jour. Il y avoit dans le jardin plusieurs allées profondes, et écartées du corps de la maison : je choisis celle qui me parut la plus favorable à mon dessein. Un cabinet de verdure qui étoit dans le plus obscur enfoncement, devoit être le théâtre de mon action sanglante. J'examinai avec soin si je pouvois m'assûrer de n'y être apperçu de personne. Au reste, je pris ce petit nombre de mesures avec une tranquilité surprenante. Je ne me sentois ni trouble ni empressement. Mes grandes douleurs étoient comme suspendues par un effet anticipé de ma résolution. Pour le peu de tems qu'elles avoient à durer, ce n'étoit plus la peine qu'elles se fissent sentir. Quand on est prêt de sortir d'un rigoureux esclavage, on n'arrête gueres les yeux sur les maux qu'on a soufferts, ou sur les chaînes qu'on va quitter; on n'est plus sensible qu'aux douceurs de la liberté.

Je pris donc paisiblement le chemin de la maison; et comme l'heure du dîner approchoit, je crus que pour éviter toute affectation, il falloit encore une fois prendre place à table avec ma famille. Les deux Dames[1] remarquerent que je paroissois plus tranquille que je ne l'avois été depuis long-tems. Elles m'en temoignerent quelque chose, ma réponse les confirma dans leur opinion. Je les quittai à l'ordinaire, et n'étant monté à ma chambre que pour prendre mon épée, je me rendis aussi-tôt au jardin. Mon cœur continuoit d'être dans une paix profonde. Je n'avois pas même d'inquiétude pour la vie à venir. Je ne me sentois coupable de rien à l'égard du Ciel; et quelqu'obscur que fût mon sort après la vie que j'allois perdre, je tirois des idées générales de la justice et de la bonté de mon Créateur, une espece d'assurance qu'il n'y avoit rien à craindre pour moi dans la nouvelle condition où j'allois entrer. J'arrivai au cabinet de verdure. Je m'assis tranquillement dans le coin le plus enfoncé. Je tirai mon épée hors du fourreau, et j'en considérai un moment la pointe, avec un regard fixe et attentif. Je ne puis cacher que je sentis un léger frémissement, qui se répandit dans tous mes membres; mais loin qu'on puisse lui donner le nom de crainte, il ne servit qu'à me faire faire une réflexion consolante sur le bonheur de mon ame, qui touchoit au moment de sa liberté. Je souris même de la foiblesse de mon corps, et le regardant avec dédain : Ton regne est passé, lui dis-je; rentre dans la poussiere dont tu es sorti. Si j'ai besoin encore un moment de ton secours, c'est pour te faire servir toi-même à notre séparation éternelle. Auteur de mon être, ajoûtai-je en fermant les yeux, et en faisant comme un effort pour me replier sur moi-même, prens pitié de ta créature, et dirige mes premiers pas, dans l'obscurité où je vais entrer. Tu es par-tout; mon ame ne sauroit manquer de tomber dans ton sein.

J'avois le bras levé. Il est certain qu'il n'y avoit plus qu'un instant d'intervalle entre ma vie et ma mort. Ciel! par quel miracle arrêtâtes-vous la pointe de mon épée, qui devoit déja être dans le milieu de mon cœur! Un bruit que j'entendis à quelques pas du cabinet, me fit baisser la main tout d'un coup, et cacher derriere moi mon épée, de peur d'être apperçu. C'étoient mes enfans. Madame Lallin et ma belle-sœur, qui avoient cru me trouver plus tranquille qu'à l'ordinaire en dînant, les avoient envoyés après moi, pour contribuer par leurs caresses et par leur badinage à m'entretenir dans ce nouvel air de tranquilité. Ils s'approcherent, et m'embrassant l'un après l'autre avec les marques d'une tendre affection, ils me prirent les mains, en me faisant quelques questions puériles et innocentes, suivant la portée de leur âge. Je les laissai faire d'abord, et je demeurai dans une espece d'inaction, causée par mon incertitude et ma surprise. Cependant, comme ils continuoient à me caresser et à m'interroger, mon attention se tourna sur eux. Je les regardai pendant quelque tems, avec cette tendre complaisance que la nature réveille aisément dans le cœur d'un pere. Le plus âgé ne passoit pas huit ans, et ils avoient tous deux les graces les plus aimables de l'enfance. Ils vont me perdre, disois-je en moi-même; ils demeureront après moi sans protection et sans support, abandonnés par une mere dénaturée, et privés de leur malheureux pere. Que deviendront-ils? Ma Belle-sœur et Madame Lallin ont marqué jusqu'à présent

---

1. La belle-sœur de Cleveland et Madame Lallin, une amie.

de la tendresse pour eux : mais qui me répondra qu'elles la conserveront lorsque je ne serai plus? Un simple mouvement d'amitié fera-t-il dans elles, ce que la nature n'a pu faire dans leur mere? O Dieu! pourquoi permettiez-vous que je les misse au monde! Un homme aussi infortuné que moi n'est-il pas une espece de monstre dans la société des autres hommes? Comment votre sagesse et votre bonté peuvent-elles souffrir que la race s'en perpetue?

Ces réflexions venant à se joindre avec le noir poison qui circuloit dans mes veines et qui infectoit mon ame, me conduisirent peu-à-peu à une des plus affreuses pensées qui soient jamais tombées dans l'esprit humain; et ce qui paroîtra sans doute incroyable, c'est qu'avançant toujours de raisonnement en raisonnement, je ne tirai point de conclusions qui ne me parussent tenir manifestement aux principes les plus justes et les mieux établis. J'ai résolu de mourir, disois-je, pour finir une vie qui est trop malheureuse pour être supportée avec patience. Je suis convaincu non-seulement que le Ciel approuve ma résolution, mais que c'est lui-même qui me l'inspire. Or, s'il m'est permis de me donner la mort, pour mettre fin à des maux incurables, ne me le seroit-il pas de même de me la donner pour prévenir des maux inévitables? Supposons un moment que je ne me trouve que dans ce dernier cas, c'est-à-dire, menacé d'une multitude de malheurs extrêmes et infaillibles, il est évident que tout ce que je puis faire aujourd'hui pour me délivrer d'un mal présent, je le pourrois alors pour me garantir d'un mal futur. Ce cas est précisément celui de mes enfans. Ils ne sont pas nés pour être plus heureux que moi. Leur destinée est trop claire. N'eussent-ils à craindre que la contagion de mes infortunes, ils doivent s'attendre à une vie triste et misérable. Quel meilleur office puis-je donc leur rendre, que de leur fermer l'entrée d'une carrière de douleurs, en terminant leurs jours par une prompte mort? Ils passeront avec moi à une condition plus heureuse. Ils mourront avec leur pere. Si je regarde la mort comme un bien, pourquoi ferois-je difficulté de le partager avec mes chers enfans.

En finissant ce funeste raisonnement, je les pris tous deux dans mes bras, assis encore comme je l'étois; et penchant la tête entre leurs visages, je les serrai, chacun de leur côté, contre le mien. J'agissois sans réflexion, et par le seul instinct de la nature. Je demeurai quelque tems dans cette situation, sans que mon esprit fut arrêté à rien de certain, et sans oser faire le moindre mouvement pour exécuter la sanglante résolution que je venois de prendre. Mon cœur, que je sentois si libre et si tranquile un moment auparavant, s'étoit appésanti tout d'un coup; et par un effet de ce changement, dont je ne m'appercevois point encore, il sortoit de tems en tems des larmes de mes yeux. Cependant, lorsque je vins à faire attention à l'incertitude où j'étois, je la regardai comme une foiblesse. Je me levai tout d'un coup. C'en est fait, m'ecriai-je, je mourrai, et ils mourront tous deux avec moi. Je suis leur pere; le soin de leur bonheur me regarde : une vaine pitié ne m'empêchera point de leur procurer le seul bien qu'ils peuvent recevoir de moi. Je prononçai ces paroles avec un trouble qui ne me permit point de faire attention qu'ils avoient assez de raison pour en comprendre le sens; de sorte que me voyant à la main mon épée nue, que je leur avois cachée jusqu'alors, ils sortirent tout effrayés du cabinet. C'est ici qu'on aura peine à décider lequel est le plus admirable, de ma folle et opiniâtre cruauté, ou du respect et de la soumission de mes pauvres enfans. Irrité de les voir fuir, je les rappellai d'un ton menaçant; et ces timides et innocentes victimes, qui étoient accoutumées à respecter mes moindres ordres, ne balancerent point à retourner sur leur pas. Ils vinrent en pleurant jusqu'au cabinet; et s'arrêtant seulement à la porte, ils se mirent à genoux tous deux, comme pour me demander la vie, qu'ils voyoient trop clairement que j'avois dessein de leur ôter. Je ne résistai point à ce spectacle. J'avoue qu'il m'émut jusqu'au fond du cœur. Il n'y a ni sagesse, ni folie, qui puisse endurcir contre les sentimens de la nature. Mon épée tomba d'elle-même de mes mains; et loin de penser plus long-tems à égorger mes chers enfans, je sentis que j'aurois sacrifié mille fois ma vie pour défendre la leur. Je me livrai tout entier à ce dernier mouvement. Venez, petits infortunés, leur dis-je en ouvrant tendrement les bras, venez embrasser votre malheureux pere : venez, ne craignez rien. Le désordre de mes sens avoit altéré ma voix, et je m'efforçois inutilement de retenir mes larmes. Ils vinrent à moi. Je les tins long-tems serrés, avec un transport de tendresse paternelle. Ils se rassurerent. Le plus jeune, que j'appellois Thoms, et pour lequel j'avois toujours marqué un peu de prédilection, me demanda avec l'ingénuité de son âge, pourquoi je l'avois voulu tuer? Cette question prononcée d'un ton tendre et timide, acheva de me percer le cœur. Je ne lui répondis qu'en l'embrassant de nouveau; et je ne fus capable, pendant quelques momens, que de verser des pleurs et de pousser des soupirs. [...]

texte XX    L'Ecumoire, ou Tanzaï
et Neadarné, histoire japonoise (1734)

Neadarné ne pourra dissiper le maléfice dont son mari Tanzaï est victime qu'en se livrant au Génie Jonquille. Sous la fantaisie et le libertinage, Crébillon cache sa nostalgie de la pureté et sa pitié pour la faiblesse humaine. Une âme partagée entre la honte et la tentation prend conscience (et, inconsciemment, prétexte) des limites de sa liberté. Malgré sa résolution courageuse, Neadarné succombera, le titre du chapitre indique comment.

Voir tome I, pp. 365-373.

## Chapitre XVI

### DISTRACTION DE LA PRINCESSE.

Neadarné frissonna en entrant dans cette chambre fatale; il n'étoit plus question pour elle de s'éloigner le péril, elle le voïoit prochain, le Génie alloit rentrer : Elle sentoit avec douleur qu'elle ne le haïssoit pas, et se craignoit d'autant plus, qu'elle écartoit l'idée de Tanzaï quand elle se présentoit avec trop d'avantage. Quelque amour qu'elle eut pour son époux, elle ne pouvoit se dissimuler les graces de Jonquille, et sa supériorité en tous genres sur le prince de Chéchian [1]. Quelquefois, elle pensoit

_____

1. Tanzaï.

qu'elle devoit s'abandonner à sa situation, puisque rien ne pouvoit l'en sauver, mais la vertu reprenant le dessus, lui faisoit rejetter cette idée; souvent aussi elle s'y abandonnoit avec plaisir. Quand cela m'arriveroit, se disoit-elle, qui en instruira mon époux? Le secret de Moustache [1] ne me met-il pas à l'abri de ses soupçons? Mais quand je pourrois lui cacher mon deshonneur, puis-je l'ignorer, et des remords éternels ne me puniront-ils pas de mon crime? De mon crime! Ai-je cherché à le commettre? N'est-ce pas un oracle qui m'envoie dans ces lieux? En proie aux desirs du Génie, n'y puis-je pas être livrée sans partager ses transports; et quand même je les partagerois, seroit-ce ma faute? Puis-je répondre des mouvemens de la nature, sa sensibilité est-elle mon ouvrage? Si l'ame devoit être indépendante des sentimens du corps, pourquoi n'a-t-on pas distingué leurs fonctions? Pourquoi les ressorts de l'un sont-ils les ressorts de l'autre? Ah sans doute! Cette bizarrerie n'est pas de la nature, et nous ne devons qu'à des préjugés ces distinctions frivoles. Si elles étoient véritablement en nous, soumises à nos volontez, dépendantes d'elles, elles ne nous domineroient pas. Pourquoi cette lumiére, qui nous fait appercevoir le bien ou le mal, n'est-elle pas assez puissante pour nous guider? Quel avantage est-ce pour moi que ce discernement qu'elle me procure, si me laissant toûjours en liberté de choisir, son impulsion ne me détermine pas? et si ce choix n'est pas en ma puissance, pourquoi m'oblige-t-on aux remords? Non, les Dieux ne sont pas assez injustes pour nous punir d'un mal qu'ils pouvoient nous empêcher de commettre : Puisqu'ils sont les auteurs de la nature, ils connoissent sans doute son pouvoir, c'étoit à eux de mettre en nous ce raïon divin, cette force intérieure contre laquelle nos efforts auroient été vains. Nos devoirs alors se seroient confondus avec nos mouvemens; cette tyrannie salutaire nous auroit rendu plus parfaites, plus dignes d'être leur Ouvrage. Ont-ils craint en nous éclairant que nous ne fûssions trop près d'eux, ou ont-ils voulu se réserver le plaisir barbare de nous demander compte des défauts dont ils ont accompagné notre éxistence? Mais que dis-je? Malheureuse! et d'où me vient donc la répugnance que j'ai pour Jonquille? S'ils ne m'avoient pas soutenuë, auroit-il encore à désirer? L'amour que je me sens pour Tanzaï, tout fort qu'il est, ne me jetteroit pas dans un si grand desordre. Ah! les dieux nous éclairent plus que nous ne croïons : si nous étions attentifs à cette voix secrette qui nous parle, si nous ne la faisions pas taire, nos mouvemens se décideroient tout d'un coup; et nous éprouverions moins de combats dans notre ame, si cette voix étoit moins puissante. Mais après tout que m'importe ce Génie, et quand je céderois à ses desirs, ne puis-je pas, toûjours occupée de mon époux, ne m'entretenir que de sa tendresse? Eh! l'ame ne s'égare-t-elle pas? Et malgré ma vertu, n'ai-je pas été, dans ce Bosquet [2], près de succomber? Voïois-je Jonquille? Pensois-je à mon époux? Ne m'étois-je pas perduë moi-même? Qui me répondra que je ne m'égare plus? Je me suis arrachée au péril, mais quels efforts ne m'en a-t-il pas couté? Le trouble de mon cœur, cette volupté qui s'est emparée de mes sens, ces mouvemens confus ne me disent-ils pas tout ce que j'ai à craindre? Et qui combats-je ici? Le plus aimable des Génies! Ah! tâchons d'en perdre l'idée, fermons les yeux sur son mérite : que seroit-ce pour moi qu'un plaisir qui me coûteroit tant de larmes, et qu'est-il auprès de cette satisfaction si pûre qui ne nous abandonne jamais quand nous n'avons rien à nous reprocher? [...]

---

1. La fée Moustache a promis à Neadarné que Tanzaï ignorerait tout.
2. Lors d'une rencontre précédente avec Jonquille.

# texte XXI   Mémoires et Aventures
# d'un Bourgeois qui s'est avancé dans le monde
## (1750)

Scène de roman bourgeois, où entrent en jeu, dans une situation à la fois tendue et comique, l'amour, la haine, l'intérêt, le dépit, la violence, la ruse, la sincérité : car, pour n'être pas « nobles », les sentiments n'en sont pas moins intenses ni complexes. Le personnage principal doit adroitement manœuvrer pour amener une femme amoureuse de lui, et qui aurait voulu l'épouser, à accepter de devenir sa belle-mère.

Courci, attiré dans un guet-apens et déloyalement attaqué, n'a pu sauver sa vie qu'en tuant son agresseur, un vil débauché, M. de Louville, qui lui avait cherché querelle pour une ancienne histoire galante. Mais Louville était le père de la jeune fille aimée par Courci, et désormais le mariage espéré n'est plus possible. M<sup>lle</sup> de Louville entre au couvent et va bientôt prononcer ses vœux. La veuve, jeune encore, s'intéresse à Courci sans le connaître, fait de lui son confident et finalement lui propose de l'épouser. « Cruelle destinée ! » s'écrie Courci, au comble de l'embarras. Il doit désabuser la veuve, en déclarant que sa passion pour la fille lui interdit d'épouser la mère. Celle-ci, comme on s'y attend, refuse alors son consentement à l'union des deux amoureux. Mise au courant par Courci, M<sup>lle</sup> de Louville lui fait parvenir de son couvent deux lettres : dans la première, elle lui promet de l'épouser, que sa mère le veuille ou non ; la seconde est destinée à M<sup>me</sup> de Louville, et Courci devra la lui transmettre.

Sur ce roman, voir tome I, pp. 375-377.

Voici ce que contenoit l'autre lettre [1].

MADAME,

« Plus le tems de mon engagement s'approche, plus j'en suis effrayée. Je ne suis
« pas faite pour la solitude. L'ennui, le chagrin, le dégoût qui m'y assiégent continuel-
« lement, en sont des preuves convaincantes. Je saisis une occasion favorable qui se
« présente pour vous rendre compte de mes sentimens. Je n'aurois pû vous écrire aussi
« sincérement par la voie ordinaire, ou ma lettre ne vous auroit pas été rendue. Vous
« recevrez à peu près en même-tems celle que j'ai eu l'honneur de vous écrire pour
« votre Fête, dans laquelle je suis contrainte de paroître aussi satisfaite du Cloître,
« que j'en suis réellement rebutée. Je connois trop vos bontés, Madame, pour douter
« que vous hésitiez à me retirer d'un lieu qui me fait d'autant plus d'horreur, qu'il
« me prive du bonheur de vous voir et de vous donner journellement des preuves du
« respect que vous doit votre fille.

DE LOUVILLE. »

Cette lettre m'inquiétoit. Il m'étoit facile de la faire rendre à Madame de Louville :
mais j'aurois désiré être présent à la réception, et depuis notre éclaircissement je n'y
avois pas retourné. Je ne sçavois comment m'y prendre pour aller la voir. Il est vrai
que la Fête dont parloit Mademoiselle de Louville me fournissoit un prétexte plausible ;
mais je doutois si je devois m'exposer aux reproches que j'attendois de sa part. Heureusement elle y avoit elle-même pourvû. J'appris en rentrant chez moi qu'elle y avoit
envoyé le matin. J'y courus.

Elle se plaignit que je la négligeois. Je lui fis mes excuses. Vous m'avez si bien
accoutumé à votre compagnie, me dit-elle, que toute autre m'excède. Depuis que vous
venez ici fréquemment, je ne trouve plus que déraison, petitesse ou médisance chez
les femmes. Dans la plupart des hommes je ne vois que pédanterie, ignorance ou fatuité.
Votre commerce m'a rendu [2] difficile sur le choix des Sociétés. Ne me privez pas de la
vôtre. Au moins soyons amis. Je n'épargnai point les remercimens que ce compliment
méritoit. Je l'assurai que je serois plus exact à l'avenir.

Elle m'apprit que le lendemain elle ne pouvoit se dispenser de donner à dîner à
une partie de sa famille et à quelques amis particuliers, qui étoient dans l'usage de
la venir saluer à l'occasion de sa Fête. Je vous y invite, continua-t'elle, à condition
que vous m'aiderez à faire les honneurs de chez moi. Je vous avouerai même que je
ne serai pas fâchée de mortifier M. de la Cour [3] qui ne s'attend pas à vous voir ici. Je
veux me divertir à l'inquiéter. Prêtez-vous à notre commune satisfaction.

Je lui promis de contribuer de tout mon pouvoir au plaisir qu'elle vouloit se donner.
En la quittant, je passai chez Madame d'Origny que j'engageai à y venir avec Mesdemoiselles ses filles. Je leur connoissois le meilleur caractére. Je ne doutois point que
leur présence ne fortifiât le parti de Mademoiselle de Louville.

---

1. La lettre de Mlle de Louville à sa mère.
2. Conformément à l'usage du temps, le participe n'est pas accordé.
3. Frère de M. de Louville, bien décidé à venger sa mort et à faire obstacle aux projets
de Courci.

Le lendemain matin je fus saluer Madame de Louville en cérémonie. J'accompagnai le compliment ordinaire du présent d'une montre pareille à celle que je tenois du Marquis de Beauval[1], et de quelques autres bijoux. Elle étoit de la meilleure humeur. Elle me fit voir la lettre qu'elle venoit de recevoir de sa fille, qui marquoit la vocation la plus décidée. Je ne répondis qu'en termes généraux. J'avois pris mes mesures pour que l'autre fût rendue dans un tems plus favorable.

Madame de Louville retint pour le dîner tous ceux qui lui rendirent visite. Celle de Madame et de Mesdemoiselles d'Origny parut la combler de joie. M. de la Cour et son fils vinrent les derniers.

Nous nous trouvâmes quinze personnes à table. Madame de Louville me fit prendre la place d'honneur et me chargea de servir de mon côté pendant qu'elle feroit la même chose à l'autre bout. Elle remarqua bien, ainsi que moi, que ma présence gênoit M. de la Cour. Il n'étoit pas au bout de son embarras. Sa belle-sœur ne se contenta pas de me marquer la plus grande considération. Elle fit parade de mon présent, l'exagera. Elle fit plus. Elle affecta à mon égard toutes les maniéres de la coquette la plus vive et de la maîtresse la plus tendre. En m'adressant la parole, tantôt elle prenoit un ton passionné, tantôt elle se servoit du style le plus familier. Quelquefois même elle sembloit m'agacer. Dans un moment elle m'envoyoit un morceau délicat, l'instant d'après elle parloit à l'oreille de mon valet qui venoit me rendre avec le même mystére les choses les moins sérieuses ou les plus indifférentes qu'elle lui avoit dites. Je répondis à son personnage en enchérissant sur toutes ses folies. Le faquin le plus parfait ne s'en seroit pas mieux tiré. Ce rôle n'est pas difficile, je ne le crois même que trop naturel à notre sexe. Il ne tint pas à nous que la compagnie ne nous crût extrêmement attachés l'un à l'autre. Tous paroissoient dans la plus grande surprise. M. de la Cour pouvoit à peine se contenir. Il sembloit à chaque instant prêt d'éclater. Une Compagnie moins nombreuse n'auroit pas été capable de l'en empêcher.

Nous étions au dessert lorsqu'un commissionnaire bien instruit vint en équipage de Courier apporter la lettre de Mademoiselle de Louville. Il dit à Madame sa mere que sa Maîtresse, femme d'un rang considérable, étant entrée le matin du même jour à l'Abbaye de ... une jeune Novice l'avoit prise à part et l'avoit suppliée les larmes aux yeux et avec les plus vives instances de faire rendre la lettre qu'il apportoit. Je fis au Messager différentes questions auxquelles il répondit selon nos conventions sans vouloir nommer la Dame qu'il servoit. Craignant ensuite que Madame de Louville ne remît à un autre tems la lecture de cette lettre, et ne gardât sa découverte pour elle, je profitai de la familiarité que nous avions affectée pour l'engager à nous en faire part. Madame d'Origny et quelques autres convives appuyerent ma demande. C'étoit peut-être la premiere fois que je parlois raison depuis le commencement du repas. Tenez, me dit Madame de Louville, en me l'envoyant. Lisez-là vous-même. J'obéis de grand cœur.

Je ne réussirai pas à peindre l'effet que fit cette lecture sur toute la Compagnie. Madame de Louville étoit interdite. M. de la Cour devint rêveur. Un coup d'œil

---

1. Personnage de la haute société, ami et protecteur de Courci.

instruisit Madame d'Origny. Elle pria Madame de Louville de la mener avec elle quand elle iroit chercher Mademoiselle sa fille. Car, ajouta-t'elle, je pense comme Mademoiselle de Louville, et je connois trop votre tendresse envers elle pour craindre que vous ayez le dessein de la rendre malheureuse le reste de sa vie. Au contraire elle vous a paru appellée à cet état. Elle l'a crû sans doute elle-même. Vous vous êtes privée de sa société, vous avez immolé votre satisfaction particuliére à la sienne propre. Aujourd'hui qu'elle reconnoît que sa résolution n'a pas été assez réfléchie, elle a recours à vos bontés. Vous rentrerez dans vos droits en y répondant. Je suis persuadée que votre cœur et les sentimens de la Compagnie sont d'accord avec moi.

Madame d'Origny étoit une femme respectable. L'estime qu'on avoit pour elle donnoit du poids à son discours. Chacun des convives s'empressa de l'approuver. De la Cour le fils qui aimoit tendrement sa cousine, courut aux genoux de Madame de Louville. Ma chere tante, lui dit-il, ne me refusez pas, je vous prie, le bonheur de voir et d'embrasser au plutôt ma cousine. Allons la chercher demain. J'irai de votre part l'avertir tout à l'heure. Il eut à peine lâché ce peu de paroles, que son pere le regarda d'un air ménaçant qui nous fit connoître à tous qu'il étoit heureux d'en être éloigné.

Jusques-là, les plus intéressés (je veux dire Madame de Louville, M. de la Cour et moi) n'avoient pas dit un mot. On devinera aisément par quels motifs. Je crus devoir profiter de la disposition dans laquelle Madame de Louville paroissoit être de contrarier son beau-frere. Je lui fis dire à l'oreille que M. de la Cour triomphoit, parce qu'il la croyoit dans les mêmes sentimens que lui, et qu'il paroissoit persuadé que quand elle penseroit autrement, elle n'oseroit pas s'expliquer devant lui. Le reméde opéra. Madame de Louville rompit le silence et me pria de donner mon avis. Le suivrez-vous, lui dis-je, Madame? Je vous le promets, ajouta-t'elle. Suivez donc, repris-je, celui de Madame d'Origny, rendez-vous aux priéres de Monsieur votre neveu. Votre tendresse pour Mademoiselle de Louville a sans doute prévenu mon conseil, et je ne crois pas que personne vous en donne d'autre.

Exceptez-moi, Monsieur, me dit durement M. de la Cour. Je ne doutois pas du vôtre, mon frere, interrompit Madame de Louville. Je n'ai pas eu besoin de vous le demander, votre visage l'expliquoit assez. Je n'en suivrai pas moins celui de M. de Courci comme plus conforme à ce que la nature m'inspire. Je vous conseille aussi, ma sœur, lui dit froidement M. de la Cour, de ne consulter que Monsieur, quand vous voudrez marier votre fille, et comme il vous sera facile de prévenir son avis, vous pourrez d'avance faire tout préparer pour la cérémonie.

Je vous remercie, mon frere, reprit Madame de Louville, je fais trop de cas de vos sentimens pour ne pas m'y rendre, quand ils sont d'accord avec mes désirs. Car, ajouta-t'elle, je veux bien que vous sçachiez que tant que je vivrai vous n'aurez aucun pouvoir sur ma fille, et que je suis maîtresse d'elle comme de moi-même. J'espère vous prouver le contraire, Madame, répliqua M. de la Cour. Je ne suis pas dupe. Je vois clairement que tout ceci n'est qu'un jeu concerté entre vous et M. de Courci. Je ne sçai s'il réussira dans ses desseins, cependant je pense que non, à moins qu'il n'ait recours à quelqu'un de ces heureux expédiens avec lesquels il sçait se défaire de ceux qui lui nuisent.

Vous m'insultez gratuitement, Monsieur, lui dis-je sans m'émouvoir, jamais reproche ne fut plus injuste et plus déplacé. Cependant je vous proteste et j'en prens à témoins toute la Compagnie, que je respecterai toujours en vous l'oncle de Mademoiselle de Louville. Vous en avez dit autant à son pere, reprit-il avec fureur, et vous ne lui avez pas moins donné la mort aussi-bien qu'à son Amant[1].

Il sortit à ces mots. Personne ne s'empressa de l'arrêter. Madame de Louville me pria d'excuser l'injustice et l'emportement de son beau-frere. De la Cour le fils me fit mille instances pour le même sujet. Je les assurai que je n'en conserverois pas le plus léger ressentiment.

Dans le dessein de prévenir ses ménaces, Madame de Louville se résolut de ne pas différer à retirer sa fille. La partie fut liée pour le lendemain. Ensuite elle écrivit deux lettres, l'une à l'Abbesse et l'autre à sa fille. Elle remercioit l'Abbesse de ses bontés et lui marquoit que n'ayant de consolation à espérer que de sa fille, elle ne pouvoit se résoudre à s'en priver pour toujours, et qu'elle viendroit le lendemain la chercher. Elle se bornoit à ordonner à sa fille de se tenir prête à partir le lendemain matin.

Je n'osois demander d'en être le porteur, ou au moins d'accompagner de la Cour[2]. Il me prévint. Voudriez-vous bien, me dit-il, me prêter la moitié de votre chaise? Volontiers, lui répondis-je, si j'occupe l'autre. C'est comme je l'entens, reprit-il.

Madame de Louville passa au moment dans une autre chambre, je l'y suivi. Quelles actions de graces ne vous dois-je pas, Madame, m'écriai-je en lui embrassant les genoux, pour les faveurs inespérées dont vous m'accablez! Je connois trop votre grandeur d'ame pour craindre que vous soyez généreuse à demi. J'espère et j'attens tout de vous et de vos bontés pour moi. Recevez, je vous prie, les assurances d'un zéle et d'un respect qui ne se démentiront jamais. Levez-vous, mon fils, me dit-elle en rougissant. Je ne sçai par quels moyens vous m'avez amenée à votre but. Je vous avouerai même que le dépit de mon beau-frere vous a plus servi que vous ne pensez. Quoiqu'il en soit, je vous donne ma fille, c'est une précaution que je prens contre moi-même. Je suis sans inquiétude sur son sort. Il ne peut être qu'heureux avec vous.

Comblez-le, Madame, lui répondis-je, ne nous quittez pas, soyons unis autant qu'il est possible. Mon bonheur ne sera parfait qu'autant que votre amitié pour nous daignera le partager. La présence d'une mere tendre et vertueuse augmentera notre félicité. (Je l'embrassois pour donner plus de poids à mes prières.) Je ne puis, me répliqua-t'elle, résister à une demande que je désirois et que j'attendois de votre part. Je consens à tout ce que vous exigez. Puissai-je ne m'en repentir jamais. Mon neveu vous attend. Partez. Je remarquai qu'elle avoit les yeux humides, je sortis sans insister davantage et fus trouver de la Cour.

---

1. *Amant* au sens qu'avait alors le mot d'amoureux non éconduit. Un prétendant protégé par Louville avait essayé d'enlever Mlle de Louville et en avait été empêché par l'intervention d'amis de Courci. Au cours de la lutte, il avait été tué.

2. De la Cour le fils, évidemment.

# texte XXII     Ainsi finissent
# les grandes Passions (1788)

L'épicurisme pessimiste de Loaisel associe l'angoisse à la volupté. Ces transports d'amour auprès d'une tombe seraient ridicules, si la qualité du sentiment et l'accent déjà romantique de la méditation ne faisaient oublier les circonstances aussi conventionnelles qu'invraisemblables.

Sur Loaisel, voir tome I, pp. 439-441.

### LETTRE XXX

*Au même.*

Les grandes calamités laissent toujours dans un pays quelque chose de triste et de lugubre, qui influe longtems sur le caractère de ses habitans. Depuis l'événement funeste [1] que je vous ai mandé dans ma dernière Lettre, l'on ne rencontre ici que des visages désolés. Le dimanche n'est plus un jour de fête pour les habitans de ce canton; plus de danse, plus de divertissemens sous le gros ormeau consacré ce jour-là aux assemblées et aux jeux. Quand ils ont assisté aux offices de la paroisse, ils s'en retournent tristement, et restent clos toute la journée dans leurs chaumières, si ce n'est quelques

---

[1]. Un incendie a détruit plusieurs maisons de paysans dans un village voisin.

277

vieillards qui sortent vers le soir, pour aller prier sur la fosse de leurs pères anciennement décédés, et que l'on voit à genoux çà et là devant quelques croix de bois à moitié cachées dans les herbes du cimetière.

Cette tristesse par-tout répandue a pénétré jusques dans le château. On n'y voit plus l'air joyeux et satisfait que tout le monde avoit ici dans les premiers jours de notre arrivée. Madame de V...[1] sur-tout a beaucoup perdu de son enjouement. Si elle s'y laisse aller encore, ce n'est que par intervalles. Dans les momens de gaieté qui lui échappent, son visage devient sérieux tout-à-coup, comme si elle se reprochoit de s'y livrer. Je ne vois plus le même abandon dans les mouvemens de sa tendresse; les témoignages de mon amour paroissent la toucher moins sensiblement; elle les reçoit avec plus de réserve : elle craint d'être heureuse, parce qu'il y a autour d'elle des êtres qui gémissent. Je m'afflige intérieurement de ce changement; mais j'en dois respecter les motifs : les droits de l'humanité sont plus sacrés que les miens.

Cet après-dîner, nous nous promenions dans le parc; ses discours avoient une teinte de mélancolie qu'ils n'ont pas ordinairement, et me faisoient craindre qu'elle ne commençât de se dégoûter du séjour de la campagne. Elle me parloit de ses malheureux habitans sujets à tant de maux qui ne sont que pour eux, et dont les travaux si pénibles n'ont point de dédommagemens; elle les plaignoit de vivre éloignés des douceurs et des agrémens de la société, ce qui est peut-être le moindre de leurs malheurs, puisqu'on vit heureux avec des privations, et qu'il en est une foule que l'on peut envisager comme un bien : elle a dit d'ailleurs à ce sujet tout plein de choses vraies et touchantes. Cet entretien l'a menée insensiblement à des considérations générales sur le sort de l'homme, qui est sans doute ce qu'il doit être dans l'ordre de la providence; mais dont l'esprit et la raison se confondent, lorsque venant à considérer cette inégalité monstrueuse dans la distribution des biens et des maux versés sur les individus de son espèce, et que devenant pour lui-même une sorte de problème aussi triste qu'insoluble, il ne voit plus ni l'objet ni la fin de son existence.

Cette réflexion et beaucoup d'autres exprimées d'un ton pénétré, et sorties d'une bouche accoutumée à faire aimer tout ce qu'elle dit, sont entrées profondément dans mon ame, portée naturellement à la mélancolie, et ma tristesse renchérissoit sur la sienne.

Dans la partie la plus agreste et la plus sauvage du parc, sous un bosquet de vieux ifs et de genevriers, est une espèce de cénotaphe de forme antique, qu'un des ancêtres de Madame de V... éleva jadis à la mémoire de son épouse, emportée à la fleur de son âge. Tout en nous promenant et tout en donnant carrière à nos idées mélancoliques, nous sommes entrés et nous sommes assis dans ce bosquet. En regardant de près ce vieux monument que je n'avois point encore observé, j'ai apperçu quelques mots gravés sur la pierre : c'est une longue inscription en vers latins effacés pour la plupart. Voici le sens de ceux que j'ai pu déchiffrer, après avoir enlevé la mousse très-épaisse et extrêmement tenace qui les couvroit en partie :

---

1. Eugénie de V..., la maîtresse du narrateur, avec qui elle s'est retirée dans son château à la campagne.

*Ses deux joues vermeilles étoient plus appétissantes à voir, qu'une rose fraîchement cueillie le matin dans un parterre. Cette belle fleur a passé comme le souffle qui l'a flétrie & detruite en un même jour... Ainsi s'éteint tout ce qui brille un moment sous les cieux...*

*Moi, Thibault du Fa..., deuxième du nom, Seigneur de Gur..., j'ai possédé cette beauté en légitime mariage l'espace de deux années...*

*J'ai élevé ce monument en mémoire d'elle, pour y venir pleurer tous les jours...*

*Quand mon cœur épuisé de soupirs & d'amour se sentira défaillir, & que mon corps, ainsi qu'un feuillage privé de la sève qui le nourrit, sera prêt à tomber; ô mes chers amis! portez-moi dans le tombeau où elle repose, & couchez-moi doucement à ses côtés.*

Comme j'achevois de lire cette inscription touchante, mes yeux se sont fixés sur Eugénie : elle avoit le teint pâle et l'air abattu. « Ces traits charmans, ai-je dit en moi-même, sont donc destinés à périr? Et cet esprit si aimable que deviendra-t-il? Et notre union si tendre qui finira puisque tout finit, quand et comment finira-t-elle? Un autre événement que celui de la mort en sera-t-il et peut-il être le terme? » Ces idées, qui me sont venues rapidement et successivement, ont pénétré jusqu'au fond de mon cœur. Je me suis approché tout ému de ma belle maîtresse; je l'ai pressée contre mon sein avec une action si passionnée, que ce mouvement a réveillé tous ses feux, et ranimé son teint du plus vif coloris. Son visage a repris sa physionomie céleste, et nos désirs et nos transports et nos ames encore une fois se sont confondus. Cet accès de plaisir, trop vif pour être durable, a passé comme l'instant fugitif qui l'avoit amené. Rassemblez les plus heureuses situations, tous les bonheurs, tous les ravissemens dont l'homme est capable, vous n'y trouverez rien qui puisse se comparer à ce moment délicieux; mais ce n'a été qu'un point dans la rapidité d'un jour. Je le possédois; il n'étoit plus; et quand je croyois jouir, je n'avois déjà plus que le souvenir d'avoir joui.

Les réflexions chagrinantes sont revenues fatiguer mon esprit. Je me suis mis à rêver des vicissitudes de cette vie, de l'instabilité des choses et des félicités humaines, de cet avenir obscur, si redoutable pour un amant jeune encore, et toujours épris de tous les feux de l'amour; mais qui perdant cependant peu-à-peu les fraîches illusions de sa première jeunesse, et voyant avec amertume qu'elles ne tarderont pas de lui échapper pour toujours, se voit obligé quelquefois d'admettre la raison à ses plaisirs. Eugénie de son côté, soit qu'elle fît les mêmes réflexions, et que le même effroi la troublât, soit qu'elle se reprochât un moment de foiblesse, ne paroissoit ni moins triste ni moins agitée. Un morne silence avoit succédé à nos discours, et à nos transports. Le jour étoit sombre, la nuit s'approchoit : nous sommes rentrés tristement au château, marchant éloignés l'un de l'autre, sans nous parler, et nous jettant seulement de tems en tems quelques regards accompagnés de soupirs. Que signifie cette journée, et tant de plaisir, et tant d'alarmes? O mon ami! il n'y a donc point de bonheur parfait sur la terre?

# TABLE DES MATIÈRES

## DEUXIÈME PARTIE : ANTHOLOGIE ROMANESQUE